R Viscusi
Forlì
19 novembre 2003

LORENZO DEL BOCA

MALEDETTI SAVOIA

Con la collaborazione di
IGNAZIO PANZICA

Le note e le relative fonti bibliografiche sono alle pagine 253 e seguenti [N.d.A.]

I Edizione 2001
II Edizione, febbraio 2002
III Edizione, febbraio 2003

15033 Casale Monferrato (AL) - Via del Carmine, 5
Tel. 0142/3361 - Fax 0142/74223
www.edizpiemme.it

Stampa: Grafica Veneta Srl - Via Padova, 2 - Trebaseleghe (PD)

Un falso storico: l'incontro di Teano

Il pittore Pietro Aldi fece del suo meglio. Sulla parete del municipio di Siena lasciò correre colori e pennelli con disinvolta maestrìa in modo da fissare sul muro l'immagine dell'incontro di Teano fra Vittorio Emanuele II e Garibaldi. Il re, in viaggio da Torino verso quel Sud che doveva diventare di sua proprietà, e il Generalissimo che, venendo in senso contrario, marciava verso Nord, ebbero modo di incrociare i rispettivi sguardi e formularsi i reciproci saluti.

Uno spettacolare falso d'autore.

Vittorio Emanuele II, con una stazza abbondantemente sopra i cento chili e il sedere esuberante per ampiezza quanto la grancassa di un tamburo, non era un soggetto facile nemmeno per l'arte, avvezza agli aggiustamenti dei pittori di regime. Come non svilire la grandiosità dell'avvenimento con l'immagine di un sovrano sgraziato, già curvo sulle spalle, goffo in sella, più largo che lungo?

Pietro Aldi se la cavò cercando nella pinacoteca del palazzo, fra i ritratti dei sovrani: trovò il padre di Vittorio, Carlo Alberto, anche lui a cavallo ma più fiero e filiforme, gambe lunghe e ben appoggiate sulle staffe, schiena dritta e secco quanto un chiodo. Sopra un busto così ben fatto, fu sufficiente calare testa, barba e baffi di Vittorio Emanuele. Un'operazione analoga a quella dei moderni fotomontaggi.

Anche nei confronti di Garibaldi non mancò un pizzico di garbo. Quella mattina il "primo" dei Mille aveva dei fastidi con l'artrite cervicale. L'avventura è bella ma lascia dei segni sulla pelle e nelle ossa. Quando il collo gli doleva in quel modo, il Generalissimo si proteggeva con strati di sciarpe, si annodava un fazzoletto sul collo e poi copriva il tutto calzando una specie di papalina di lana.

Le sciarpe colorate facevano molto Sud America e confortavano la sua immagine di eroe dei due mondi. La papalina poteva essere una bizzarria tollerata e persino simpatica su un personaggio stravagante e anticonformista come lui. Ma, certo, un foulard come quello delle massaie che andavano al mercato per la spesa del giorno, avrebbe compromesso il mito dell'invincibile. Meglio indugiare sui riccioli biondi lasciati cadere senza riguardo e poca cura come accade per gli eroi bohémien.

Perciò l'autore dell'affresco preferì proporre l'immagine di un Garibaldi esuberante con il cappelletto fra le dita di una mano alzata nell'entusiasmo del saluto sopra la testa nuda. L'inestetico fazzoletto a scacchettoni, steso fra orecchio e orecchio, fu sostituito con un improbabile mantello turchese che, con abbondanza di pieghettatura, scendeva fino quasi a lambire la coda del cavallo.

Bugiardo, ancorché accreditato dalla compiacente reticenza dei testimoni, fu il resoconto scritto che venne dato dell'episodio. Si disse che accadde a Teano e qualcuno è disposto a credere che avvenne dove adesso è stato sistemato l'autogrill, al bordo dell'autostrada, perché l'ingresso è abbellito da un gigantesco mosaico che ricorda l'episodio. I più avveduti sanno che c'è un cartello di lamiera alto due palmi davanti al ponte di San Nicola, alla periferia del paese, verso Caianello, che assicura: "luogo dello storico incontro". Lettere minuscole, ogni tanto soffocate dalla ruggine del tempo che, da decenni, tenta di cancellarle. Appena dietro, il monumento. Ma non ci sono cavalli e nemmeno cavalieri, nessun gruppo armato né festoni di bandiere. Non c'è, insomma, un'allegoria degna del fatto. Chi voleva celebrare l'Unità d'Italia fece costruire un recinto e lo protesse con una ringhiera di ferro battuto. Dentro: quattro scalini e una colonna di cemento. Sopra il tutto c'era – una volta – un capitello che offriva sostegno a una specie di ampolla con le zolle delle 19 regioni italiane degli anni Sessanta. C'era, perché adesso non c'è più. Qualcuno ha rubato quel simbolo della storia e nessuno si è preoccupato di sostituirlo. In compenso la fiera del paese è stata battezzata "tricolore"; l'"Incontro" è un caseificio "produzione propria di mozzarelle di bufala" e Garibaldi è la piazza, la via principale e una mezza dozzina di negozi.

Secondo i resoconti, il re trotterellava su un cavallo arabo storno che, quella mattina, doveva avere la luna di traverso perché scartava volentieri sulla destra. Era accompagnato da un seguito di ufficiali, ciambellani, servitori: «Tutta gente avversa a Garibaldi, a codesto plebeo donatore di regni». L'eroe dei due mondi, invece, stava con Missori, Canzio e pochi altri fra cui i memorialisti – non certo imparziali – Alberto Mario e Cesare Abba. Doveva essere il 26 ottobre 1860: l'autunno si faceva già sentire in modo assai pungente a giudicare dall'umidità dell'aria.

Il cantautore Bruno Lauzi, cent'anni dopo, se la sbrigò con una battuta destinata ad accompagnare il ritmo di una cantilena orecchiabile: «Arrivarono a Teano / e si strinsero la mano».

I contemporanei abbondarono in particolari. Raccontarono che questi due eroi dell'Unità d'Italia si scambiarono frasi di affettuosa amicizia, quasi abbracciandosi e, dunque, mettendo i loro cavalli nella condizione di abbracciarsi anche loro.

«Saluto il primo re d'Italia». «E io saluto il mio migliore amico».

Si lasciò credere che i due si fossero messi in marcia, al passo, spalla a spalla, in modo da poter intrattenere qualche brano di amabile conversazione. In fondo, non dovevano far difetto gli argomenti. Dietro, alle prese con analoghe chiacchiere, sorridenti e solidali, i generali inamidati dello Stato Maggiore piemontese e gli sbrindellati colonnelli dell'esercito dei volontari. Sorrisi? Pacche sulle spalle? Complimenti per le coraggiose imprese di guerra? Che succede a Torino? E com'è questo Sud?

La realtà è diversa, a cominciare dal luogo che, ormai, a giudizio quasi unanime degli storici, sembra fosse Vairano. Pochi chilometri in linea d'aria, se vogliamo, buoni per qualche pretesa di campanile, eppure indicativi della superficialità con cui è stata trattata la storia recente. Fu una scena goffa e impacciata.

La pronipote dell'eroe dei due mondi, Ana Maria de Jesus, figlia di Ricciotti Garibaldi e di Costanza, sostiene che in famiglia la spiegavano così: «Il bisnonno e il re si incontrarono a Vairano. Il bisnonno a Teano non ci è andato proprio, nemmeno a dormire. Aveva passato la notte alla taverna Catena di Vairano, si era alzato presto e, invece di partire, aveva deciso di aspettare Vittorio Emanuele. Quando arrivò, il bisnonno non scese da cavallo e gli disse: "Maestà, vi porto l'Italia". Per la verità lo disse in francese perché lui era di Nizza e nel regno sabaudo l'italiano era poco comune. Dunque: "Majesté, je vous remets l'Italie". Insieme si diressero verso sud».

Secondo alcuni, Vittorio Emanuele non andò oltre uno striminzito: «Grazie». Dopo qualche centinaio di metri – racconta Alberto Mario – piemontesi e garibaldini che si erano mescolati «si separarono, ciascuna parte respinta al proprio centro di gravità: in una riga le camicie rosse e nell'altra e parallela superbe assise lucenti d'oro, d'argento, di croci e di gran cordoni». Qualche gruppo di contadini meridionali accennò a un applauso: «Viva Galibardo... Viva... Viva Galibardo» e guardavano verso il re perché ritenevano che il più popolare fosse anche il meglio vestito.

Il monarca si preparava a entrare a Napoli con due uomini che detestavano il Generalissimo, il quale, naturalmente, ricambiava analoghi sentimenti: Luigi Farini, destinato a diventare il luogotenente del regno delle due Sicilie, e Manfredo Fanti, ministro della Guerra, deciso a liquidare i volontari per difendere le prerogative dell'esercito regolare.

L'aria del mattino era così rigida da lasciar intendere un arrivo anticipato della brutta stagione. Niente, tuttavia, al confronto con il clima politico che dovette apparire addirittura gelido, avvelenato dai sospetti, turbato dalla diffidenza e reso inquieto da equivoci la maggior parte dei quali coltivati di proposito per poter intorbidare le acque in modo da pescarvi comodamente. La politica, a Torino, era quanto mai doppia: oscillava, a seconda dei casi, tra liberalismo e reazione, tra gesuiti e carbonari, tra Austria e Francia, macerata com'era da ambizioni territoriali e paura della repubblica.

Garibaldi chiese al re l'onore di partecipare con i suoi uomini all'assalto delle ultime postazioni borboniche, ma Vittorio Emanuele rifiutò seccamente dicendo che i volontari dovevano essere molto stanchi e bisognosi di riposo. In realtà, voleva una vittoria da esibire a buon mercato, ma tutta sua.

Non si dissero altro. Il re invitò Garibaldi a colazione e questi rispose, mentendo, che aveva già mangiato e si congedò. La memorialistica, infatti, volle precisare che, quattro chilometri più in là, si fermò davanti alla chiesetta di un villaggio, chiese del pane e lo masticò seduto su uno scalino con gli altri suoi luogotenenti intorno: facce lunghe e zitti perché nessuno aveva il coraggio di parlare. Verso sera il Generalissimo si lasciò andare a un commento sconsolato con Jessie White Mario: «Ci hanno messo alla coda». Adesso che non servivano più, i volontari erano in liquidazione. E non venne risparmiato loro il segno esteriore del disprezzo. Si doveva fare una grandiosa parata; il generale Sirtori pregò il generale Della Rocca di far partecipare anche le camicie rosse ma, con una faccia tosta degna di miglior causa, quello rispose che non gli pareva opportuno, in una cerimonia tanto solenne, allineare soldati male in arnese. Straccioni, stanchi per una campagna che aveva strabiliato le diplomazie del mondo e stupito i loro comandi militari. I signori ufficiali – fu la decisione – avrebbero potuto partecipare e sarebbero stati i benvenuti. Però la truppa era meglio lasciarla acquartierata negli accampamenti. Naturalmente gli ufficiali non andarono alla parata senza i loro uomini.

Il bombardamento di Capua cominciò il 1° novembre e fece più vittime fra la popolazione civile che fra le milizie. I giornali strombazzarono il successo come se fosse stata la pagina più coraggiosa del secolo. Garibaldi non trattenne un singulto di ironia: «Povero re che cosa gli fanno fare».

I volontari vennero sciolti: potevano entrare nell'esercito nazionale e restarci due anni oppure andarsene con un mese di soldo. Uguale trattamento per gli ufficiali, che avrebbero ricevuto la paga di sei mesi ma solo dopo che un'apposita commissione avesse valutato il loro lavoro e terminato il cosiddetto "spurgo". Parola orrenda e addirittura ingiuriosa se rivolta a quei valorosi. I gallonati d'accademia intendevano sostenere che i comandanti in camicia rossa avevano ottenuto nomine con eccessiva facilità e senza la regolamentare anzianità. I 7.000 graduati divennero 2.000 e pochissimi conservarono il grado. Contemporaneamente, senza esami e con poca attenzione, entrarono nei ranghi dello Stato Maggiore la gran parte degli ex comandanti borbonici, come riconoscimento per il contributo fondamentale assicurato alla causa unitaria quando scappavano invece di combattere.

Nel Meridione era cominciato il governo piemontese. Il barone Bettino Ricasoli non si trattenne dal protestare: «La stupida pedanteria e la laida burocrazia piemontese ci costringeranno a una nuova rivoluzione per rigettarne quel giogo che mi è più antipatico di quello che mi fu l'austriaco. Non vogliono capire che noi vogliamo essere italiani e avere un'anima italiana e non automi alla maniera loro».

L'eroe dei due mondi non volle ricompense per la sua impresa. Prese quattro pacchi di maccheroni e si imbarcò su un vapore diretto a Caprera. Restarono gli altri e, senza troppe preoccupazioni, cominciarono a spartirsi quello che lui aveva conquistato e lasciato.

I tesori requisiti in Sicilia e a Napoli erano ingenti, ma gli appetiti dei profittatori erano abbondantemente più grandi. I Borboni abbandonarono tutto nelle loro banche e nei loro possedimenti: i Savoia ne fecero piazza pulita.

Ma, allora, chi erano questi piemontesi d'assalto? E chi era Vittorio Emanuele II?

Vittorio Emanuele II «re galantuomo»?

Vittorio Emanuele II, re galantuomo?

Quando era poco più che ragazzo, al seguito dell'esercito impegnato contro l'Austria, mentre i soldati morivano senza lamentarsi e – per la verità – senza capirne bene i motivi, lui ingannava il tempo facendo il tiro al bersaglio sui pavoni della cascina di Sommacampagna scelta come quartier generale del re. Peggio di un bulletto di provincia. Il fattore, che si vedeva distruggere un pollaio regale, stava per fare esplodere una guerra nella guerra ma poi fu chetato con 20 lire per ogni capo ucciso. "Spese militari", naturalmente. Il generale Della Rocca, amico, compagno e sodale, ne lasciò una traccia nel suo diario: «La cena di quei giorni fu abbondante e gustosa».

Il Savoia, un po' più avanti negli anni, segnato dal tempo e dall'età, usava il lucido delle scarpe per annerirsi i capelli già brizzolati che gli denudavano le tempie e la nuca. Ha lasciato l'impronta della sua testa sui frontali dei letti che frequentava maggiormente, perché, mentre faceva l'amore, si appoggiava con la fronte. E, almeno una volta, a Firenze, mentre presenziava a una cerimonia ufficiale, scoppiò un acquazzone e la pioggia cominciò a sciogliergli il colore che scivolò lungo il colletto della camicia.

Re galantuomo? Partì per Parigi dove avrebbe dovuto stringere un'alleanza strategica con Napoleone III eccitato dalla notizia che le parigine non portavano le mutande. Davvero? Forse gli sembrava straordinaria l'idea che bastasse sollevare loro le gonne. Ma come trovare conferma? Nel corso della cerimonia di benvenuto, prima ancora di salutare i suoi ospiti, si piegò verso l'orecchio dell'imperatrice Eugenia per chiederne conto. La first lady francese, che da quando era salita sul trono aveva assunto l'aria della santerellina, non poté evitare di turbarsi e fu vista aprire il ventaglio per nascondere le guance che stavano andando a fuoco.

Ai pranzi non gradiva per nulla le pietanze che gli presentavano e il più delle volte se ne stava impalato come un baccalà, di pessimo umore, senza toccar cibo e mettendo a disagio i convitati, primi fra tutti i padroni di casa. Stava invece d'incanto all'osteria, se gli offrivano una scodella di zuppa di fagioli che, minestra plebea, gli risultava di gran lunga più appetitosa. E poi non si affannava a trattenere i rumori di ventre, incoraggiando anzi i commensali a slacciarsi la cinta dei pantaloni per migliorare il decorso della digestione.

Re galantuomo? Per un secolo Vittorio Emanuele II ha goduto dello straordinario privilegio di essere raccontato soltanto dagli storici graditi a casa Savoia. Non necessariamente prezzolati – per carità – ma, certo, così benevolmente prevenuti che ognuno di loro si è sforzato di nascondere gli immensi difetti e si è prodigato per ingigantire le minime virtù. Nonostante questo impegnativo sforzo di autocensura e di celebrazione acritica, il risultato è deludente. Re galantuomo. Una banalità.

Niente in confronto con la grandiosità guerresca che ha accompagnato Garibaldi, eroe dei due mondi, immaginato nell'atto di mettere a ferro e fuoco i continenti interi. Per lui l'agiografia è riuscita a costruire il mito dell'uomo intrepido, disinteressato, innamorato delle cause giuste anche se non immediatamente riconosciute. Si fa fatica a immaginare Garibaldi senza un cavallo di bronzo sotto. E Camillo Benso di Cavour, piccolo, tracagnotto, miope, con una faccia che assomigliava a un melone ancora acerbo, si è guadagnato il titolo di "tessitore" che gli rende il merito di un'astuzia politica e di una diplomazia intrigante quanto basta per attuare una strategia risoluta. Risulta migliore persino Giuseppe Mazzini: indicandolo semplicemente come "repubblicano" gli si riconosce un ruolo intellettuale, forse non veridico, ma gli si attribuisce pur sempre una statura di "filosofo della politica" temerario ma preveggente.

Il re, galantuomo e basta. Poiché, certamente, se il trono non può sopportare – ufficialmente – le terga di un mascalzone, significa che non c'era proprio null'altro da vantare. Ed è francamente poco. Per troppo tempo Vittorio Emanuele II è stato – quasi – oggetto di culto. I documenti d'archivio che lo riguardavano finirono in un vagone dei 18 treni che presero la strada per la Svizzera, portando in esilio quanto di prezioso o di interessante era conservato nei palazzi reali e nelle biblioteche. Il tesoro della corona, ovviamente, e i risparmi che potevano assicurarsi re, regine e principi; chincaglierie d'oro, quadri di qualche importanza, posate d'ordinanza, piatti di casa, bicchieri e coppette del gelato. Tutto quanto fu umanamente possibile fare scomparire. Una piccola rapina alla storia e all'erario organizzata con calma previdenza fra la caduta del fascismo e la caduta della monarchia. Le cronache compiacenti riferirono che gli ultimi successori di casa Savoia lasciarono l'Italia dignitosamente e con una valigetta soltanto. Il resto era già al sicuro da mesi nei forzieri neutrali della Svizzera.

È forse tempo di rivedere qualche pagina di storia andando controcorrente. Anche gli anni gloriosi dell'Unità d'Italia, sfrondati dai concetti ampollosi della nazione da liberare a tutti i costi, appaiono meno intrepidi, meno ideali e anche meno disinteressati. In fondo, uno dei motivi – e forse il maggiore – che ha impedito al Risorgimento di essere considerato al pari delle epoche più importanti dell'evoluzione storica italiana è stata la retorica di regime. Questo atteggiamento non solo ha allontanato le generazioni successive dal culto della patria che pretendeva d'imporre, ma ha impedito di vedere quanto di incompiuto aveva lasciato. Furono creati dei feticci e inventati eroi per le celebrazioni annuali. Da queste menzogne sono nate le nostre più rovinose avventure, a cominciare dalle guerre moderne.

La lente d'ingrandimento dei giorni nostri, sovrapposta con qualche irriverenza sul mito del futuro re d'Italia, lo mostra appena nato, la notte fra il 13 e il 14 marzo 1820. Parto difficile. Per il battesimo non si badò al risparmio: Vittorio Emanuele, Maria, Alberto, Eugenio, Ferdinando, Tommaso. Sembrano tanti ma è uno solo. E Massimo d'Azeglio confidava alle pagine del suo diario che non era nemmeno lui, perché il vero Vittorio Emanuele sarebbe morto in un incendio provocato dalla nutrice, e segretamente sostituito con il figlio del macellaio di Porta Romana, a Firenze: un certo Tanaca. Molto probabilmente questa storia melodrammatica non è vera ma, certo, chi la accreditò doveva essere piuttosto preoccupato di spiegare l'infima regalità del personaggio.

Due anni dopo, un altro fiocco azzurro in casa Savoia: Ferdinando, Maria, Alberto, Amedeo, Filiberto,

denzialmente – venivano chiamate "le graziose emigranti".

Qualche volta, però, era lui a uscire dal palazzo. Partiva per alcuni giorni e altrettante notti con un seguito di gentiluomini addetti a coprire fughe e scappatelle. I suoi piaceri risultavano rapidi e senza impegno, disordinati, senza finezze né fantasia. Un egoista d'amore. Come se si trattasse di una specie di obbligo da sbrigare senza sottilizzare troppo. Un esercizio che sembrerebbe più sportivo che lussurioso. Alle signore dell'alta società, eleganti e raffinate ma, certo, svenevoli e in qualche caso pretenziose, preferiva le contadinotte ardite e le popolane compiacenti. I letti a baldacchino li sostituiva volentieri con la paglia dei fienili. Lì non aveva bisogno di mascherare quello che era: schietto e persino grossolano, prepotente come uno smargiasso, fanfarone come capitan Fracassa. E non aveva bisogno di sforzarsi per parlare italiano: il dialetto piemontese andava benissimo.

Questa straordinaria vitalità fisica ricorda un altro personaggio a lui posteriore che, pur essendo nato plebeo, occupò un incarico simile: Benito Mussolini. Anch'egli non lasciava passare giorno (o quasi) senza incontrare una signorina nei quartierini di Palazzo Venezia. Anche per lui le udienze erotiche erano una specie di mordi-e-fuggi che non andavano mai oltre la mezz'ora: presentazione, conversazione, approccio, giù-le-braghe, risistematina, addio.

Freud ha spiegato che la vita sessuale dell'uomo civilizzato è gravemente pregiudicata al punto da sembrare in regresso. Questo dovrebbe significare che – al contrario – l'appetito dell'amore cresce con l'istinto selvaggio. Vittorio Emanuele si rivelò un campione di scappatelle. Per lui l'amore si risolse in una sequela di passioni diverse, che gli rendevano la vita varia e sempre nuova. Un gioco. Bastava fosse giovane e belloccia e che non facesse troppo la ritrosa. Si invaghiva di tutte senza innamorarsi di nessuna. Per aridità di cuore e per incapacità di amare. Come il don Giovanni di Kierkegaard che trovava piacere nel cambiare: istanti fuggitivi, sensazioni senza domani. Nella sua alcova non abitano immagini erotiche, sofisticate o intellettuali. È tutto straordinariamente uguale, meccanico, ripetitivo e persino banale. Un divertimento. Questo re fauno si rivelò un guascone impudente, spavaldo e maleducato. Con tutti. Ma con le donne sembrava persino peggio. Certamente non lo faceva apposta e probabilmente non se ne rendeva nemmeno conto. Ebbe una figlia da Vittoria Duplessis, discendente alla lontana dei Richelieu. Una maestrina di Frabosa gli diede, invece, un maschietto e altri due figli gli vennero da Virginia Rho. Mise nel mazzo delle sue amanti Elisabetta, la duchessa di Genova, che era stata moglie del fratello. Ebbe una relazione con Maria Wyse e poi convinse Urbano Rattazzi a sposarsela. Non si faceva scrupoli. Lasciò che la diplomazia combinasse il matrimonio fra sua figlia Maria Clotilde e Girolamo Napoleone di Francia. Sapeva che quell'uomo non avrebbe fatto felice quella sua creatura. Figurarsi: lo chiamavano "Plon Plon" per il suo modo di camminare. Non era alto e nemmeno bello, grassoccio, con le palpebre spesse e gli occhi acquosi. In compenso si vantava di essere un ultraradicale volterriano e libertino. Non ci voleva molto a immaginare che avrebbe condannato la sua primogenita a una vita sfortunata. Ma non fu trattenuto nemmeno da un barlume di dubbio perché quello sposalizio gli serviva per consolidare l'alleanza con l'altro Napoleone, quello importante, l'imperatore.

Alla vigilia del 1864 tentò di usare un altro fascino femminile per concretizzare un'alleanza con l'Austria.

Il comandante degli austriaci della piazza di Verona, Benedek, non era insensibile al garbo di Laura Bon e il re galantuomo gliela mandò perché fosse "carina" con l'ufficiale. La Bon ormai aveva passato i quarant'anni ed era ancora una donna splendida, ma nel 1844, quando di anni ne aveva diciassette e Vittorio Emanuele le rubò il cuore, era fantastica. Il re le rovinò la salute e la carriera di attrice. Le diede una bambina e la fece registrare all'anagrafe come figlia del conte Vittorio di Roverbella. La mandò a Genova e a Parigi per togliersela di torno e lasciò che le nuove amanti le sguinzagliassero dietro alcuni poliziotti compiacenti con l'ordine di perseguitarla. Un amore tormentato che quel gentiluomo di re decise di regalare allo straniero in uniforme in cambio di una buona parola per favorire utili relazioni fra governi confinanti. Gli dovette sembrare una trovata geniale e lei, in ricordo di una passione che pure l'aveva straziata, non seppe rifiutarsi. Benedek, che conosceva la storia, rimase sconcertato dell'iniziativa e si comportò da signore: accolse la donna con tutti gli onori e fu gentile, ma non andò oltre.

Re Vittorio fece mettere a posto una cascina nella tenuta della Mandria e si sistemò in due stanze nel mezzo del caseggiato. A sinistra fece alloggiare la moglie con i figli ufficiali e a destra l'amante Rosa Vercellana con i figli morganatici.

Analogamente, anni più tardi, i figli Umberto e Amedeo si sposeranno con Margherita di Savoia e con Maria Vittoria Dal Pozzo ma continueranno a frequentare le rispettive amanti e per averle più facilmente a portata di mano le fecero nominare dame di compagnia delle mogli. Maria Vittoria morì di crepacuore; Margherita si rifece con il capitano dei corazzieri Antonio Bosisio che – secondo voci di pettegoli bene informati – era il vero padre del principino Vittorio Emanuele destinato, anche lui, alla corona con il numero III e il soprannome di "sciaboletta". Ma qualche volta accadevano degli inconvenienti.

Una sera il gagliardo sciupafemmine entrò nella casa di una giovinetta passando per la finestra. Quando uscì fu assalito da tre individui (forse parenti della ragazza) e dovette combattere duramente a colpi di bastone. Alla fine della rissa, uno degli aggressori rimase per terra. Morto. Un omicidio. Preterintenzionale finché si vuole ma che, anche oggi, verrebbe giudicato da una corte d'assise. Casa reale indennizzò adeguatamente la vittima e «La Gazzetta d'Italia» si preoccupò di chiudere la vicenda pubblicando una nota sfrontata. «Il re ama le donne – tutto inciso nel piombo fuso –. Noi non lo sappiamo. Ma se il re ama le donne, se non può essere accusato d'aver troppo amato, saremo noi, il popolo innamorato per eccellenza, che crederemo grave una simile accusa? Il re ama le donne! E guai se non le amasse». Con licenza di reagire per le spicce come qualunque amante geloso.

In un'altra occasione, questa volta per difendere l'onore della sua donna che era stata criticata, prese a botte il direttore dell'«Armonia», il giornale di ispirazione clericale di Torino, e dovette provarne grande soddisfazione perché conservò il corpo del reato come un cimelio. In un suo cassetto, alla sua morte, trovarono un bastone spezzato in due con un'etichetta che ne spiegava l'origine: «Rotto sulla schiena di don Margotti per quanto scrisse di Rosina».

A Firenze, invece, si invaghì di Emma Ivon, giovanissima eppure corteggiata da mezzo mondo. Era discendente di un importante suonatore di oboe, la madre leggeva le carte dichiarandosi esperta in «consulti magnetici». In questa specie di gara per la conquista dei favori della fanciulla, il re arrivò primo e fu un ménage a tutta prima travolgente. Le fece sposare un funzionario della real casa, un tal Pessina, in modo da assicurarle una famiglia. Nacque un bambino sulla paternità del quale si disputò per un pezzo. Il «Corriere della Sera» raccontò che i compagni sporcavano il volto del giovane disegnandogli sul labbro un paio di baffi enormi per poi commentare: «Lui! tale e quale, lui!». Poi una sera Vittorio Emanuele bussò alla porta della ragazza che evidentemente non lo aspettava e che sembrò molto sorpresa. Di sotto il letto, con i pantaloni in mano, uscì il barone Francesco De Renzis, un aiutante di campo di sua maestà, che nella corsa galante aveva conquistato la piazza d'onore. L'imbarazzo fu grande e per il re rubacuori si aggiunse un'umiliazione che non credeva possibile. Due giorni dopo, per disposizioni superiori, senza motivo dichiarato, l'ufficiale fu arrestato e tenuto in cella di rigore per due mesi nella fortezza di Alessandria. Vendetta. Come qualunque cornuto offeso.

Il principale impegno del re si riassumeva nel preoccuparsi degli affari suoi, disinteressandosi di quelli del governo. I sudditi avevano – naturalmente – la libertà di pagare le tasse che le ricorrenti "Finanziarie" dell'epoca imponevano loro. In modo che lui avesse la possibilità di prelevare quanto gli serviva dalle casse dell'erario e spendere senza porsi troppi problemi di contabilità generale.

La lista civile a sua disposizione – cioè l'insieme dei beni economici – era la più alta fra i paesi e, facendo un rapporto con il potere d'acquisto, mai eguagliata in nessun tempo. Gli zar costavano meno; costa meno la regina d'Inghilterra e le spese della Casa Bianca sono più modeste. Nel 1867 il suo appannaggio raggiunse la cifra di 16 milioni, pari al 2 per cento del bilancio complessivo dello stato. Vittorio Emanuele aveva mantenuto tutti i palazzi di casa Savoia ma, rastrellando regioni e cacciando i sovrani che le governavano, acquisì le proprietà di quelle dinastie e le tenne tutte per sé al fine di ingrandire, anche materialmente, il prestigio del suo regno. Si era convinto che il suo minuscolo e giovanissimo stato potesse competere in ricchezza e abbondanza con le grandi potenze europee. Voglia smodata d'Europa. Anche allora. Calcoli attendibili indicano che i suoi immobili – comprese molte tenute di caccia – erano cresciuti fino a 343. Consumava somme favolose per cavalli, cani, favorite di ogni ordine e grado e i loro parenti. Se tutto ciò fosse compatibile con le risorse del paese era la questione più lontana dai suoi pensieri e, purtroppo, analoga spensieratezza apparteneva quasi per intero all'"intellighentia" al potere. Il regno d'Italia spendeva più del doppio di quanto avevano speso complessivamente i vari stati italiani prima del 1860. Le zone "conquistate" erano spremute di tributi e le uscite superavano di un terzo le entrate. Il paese era sull'orlo della bancarotta. Impossibile finanziare lo sviluppo come sarebbe stato logico, riequilibrare lo stile di vita delle varie regioni come era stato promesso, assicurare all'Italia – tutta – un futuro di lavoro e di tranquillità come sarebbe stato doveroso.

L'economista Alain Dewerpe non è benevolo nel giudicare gli atti di governo in quegli anni. I ceti popolari, specialmente quelli del Sud, furono trattati come un popolo da colonizzare e da sfruttare. La politica fiscale fu così dura da sembrare confisca. In agricoltura aumentarono le produzioni, ma i contadini non ne ebbero beneficio, e si contrassero i consumi. L'industrializzazione si concentrò nel Nord più per l'intelligenza dei singoli imprenditori che per la promozione dei ministri competenti.

Un altro economista, Rosario Romeo, rilevò che fra

il 1861 e il 1873 si ebbe un incremento del rapporto fra circolazione monetaria e reddito nazionale dall'11,6 al 26,3 per cento. L'ammontare dei depositi bancari passò da 250 a 2.750 milioni. Il reddito nazionale lordo crebbe del 56,5 per cento a prezzi correnti. E tuttavia anche Romeo non può non rilevare che il benessere era di pochi a scapito di molti. Le barriere del privilegio si rafforzarono e l'Italia si mostrò priva di ideali e ricca di imbrogli. Il risultato, più che una delusione, fu un tradimento. Tanto più grave e intollerabile perché a palazzo la corruzione imperava. Famigli e loschi personaggi si presentarono al re immaginando disinvolte speculazioni e affari troppo simili alle rapine di stato. Nella migliore delle ipotesi Vittorio Emanuele fu gabbato, nella peggiore accettò di diventare complice. Sua figlia illegittima, Vittoria, si sposò con il marchese Giovanni Spinola, colonnello di cavalleria e blasone genovese. Arrivò all'altare con qualche carro di abiti, con una collezione di gioielli il cui valore fu stimato vicino alle 300.000 lire, mezzo milione in dote e altre 200.000 lire per la liquidazione dei diritti sulle proprietà indivise con il resto della famiglia. Un contadino campava con qualche soldo la settimana.

L'altro figlio illegittimo Emanuele Alberto cominciò con il pensare alla carriera militare. Il battesimo del fuoco lo ebbe a Custoza, nel 1866, e il suo comandante Vandone di Cortemilia, per piaggeria, non si lasciò sfuggire l'occasione di mettersi in mostra firmando un titolo d'onore spudorato.

«Il predetto caporale Mirafiori Guerrieri riunisce autorevolezza e attitudini non comuni per diventare in breve tempo un intelligente e ardito ufficiale di cavalleria». Quando si dice a genero perché suocero intenda. Naturalmente il giovane ottenne la promozione a sottotenente ma poi, essendo di discutibili costumi, si cacciò nei guai e fu costretto a lasciare la divisa. Meglio occuparsi dell'amministrazione del proprio patrimonio che – bontà del re – era cospicuo e cresceva. Emanuele Alberto faceva sfoggio delle ricchezze che gli erano arrivate derubando le casse dello stato, e accendendo il sigaro con biglietti da 100 lire. Lo stipendio di un mese di un bancario. Quando si sposò con Blanche Enrichetta de Lardarel, il papà re non gli fece il torto di trattarlo peggio della sorella. Ebbe un capitale fruttifero di 110.000 lire, la tenuta di Mirafiori valutata 300.000 lire e palazzo Poniatowski, a Firenze, acquistato per 550.000 lire. Basta? No; il palazzo andava ristrutturato e Vittorio Emanuele pagò con i soldi degli italiani. Anche se, assalito infine da qualche resipiscenza, scrisse una lettera al figlio per invitarlo alla moderazione. Ricordò che gli era stata assegnata una somma di 35.000 lire per aggiustare la scuderia e il piano terreno. «Ora sento – e lasciò trapelare un briciolo di sdegno – che 50.000 lire sono già state spese in aggiustamenti e che 70.000 lire sono finite nella scuderia. Ciò fa pessimo effetto perché dicono che io rubo i denari della nazione per darteli a te». La frase zoppica quanto a sintassi, risultato di studi troppo approssimativi, ma il pensiero è limpido.

I soldi non bastavano mai. Fra i tanti lestofanti di cui si circondò, offrì incarichi di prestigio a Natale Aghemo, figlio di povera gente, che ebbe la fortuna di sposare una cugina della Rosina. Con questo lasciapassare e assecondando la sua dote di piaggeria con i potenti, attivo ma discreto, riuscì a inserirsi nella segreteria personale del re. Aghemo si districò in grandi affari, quasi mai trasparenti e, tuttavia, infinitamente fruttuosi. Il re sapeva, taceva e prendeva qualche mazzetta. L'Italia non era ancora avviata e già mostrava segni di disordine morale.

E il "padre" della patria? L'artefice della nazione? Il

difensore del tricolore? Purtroppo non è vero nemmeno questo. Vittorio Emanuele diventò re d'Italia quasi per caso e, certo, senza che lui lo desiderasse davvero. Altri erano i suoi interessi e le sue ambizioni. Gli eroismi di cui – si disse – fu protagonista, furono operazioni di maquillage e di millantato credito.

Intanto all'Italia e alla sua unità, in quel periodo, ci pensavano in pochi. Anche fra i protagonisti delle Cinque giornate di Milano. Quando, alla fine di tutto, scrissero la storia, si inventarono episodi di patriottismo e, per esempio, arrivarono a gabellare la "compagnia della teppa" come un movimento politico contro gli austriaci antesignano del Risorgimento. In realtà era una congrega di mascalzoni spiritosi che si trovavano periodicamente a cena, bevevano quanto il loro stomaco era in grado di sopportare e poi, arzilli e scoppiettanti, calavano sulla città per realizzare gli scherzi che l'estro e le circostanze suggerivano loro. Organizzavano vendette amorose, aspettavano i mariti cornuti per bastonarli, preparavano il rapimento di qualche dama il più delle volte consenziente. Una volta ubriacarono dodici nani – in dialetto meneghino "besios" – e li fecero poi entrare in una sala da ballo mentre l'aristocrazia stava festeggiando. Ne uscì un pandemonio. Una volta strapparono le panchine del parco; un'altra volta sollevarono due metri quadrati di selciato e un'altra volta ancora bloccarono una strada con dei vasi di fiori rubati dal giardino di una villetta. Cosa c'entra l'amor di patria? Una sera si trovarono accanto alla garitta di un soldato e si accorsero che la sentinella, un croato arruolato dagli austriaci, si era addormentato. Come resistere alla tentazione di una burla? Sollevarono di peso quella sorta di abitacolo di legno e lo fecero volare nell'acqua dei Navigli, lanciandolo oltre il parapetto. Una goliardata che venne amplificata per accreditare la voglia dei milanesi di cacciare gli austriaci. In realtà la maggior parte della popolazione aveva accolto i "tedeschi" con benevolenza. Il governo di Vienna sembrava illuminato, assolutista, certo, ma non feroce e anzi, addirittura bonario. I funzionari erano oculati, onesti, attenti all'amministrazione dei sudditi e prodighi di iniziative ben accette. Le tasse non erano esose, in compenso le strade erano ben tenute, le lettere arrivavano a destinazione con ragionevole sollecitudine, gli ospedali funzionavano, il catasto era in ordine e le proprietà rispettate. Popolani e piccoli borghesi di Milano, che erano la maggior parte, pensavano che la "pagnotta" era assicurata e non era il caso di correre avventure per cambiare. Un piccolo gruppo – esiguo – era tenacemente sostenitore dei governanti austriaci: si trattava di burocrati che avevano lo stipendio da perdere e nulla da guadagnare. Il resto riteneva giunto il momento di affrancarsi dalla tutela di terzi per cominciare a camminare con le proprie gambe. Autogoverno. Magari leggermente peggiore di quello esistente ma in piena libertà. Pochissimi fra questi immaginavano di essere conquistati dal Piemonte.

Carlo Cattaneo, un protagonista di quei tempi, quando incominciò la rivolta contro Radetzky, incontrò per strada Cesare Correnti. «Dove vai Cattaneo?». «Dove? A casa. Quando i ragazzini hanno il sopravvento, gli uomini vanno a casa».

L'intervento del Piemonte di Carlo Alberto, con il giovane figlio Vittorio al seguito, riuscì ad ammorbidire l'entusiasmo dei più convinti e a rafforzare l'idea che gli austriaci non erano così male. I generali, da Carlo Canera di Salasco al generale Franzini, da Eusebio Bava Beccaris a Ettore de Sonnaz non avevano idee, quelle poche erano un delirio strategico e per discuterle trasformavano i consigli di guerra nell'equivalente delle maratone oratorie delle commissioni parlamentari odierne. Risultato? Una batosta e l'armistizio.

Ma non si poteva finire lì. Carlo Alberto guardò oltre il suo staterello e chiamò il generale Chrzanowski che aveva combattuto come ufficiale con Napoleone Bonaparte e che conosceva i fondamentali della guerra. Come fanno oggi i presidenti delle squadre di calcio che vanno all'estero a cercare l'allenatore. Un altro fiasco repentino. Poche settimane di campagna e pochi giorni di combattimento: 3 a 0. Pesante sconfitta in casa. Il duca di Genova fu buon testimone quando scrisse: «Non sentii alcuno dei nostri soldati muover lamento o imprecare al destino. Morivano gridando "viva il Re" e raccomandavano le loro povere famiglie». L'ideologia nazionale non apparteneva loro. E il tricolore non piaceva. Maria Adelaide, moglie di Vittorio, si rammaricava che lo stendardo azzurro dei Savoia fosse stato sostituito con quello bianco, rosso e verde «con una ben piccola corona nel mezzo».

Durante la prima guerra d'indipendenza, il generale Giacomo Durando dovette riflettere per «le popolazioni silenziose, costernate, visi tetri di gente malcontenta». Quei piemontesi liberatori non li accoglievano nemmeno con un po' di garbo e preferivano collaborare con gli oppressori. Alla fine della guerra urlavano «Viva Radetzky» e, dandosi di gomito, si compiacevano del fatto che «quei carpatàn di tudesch in turnà»: quei bravi ragazzi di tedeschi avevano ripreso il controllo della città. Stefano Iacini vergò con dolore due pagine del suo diario: «M'è conforto lo sperare che la provvidenza, fra i due mali a cui andavamo incontro, abbia scelto per affliggerci il presente [...] onde preservarci nell'avvenire [...] dai mali dell'anarchia». E il console inglese a Milano Dawkins, una voce *super partes,* mandò un dispaccio a Londra per raccontare che cos'era successo. «Il maggior numero di quelli che hanno qualche cosa da perdere considera questi avvenimenti con sgomento. L'odio per gli austriaci, se c'era, o è sedato o è posto in ombra». Un altro inglese, il corrispondente di guerra di «The Times», durante la seconda guerra d'indipendenza, pubblicò un resoconto della campagna per descrivere i contadini della zona del Ticino e del Sesia che aiutavano gli austriaci perché erano più generosi e pagavano un salario molto più alto. Nessuno slancio patriottico per il tricolore.

Vittorio Emanuele, nella prima guerra, baldanzoso e smargiasso, partecipò con entusiasmo alle operazioni. Ammazzò una gran quantità di pavoni ma si lanciò anche nella mischia contro i nemici. Cavalcò, sparò e si dannò l'anima senza intelligenza ma con valore. A digiuno di qualunque strategia, dimostrò coraggio. Spavaldo e persino spaccone, mandò una lettera a casa per paragonarsi a un moderno Achille. E la moglie, in risposta: «Angelo mio, usami la cortesia di non fare il gradasso». Dall'oggi al domani si trovò re: Vittorio Emanuele II. Il padre Carlo Alberto, sconfitto, sconsolato, stanco, tormentato, salì in carrozza e si fece accompagnare dove «vedeva l'ombra del Trocadero».

Il giovane re, il 24 marzo 1849, a Vignale, in una cascina appena abitabile, un tiro di schioppo dal campo di battaglia, incontrò il generale vincitore Radetzky. La storia ha lasciato intendere che si trattò di uno scontro fra titani. Da una parte un vecchio reazionario, intenzionato a punire quell'insignificante Piemonte cancellandolo dalla carta geografica e dall'elenco dei diritti. Dall'altra un re di fresca nomina, giovane per età e per esperienza, risoluto – secondo la storiografia ufficiale – nel rispetto e nella fedeltà ai principi della libertà e della costituzione. Gli misero in bocca una frase che molto probabilmente non pronunciò mai perché non era in grado di pensarla: «I Savoia conoscono la via dell'esilio, mai quella del disonore». Dissero che fu lui a salvare l'indipendenza di Torino. In realtà non fu necessario ricorrere a tanta dialettica e quando si conobbero le relazioni degli austriaci conservate negli archivi di Vienna, si comprese tutta la mistificazione costruita intorno a quell'episodio. Quel vecchio generale era ben disposto verso il rampollo sabaudo: era stato suo testimone di nozze e sapeva che, attraverso il matrimonio, era diventato parente con gli Asburgo. Almeno per metà lo considerava di famiglia. Un po' discolo, se vogliamo, ma più per colpa di suo padre. Quanto al Piemonte, la politica suggeriva di non infierire. All'Austria non faceva paura quel minuscolo staterello senza difese e senza economia, con dei re contadini, scesi dalle giogaie della Savoia, che avevano dimostrato di non comprendere nemmeno le loro debolezze. Vienna aveva timore della Francia che, al contrario, era uno stato di consistenza militare rilevante, aggressivo e con motivazioni politiche che lo portavano a rivaleggiare. Gli austriaci erano convinti che un cuscinetto che stesse in mezzo fra loro e quel potenziale nemico sarebbe stato strategicamente utile. Perciò, invece di entrare a Torino trascinando per un orecchio il giovane re, Radetzky lo abbracciò, gli strinse la mano, gli raccomandò di mettere giudizio e lo mandò a casa.

Certamente furono tempi tremendi. Si diffuse il timore che Vittorio Emanuele II volesse revocare la Costituzione e, in effetti, il sovrano fu tentato dal ritornare all'assolutismo. Negli archivi dello Stato Maggiore di Vienna è conservata una lettera scritta da Radetzky al generale Felix von Schwarzemberg nella quale il vecchio comandante riferì che il re Savoia «dichiarò fermamente di aver la più solida intenzione di mettere a terra il partito democratico al quale suo padre, negli ultimi tempi, aveva dato tanta mano libera da farne un pericolo per sé e per il trono». A spingerlo in quella direzione era l'intransigenza dei democratici i quali, come se vivessero fuori dal mondo, chiedevano il ripudio dell'armistizio e la ripresa della guerra a oltranza. Il re si presentò alle camere e di fronte a esse pronunciò un giuramento di fedeltà. Poi sciolse il parlamento, indisse nuove elezioni e poiché il risultato non gli piacque le fece rifare una seconda volta.

Nel frattempo Genova, per antichi umori repubblicani e municipalisti, si sollevò contro la monarchia. Due ufficiali piemontesi furono uccisi e il furore della piazza in tumulto costrinse le guardie regie ad abbandonare la città. Vittorio Emanuele mandò il generale La Marmora con l'incarico di «tranquillizzare gli animi», «persuadere» della sincerità del governo e «distruggere le calunniose insinuazioni sparse contro il re». Il militare fece il militare che, per mestiere, è poco avvezzo a usare le buone maniere e si trova maggiormente a suo agio se gli si chiede di distruggere. E distrusse. Fece piazzare i cannoni sulle colline intorno a Genova e il 10 aprile 1849 ordinò di bombardare senza riguardo le piazze dove si raccoglievano gli insorti. Dopo tre giorni di pioggia di fuoco la città era pacificata al prezzo di 500 morti.

I bersaglieri furono così spietati da meritarsi l'odio dei cittadini al punto che per cento anni non poterono celebrare il loro raduno nazionale in Liguria. E per quel fatto, ancora oggi, esiste un'associazione per la "Ricostruzione della Repubblica di Genova" che coltiva risentimenti contro i Savoia e chiede di abbattere la statua di re Vittorio che sta a cavallo in piazza Corvetto. Certo, allora, l'esercito non ebbe da superare grandi ostacoli di strategia bellica, essendo i rivoltosi intellettuali genericamente "di sinistra" che manifestavano il loro malcontento. I ribelli, con comizi e chiacchiere – ancorché urlate – temperati da un senso morale quasi calvinista, incoraggiati dal reciproco altruismo e forti del loro amor di patria, non avevano armi né proprie né improprie e furono massacrati. La Marmora tornò a Torino come se avesse vinto una guerra; fu elogiato e premiato in pubblico per aver zittito quella «vile e infetta razza di canaglie».

Questi generali, incerti davanti al nemico vero, tremebondi al primo incrociare di baionette, più avvezzi alle ritirate – meglio se di corsa – che alle difese, si scoprirono delle fiere contro cittadini in doppiopetto. Divorati dal dubbio all'eco delle schioppettate sui campi di battaglia, si rivelarono implacabili al cospetto dei cori di protesta scanditi da inermi e pacifici manifestanti. Già l'odore della polvere da sparo li incoraggiava a indietreggiare; poi le prime scaramucce alimentavano la corrispondenza di lettere con le quali chiedevano allo Stato Maggiore l'autorizzazione a ripiegare e, se appena la battaglia si faceva intensa, voltavano la schiena senza tanti complimenti. La colpa era sempre di qualcun altro. Le contestazioni degli universitari e – più tardi – degli operai che si opponevano alla forza pubblica brandendo un lapis e un rotolo di manifesti di contestazione, scatenavano le grandiose capacità militari dei generali di regime. Allora sì che usavano il fiato che avevano nei polmoni, non tremava loro la voce quando ordinavano il fuoco e non tolleravano tentennamenti nei loro ranghi. I conigli dei campi di battaglia diventavano dei leoni e ruggivano così forte da ingannarsi da soli, fino al punto da considerarsi davvero degli eroi.

Vale per La Marmora in questa circostanza ma va bene anche per Cialdini, il funambolo della spada, in fuga disordinata da Custoza ma intransigente attorno a Gaeta popolata ormai da feriti e affamati. Vale per Persano, per Bava Beccaris e per i quadri di comando, quasi senza eccezioni (fino a comprendere la seconda guerra mondiale) che non riuscirono a rimediare le figuracce belliche per le quali chiedevano e, purtroppo, ottenevano avanzamenti di carriera, medaglie e aumenti di stipendio.

Si decise, in quelle settimane del marzo-aprile 1849, che la sconfitta di Novara era da attribuire al generale Gerolamo Ramorino, il quale aveva grosse responsabilità per non aver obbedito agli ordini ma che, certo, non poteva avere colpa di tutto. La corte marziale se la sbrigò in fretta e lo condannò alla fucilazione. Sentenza eseguita il 22 maggio. Seguirono dieci anni, quelli "di preparazione" alla seconda guerra d'indipendenza, durante i quali Massimo d'Azeglio prima e Camillo Benso di Cavour poi, costruirono l'alleanza con la Francia e la rivincita contro l'Austria. Si trattò di una specie di congiura internazionale. Il patriottismo ebbe poco spazio. Anzi. Gli italiani combatterono più volenterosamente con gli austriaci che armarono quattro reggimenti veneziani e cinque lombardi. Gli abitanti della città, Milano per prima, anche dopo la ritirata dei "tedeschi", quando una rivolta sarebbe stata relativamente semplice, non presero parte al movimento di liberazione; se ne stettero tranquilli e rimasero a guardare. E, per la verità, anche i Savoia ci misero poco impegno come se fossero lì ad aspettare che il frutto cadesse dall'albero.

Il 4 giugno 1859 si ebbe a Magenta la prima grande battaglia e la prima vittoria. Nicola Nisco, al quale furono commissionati sei libri della storia d'Italia, quasi certamente pagati dal re, riuscì ad attribuire il merito di quella giornata ai Savoia e al loro intrepido comandante. In realtà il comando piemontese con le truppe stava a 12 chilometri di distanza e infatti, fra loro, non si contò nemmeno un ferito. E il quadro che ritrae Vittorio Emanuele II, con la spada sguainata, mentre guida la carica della sua cavalleria su per la collina di San Martino, è il risultato della piaggeria di un pittore di corte. Al momento dell'assalto, il re si trovava a una dozzina di chilometri di distanza, a Castel Venzago, e il generale Solaroli che gli faceva compagnia lo descrisse inebetito, in una specie di stato confusionale, incapace di rendersi conto delle circostanze e, quindi, senza la forza per prendere qualunque decisione. Non per nulla Napoleone III lo considerò buono per reggere i gradi di un sergente. E il francese d'Ideville confermò che non valeva molto di più che un fanfarone.

Fu la Francia a sostenere il peso della campagna militare e furono i suoi uomini a morire sui campi di battaglia. La vittoria le fruttò la Lombardia che, in forza degli accordi stipulati, venne girata al Piemonte. Nel frattempo la Toscana, il ducato di Parma e Modena e le Romagne avevano scelto la strada della rivolta contro i rispettivi signori e stavano preparando la loro annessione allo stato sabaudo. Le insurrezioni furono del tutto provocate ad arte. Non riflettevano un naturale impulso patriottico ma semplicemente l'aggressività piemontese. Bastarono un centinaio di carabinieri in borghese per città per dare corpo ai tumulti. Urlavano, eccitavano la gente, chiedevano giustizia. Alla fine il popolo, piuttosto indifferente, finì per lasciarsi coinvolgere e partecipò a quell'avventura. Ma – avvertirono – sarebbe bastata una fucilata per disperdere la folla e riportare sul trono i regnanti di prima. Duchi e granduchi scapparono il più in fretta possibile. I giornali scrissero che si erano portati via l'argenteria. In realtà tutto quanto c'era di prezioso fu affidato agli orafi che fecero fondere i metalli preziosi. Antonio Curletti, che si occupò dell'operazione personalmente non sa che fine abbiano poi fatto i lingotti.

I plebisciti – ovviamente guidati dall'alto – portarono all'annessione al Piemonte della Toscana, di Parma e di Modena. Si prepararono le schede sulla base dei registri delle parrocchie. Alle urne affluirono in pochi ma, alla fine, risultò che la maggior parte delle persone aveva espresso la propria volontà. «Era successo – scrive Curletti – che, a sera, finite le elezioni, votammo i moduli che erano rimasti. E, naturalmente, in senso piemontese». Analogamente Nizza e la Savoia "scelsero" di diventare francesi anche se l'opinione pubblica era nettamente contraria a cambiare cittadinanza.

I popoli e le comunità erano merce di scambio fra potenti: la loro volontà, a dispetto delle dichiarazioni roboanti, valeva proprio poco. Garibaldi fece il diavolo a quattro perché, con quella decisione molto di vertice e molto poco democratica, era diventato "straniero in patria" . Non fece una piega il re che pure subiva lo stesso destino. Ma si consolò facendo qualche conto aritmetico: aveva perduto tre milioni d'abitanti per acquistarne sette e mezzo. Dunque: saldo in attivo. Eppure a Vittorio, assai più dell'Italia centrale, interessava quella dell'est. Abbastanza goffamente, tentò un accordo con l'Austria per scambiare Veneto con Toscana. Poco importava che fosse già stata data un'indicazione formale attraverso il plebiscito. Il campione del nazionalismo dimostrò quali erano i veri valori che gli stavano a cuore. Più tardi tentò ancora di portare a casa Venezia con la promessa di rinunciare alla zona di Trieste. Secondo infortunio, altrettanto grave, sulla strada del tricolore che, ovviamente, non può essere smembrato e fatto a strisce, pena essere considerati dei colonialisti che combattono per espandersi. In questo caso i giuramenti ideologici appaiono per quello che sono: una giustificazione esteriore, costruita in modo da apparire credibile. Hudson, acutamente, commentò: «Il re trova gradevole giocare a governare con la Rosina e Rattazzi, e Rattazzi e la Rosina trovano gradevole giocare al papero e all'anatra su una questione nazionale».

In questa sua politica personale, squinternata e, per certi versi ridicola, Vittorio Emanuele continuò imperterrito. La sua diplomazia se l'era ritagliata su se stesso: rozza, grossolana, pettegola, affidata a gente poco credibile. Le sue trame avrebbero dovuto essere quanto di più segreto: in realtà servivano come argomenti utili a rallegrare alcune serate. Come le barzellette sui politici di oggi. Scrive ancora Hudson, spietato. «Sono spie, uomini e donne della peggior risma che si limitano a spillargli del denaro e a dirgli quanto basta per eccitare la sua curiosità e servire i loro scopi». Fra questi agenti c'era il conte Ottaviano Vimercati che dopo una giovinezza avventurosa che l'aveva portato a servire nella Legione Straniera, era stato introdotto alla corte di Francia. Poi il generale Solaroli la cui vita, ugualmente ricca di imprevisti, l'aveva aiutato a far colpo su una ricchissima principessa indiana. Ma il più fidato era, naturalmente, il più furfante: Enrico Bensa, che sapeva usare il coltello e che, come tanti, aveva finto di non accorgersi delle attenzioni che il re rivolgeva a sua moglie. Vittorio Emanuele II, alla fine, lo presentò alla figlia Maria Clotilde, sposa di "Plon Plon" a Parigi. «Ti raccomando Enrico Bensa: venne da me impiegato in una polizia segreta che dipende da me solo. Ora, pei fatti che succedettero in Italia, poco a poco, venne conosciuto e ora non serve più. Ha molto spirito ma è un lestofante». All'occorrenza servivano al posto di normalissimi banditi. La spia segreta pentita Curletti confessò: «Principiai molto miseramente i miei servigi per la causa italiana. Mi chiesero "Sei tu capace di rapire una giovinetta?". E io lo feci». Aggiunse però: «Non voglio fare altra parola di questa storia perché intendo raccontare fatti aventi qualche importanza dal punto di vista della storia». I sequestri di persona in cronaca nera. Cosa voleva il sovrano? I suoi uomini dovevano provocare "delle sobillazioni" e "finanziare i popoli" in fermento nell'area danubiana.

Pasticciarono come dei principianti che giocano alla guerra. Un grosso carico di armi inviato "con molta segretezza" nei paesi balcanici, attraverso Istanbul, arrivò con le casse aperte e la scritta bene in vista: Regio Arsenale di Genova. Il ministro plenipotenziario in Turchia, Pasolini, consumò i tacchi delle scarpe e le maniche della giacca per tentare di cancellarle ma, nitide com'erano, restavano decifrabili. Il Piemonte rischiò una crisi diplomatica dagli esiti imprevedibili. Cavour fu costretto a negare l'evidenza e, alla fine, a dare la colpa a Garibaldi e alla sua vocazione di rivoluzionario. L'idea del re consisteva nel provocare una rivolta in Grecia con il proposito di deporre Ottone I di Baviera e di installare su quel trono l'altro figlio, Amedeo. Il re teneva famiglia. In effetti, il 20 marzo, si mosse qualcosa, un trambusto più che un moto rivoluzionario, a favore del sovrano del Piemonte, ma i rivoltosi dovettero essere così poco convinti che la manifestazione si chetò alla vigilia del pranzo per sciogliersi definitivamente a tavola.

E, di nuovo, che cosa c'entra l'Italia? La nazione una e indivisibile? Il popolo sovrano da affrancare dal giogo straniero?

A Vittorio Emanuele importava più del Piemonte che di tutto il resto d'Italia. L'osteria per una bicchierata, il fienile per le sue passioni del momento. Visse poco e malvolentieri a Firenze, entrò una sola volta a Napoli e quando arrivò a Roma disse: «i suma», ci siamo. Intendeva dire: «finalmente questo viaggio d'inferno è finito». Gli agiografi tradussero: «Ci siamo e ci resteremo» lasciando intendere quale fosse l'animo del sovrano.

Ma il colpo decisivo alla sua credibilità lo dette al momento della proclamazione del regno. A quanti gli chiesero di incoronarsi Vittorio Emanuele I, a significare un distacco immediatamente visibile dal vecchio regime per inaugurarne uno nuovo, lui oppose il più convinto e irremovibile dei rifiuti. Era Vittorio Emanuele II del regno del Piemonte e sarebbe stato Vittorio Emanuele II re d'Italia. Dunque, non un paese rinnovato ma uno staterello che aveva avuto la fortuna di allungarsi dai contrafforti delle Alpi Marittime fino alla punta estrema della Sicilia.

Analogo ragionamento venne proposto per la legislatura parlamentare inaugurata nel 1861. Non fu la prima d'Italia: poiché il regno piemontese ne aveva avute sette, fu l'ottava. Pochi tentarono di contestare e, comunque, si convinsero in fretta a non insistere. Nemmeno Garibaldi. Gagliardo nell'impugnare lo sciabolone per correre ai quattro angoli del mondo in rivolta, si trovava disarmato nel sostenere dialetticamente le ragioni del suo paese.

Garibaldi, dunque, chi era?

Un «onesto babbeo» al comando dei Mille

«Un babbeo». Senza attenuanti. Maxime du Camp, scrittore francese e camicia rossa di complemento, non riconobbe a Garibaldi alcuna intelligenza politica. Lui, che pure avrebbe dovuto essere incline a complimenti più risoluti, stroncò l'eroe di entrambi i mondi attribuendogli «spirito miope e ingenuo, incapace di illuminazione e di prospettiva». Ancora: «Provava un certo vigore davanti all'ostacolo solo perché poteva investirlo come un cinghiale arrabbiato».

Giuseppe Mazzini, in una lettera a Giacomo Daniele, non ebbe esitazione a sostenere che «Garibaldi, quanto a coerenza di idee, è una vera canna al vento». Con l'eccezione di considerare il Papa «un metro cubo di letame», si faceva convincere abbastanza in fretta e in fretta diventava risoluto sostenitore di quanto aveva avversato fino a poco prima. Denis Mack Smith lo considerò «rozzo e incolto». E Indro Montanelli, a più riprese, anche se con accenti inequivocabilmente comprensivi, lo giudicò «un onesto pasticcione». Tuttavia a nessuno passò mai per la testa di considerarlo un disonesto. Per lui i soldi non contavano perché non aveva il tempo per pensarci. Quell'uomo, con convinzioni ideologiche traballanti, con un carattere ispido come i suoi capelli, con i reumatismi, l'artrite cervicale, la tosse e gli sputacchi di catarro, fu la vera stella dell'Unità d'Italia. A furore di popolo. La gente riconosceva in lui una sorta di Robin Hood, l'eroe buono che stava dalla parte dei poveracci, contro le ripicche del potere e contro l'arroganza della burocrazia. Era uno di loro.

Mack Smith spiegò che questa sua enorme credibilità pubblica rese possibile l'idea stessa del Risorgimento. «Il principale merito di Garibaldi fu quello di convincere gli statisti stranieri e molti italiani che il movimento unitario non era un mero strumento di conquiste territoriali di casa Savoia. Persino Cavour, suo irriducibile avversario, convenne che questo era stato un grande risultato che nessun altro avrebbe potuto ottenere». L'eroe dei due mondi fu lo "sponsor" del tricolore nazionale. Come capitò raramente, fu circondato fin dall'inizio da un alone di leggenda capace di amplificare ogni azione e di inventarne anche qualcuna. Tracagnotto e con le gambe corte, veniva descritto come un gigante alto otto piedi. E si giurava che, dopo ogni combattimento, si scuoteva la giubba per far cadere le decine di palle di fucile che l'avevano colpito senza ferirlo. Invincibile perché invulnerabile. In un secolo come l'Ottocento con i mezzi di comunicazione che appena balbettavano, privi di veloci strumenti di trasmissione, Garibaldi fu il protagonista di cronache epiche. Il personaggio era un tipo del tutto eccezionale, anticonformista sia che si trattasse di idee politiche o di religione, di abitudini personali o di abbigliamento. Per qualche anno si vendettero le camicie alla Garibaldi, i mantelli alla Garibaldi, il cappellino alla Garibaldi. Ovunque: immagini, stampe, ritratti, incisioni, disegni, mezzi busti in gesso che lo raffiguravano in pose gladiatorie. Nelle cucine della gente i quadri che lo ritraevano stavano appesi accanto a quelli della Madonna. E la faccia di Garibaldi fu tra le poche cose che vennero imballate e conservate quando quella stessa gente fu costretta dalla miseria a emigrare nel Nord Europa e – più spesso – in Sud America. Piacevano i panni di eroe intraprendente che, da solo, si era cucito addosso: come i protagonisti dei romanzi d'appendice. Generoso ma squattrinato. Forte e mai violento. Appassionato eppure senza legami sentimentali troppo consolidati. Antesignano delle proteste socialiste e, tuttavia, dichiaratamente favorevole alla dittatura. Combatté per gli oppressi dovunque ne trovasse e finì per apparire un liberatore di professione. Una specie di Che Guevara "ante litteram", destinato a soccorrere le rivoluzioni del mondo, senza badare troppo alle contraddizioni della politica. Per lui il patriottismo si mescolò – costantemente – con la ricerca dell'avventura.

Garibaldi cominciò a cacciarsi nei guai nel 1834, nel tentativo di partecipare a un movimento insurrezionale di Genova. Né lui né i suoi amici avevano idea di come si potesse organizzare una cospirazione efficace e si trovò in fuga sulle montagne travestito con gli abiti da contadino che una fruttivendola gli regalò. Passò la frontiera francese e fu arrestato, fuggì e rischiò una seconda volta l'arresto. Il Piemonte lo condannò a morte. Gli esordi della sua vita da sovversivo furono perciò maldestri e niente affatto eroici, ma dalle disavventure trasse qualche insegnamento.

Campò della liberalità di alcuni amici, fece qualche favore al sultano di Tunisi, il bey Hussein, prestò la sua opera di volontario nella Marsiglia devastata dal colera e infine – nel 1835 – si imbarcò sul *Nautonier* e arrivò in Brasile. A Rio de Janeiro, con due compaesani, si lanciò in un'impresa di trasporti, che fallì poco dopo. L'eroe dei due mondi motivò la bancarotta «dalla fiducia in gente che credemmo amica e che incontrammo nientemeno che ladra». Il fatto è che non aveva testa per gli affari e tutte le volte che cercò di farne, si trovò raggirato e derubato.

Altra era la sua vocazione. In una notte di luna piena, con sei compagni, rubò una nave ormeggiata nel porto. I pochi marinai di guardia furono gettati in mare e l'eroe prese il largo per continuare la sua battaglia per la libertà. Combatté per tre anni contro il Brasile tentando di aiutare Bento Gonçalves che si era proclamato governatore della provincia meridionale: il Rio Grande do Sul. Quanto pesassero le ragioni della libertà in quell'impresa resta un mistero perché il signorotto locale era più assetato di potere che di giustizia e aveva avviato la sua personale guerra per conquistarsi un trono. Garibaldi, comunque, era convinto di servire il proprio grande amore per la libertà anche se si trattava di una libertà un po' anarcoide che facilmente sfumava in faziosità. Fu ferito e per un solo millimetro la pallottola non gli troncò la carotide. Venne arrestato e finì in prigione anche se il regime carcerario non dovette essere particolarmente duro perché, in quel periodo, imparò a montare a cavallo, come un gaucho.

Una volta libero, per altri sei anni – dal 1843 al 1848 – combatté contro l'Argentina. Anche qui è difficile comprendere le ragioni della contesa fra i possidenti dell'Uruguay e il generale Rosas, ma Garibaldi non stette a esaminare la situazione troppo da vicino e, comunque, si convinse di lottare per la giustizia. Assaltava le navi e le depredava. Inutile andare troppo per il sottile per capire se si trattasse di amici o nemici. Ma, certo, il bottino non era lo scopo principale della sua azione. Non badava alle ricchezze: per lui la guerriglia era una ragione sufficiente per passare le giornate. Certo, la popolazione locale non si dimostrava sempre favorevole alle scorrerie di quegli uomini e, naturalmente, almeno un pizzico di ragione c'era. Quei soldati, sedicenti liberatori, piombavano sui loro villaggi con la foga dei conquistatori, allettati dai vitelli delle loro stalle e dalle donne delle loro case più che dai sacri principi della giustizia. Un gruppo così disordinato non avrebbe potuto continuare ancora a lungo. Garibaldi dovette correre ai ripari. Entrò in un magazzino di stoffa, rubò una partita di tessuto rosso destinato a cucire i grembiuli dei macellai, i "saladeros", e fece imbastire le nuove uniformi. Con addosso una camicia di uguale colore, quella banda di teste calde diventò un piccolo esercito: la "legione italiana". Il capolavoro venne però da Giovan Battista Cuneo, un tipografo, e un paio d'altri intellettuali con qualche dimestichezza con la grammatica. Insieme, furono in grado di preparare un giornale: «Il legionario italiano», voce ufficiale di quei rivoluzionari senza patria, con bandiere approssimative e ideali contorti. Più che informazione si trattò di disinformazione: alla gente venne offerto un campionario di improbabili atti di valore e di gesta d'altruismo esageratamente amplificati ma di facile presa sui lettori. Una fabbrica di eroi. L'unica impresa non millantata dovette essere la vittoria ottenuta a San Antonio sul Salto, in seguito alla quale Garibaldi venne nominato generale comandante della piazza di Montevideo. I giornalisti di Francia e Inghilterra cominciarono a essere attratti dalla fama di quel "rosso malpelo", con la fronte alta e gli occhi azzurri, che riusciva a essere – contemporaneamente – veloce e impavido, coraggioso e altruista. La sua leggenda, alquanto arricchita, invase l'Europa e i patrioti italiani cominciarono a reclamare il suo rientro in Italia. Serviva la sua spada perché si stavano preparando tempi decisivi; e lui non si tirò indietro. Abbandonò al loro destino i sudamericani e si imbarcò sul brigantino *Speranza*. Con lui una sessantina di legionari, Aguyar, un indio gigantesco armato di scudo e di lancia, la moglie e i tre figli.

La prima guerra d'indipendenza era stata dichiarata il 23 marzo 1848 e lui, repubblicano della prima ora (senza capire bene perché), cominciò a convertirsi alla monarchia senza averne ben chiare le ragioni. Si giustificò con qualche abilità. «Tutti quelli che mi conoscono sanno s'io sia mai stato favorevole alla causa dei re. Ma perché i principi facevano male all'Italia. Ora sono realista e vengo a esibirmi al re di Sardegna che si è fatto rigeneratore della nostra penisola».

I re non furono dello stesso parere. Il caloroso abbraccio fra Garibaldi e Carlo Alberto che arricchisce l'oleografia risorgimentale non avvenne mai. E con Vittorio Emanuele i rapporti furono altalenanti: nel senso che il re cercò di sfruttarne la popolarità per trarne degli utili a suo beneficio esclusivo. Garibaldi, al contrario, che pure amava atteggiarsi in pose pittoresche, non si affannò mai per procurarsi vantaggi personali né badò a chi approfittava del suo nome per arricchirsi. A lui bastava l'odore della polvere da sparo e il profumo dei capelli delle signorine: si accontentava del clangore delle battaglie e degli affanni fra lenzuola di bucato. Alternava le cariche a cavallo con quelle sotto le gonne, con identico spirito di conquista. Non stette a badare se erano mogli di amici e non si preoccupò che gli venissero attribuiti una dozzina di figli fra legali, mezzi legali e illegittimi. Amò quanto gli venne consentito dalle sue forze umane, che non erano disprezzabili: quando era giovane affidandosi alla leggiadria del suo profilo greco che incantava le contadinotte, più in là negli anni facendo leva sul mito che lo rendeva desiderabile. Da sveglio. Perché, quando si addormentava, perdeva un pizzico di fascino e prendeva a russare, a raschiarsi il catarro con colpi di gola e ad abbandonarsi ad altri rumori corporali. Emma Roberts, la sera, gli suonava musica classica sul cembalo e lui, sulla poltrona, fingeva di ascoltare, prendendosi religiosamente la fronte con la mano. In realtà nascondeva gli occhi chiusi. Alla fine era il suo ronfo che lo tradiva e quella, per svegliarlo, doveva attaccare l'inno di Mameli che lo faceva balzare in piedi. Tuttavia l'eroe dei due mondi non fu sempre un gentiluomo.

Un giorno, quando era ancora in Sud America, a bordo della nave *Rio Pardo*, vide con un cannocchiale il viso di Anita, la donna destinata a condividere, fino alla morte, la sua vita da guerrigliero. I garibaldini andavano per le spicce e Garibaldi non era disposto a troppi distinguo. Lo confessò lui stesso raccontando la storia del suo innamoramento con toni involontariamente trucidi. «Io non avea mai pensato al matrimonio». E, tuttavia, ciò non significava rinunciare alle soddisfazioni dei sensi. Anzi. «Avea bisogno, dunque, di chi mi amasse, e subito! Una donna!». Bastava guardarsi in giro. «Con quel pensiero, dall'alto del cassero, io rivolgea lo sguardo a terra. Scorgea donne occupate in domestici trattenimenti ma una giovane mi attraeva sopra le altre. Ordinai perciò che mi sbarcassero e mi avviai verso quella casa con una di quelle risoluzioni che non falliscono».

E il marito della prescelta? Alcuni sostennero che quell'uomo, Manuel Duarte, un calzolaio, si era arruolato nell'esercito dei reazionari. Lontano dalla famiglia e al servizio di un'ideologia così meschina non poteva che attendersi di perdere la moglie. Altri, tuttavia, ritennero che combatteva, sì, ma con i garibaldini, che era stato ferito e che, in quei giorni, stava in una sorta di ospedale da campo per farsi curare una ferita abbastanza seria. In questo caso l'artigiano non avrebbe avuto colpe, ma sarebbe stato piuttosto l'amore a cambiare le carte del destino. In realtà, a leggere la prosa dello stesso Generalissimo, fu in casa dove Duarte subì ingiuste angherie. «Un uomo – confessò, infatti, l'eroe – mi invitò a entrare: sarei entrato senza invito». La gente del posto doveva sapere che era pericoloso resistere a quei guerriglieri e i mariti avevano imparato a non difendere le proprie donne.

«Vidi la giovane! Tu sarai mia!». E, probabilmente, per conquistare il cuore di Anita, fu necessario ammazzarle lo sposo. Il povero calzolaio protestò? Tentò di reagire? Cercò aiuto per affrontare il rivale? Un giorno non lo videro più in paese e le ricerche non ebbero esito. Scomparso. Anita seguì Garibaldi sul battello e vissero come marito e moglie. Con qualche rimorso postumo il Generalissimo sentenziò: «Se vi fu colpa, io l'ebbi intera, e vi fu colpa». Più esplicitamente: «Si riannodarono due vite ma s'infrangea quella di un innocente».

Tutti i grandi ladri devono, però, mettere nel conto il rischio di essere derubati. Anche in amore. Garibaldi, che non risparmiò di seminare corna per due mondi, si trovò cornuto a sua volta quando credeva di aver trovato la donna che faceva per lui. Eppure senza quella infedeltà, il Risorgimento avrebbe forse preso una piega diversa. Coincidenze? La spedizione dei Mille – che d'Italia ne mise insieme una buona metà – si deve anche al matrimonio di Giuseppe Garibaldi, andato a monte proprio la mattina delle nozze. Una scenata di gelosia dai toni piccanti dopo un fidanzamento che, al contrario, aveva conosciuto i colori del romanticismo mondiale.

Nel dicembre 1859 l'eroe se ne stava acquattato in un letto di Villa dell'Olmo, appena sopra il lago di Como, ospite di Giuseppina, figlia illegittima del marchese Raimondi. Era nel letto e ci doveva rimanere quasi immobile perché si era spezzato una gamba cadendo da cavallo. «Io non poteva trovare un luogo più adatto e più caro per sanare la ferita». Mentre recuperava le forze e consentiva ai due monconi d'osso di saldarsi, mescolava minestrine e baci, pancotti e carezze. Una convalescenza in rosa. Era un'amicizia giovane, la loro, sbocciata poche settimane prima, nel pieno della seconda guerra d'indipendenza. La donna, su un calessino, aveva cercato il generale che comandava i "cacciatori delle Alpi" per chiedergli una compagnia di rinforzo in grado di raggiungere rapidamente Como. Il Giuseppe nazionale non sapeva rinunciare all'odore della polvere da sparo, al buon vino e alle femmine con le curve al posto giusto. Per l'agiografia risorgimentale non ebbe difficoltà a dichiarare di essere stato colpito «come da una visione» e che «il vederla e l'amarla fu tutt'uno». Perciò, si affrettò ad acconsentire: «Stasera stessa sarò colà dove mi chiedete di essere». I volontari garibaldini andarono, dunque, a difendere la città dal pericolo austriaco. Lui – come ci informò personalmente – trovò anche il tempo di fermarsi qualche ora all'albergo "dell'Angelo", all'assalto della giovane patriota. Non destò meraviglia quando, tempo dopo, al generale infermo, Giuseppina si presentò con il viso pallido e la mano sull'addome appena ingrossato.

Niente paura. L'eroe conosceva le regole di comportamento di due mondi e le nozze poterono essere programmate per il 24 gennaio 1860 nella cappella privata della villa della famiglia Raimondi. Scena stupenda, qualche barlume di commozione e l'impazienza di partire per la luna di miele. A guastare la festa un biglietto scritto probabilmente dal conte Giulio Porro Lambertenghi il quale, in poche righe, riuscì a sintetizzare una verità amara come il fiele. A mettere incinta la disinvolta Giuseppina non era stato Garibaldi ma un garibaldino: Luigi Càroli, di casa a Villa dell'Olmo e nelle grazie della marchesina. Il generale afferrò la sposina per un braccio e la trascinò in disparte. Le mostrò il messaggio e pretese una risposta. «È vero?». La donna non ebbe il coraggio di negare, ma si limitò a ciondolare il capo in su e in giù per assentire. «Siete una puttana» commentò quel gentiluomo dei due mondi. Brandì una sedia e, quando tutti pensavano che l'avrebbe spezzata sulla schiena della fedifraga, ebbe un sussulto di galanteria e si limitò a schiantarla per terra. Giuseppina, appena affranta, ebbe il coraggio di sussurrare: «Volevo sposare un eroe, non uno zoticone». Lui si morse la lingua per evitare di rispondere per le rime e se ne andò via lasciando che i pettegoli avessero campo libero. Chissà per quanto tempo avrebbero continuato a sparlare di lui se non avesse offerto loro un argomento di analogo interesse.

Qualche settimana più tardi si trovò sul treno diretto a Genova e fece il viaggio con un certo Laurence Oliphant. Il generale era di pessimo umore: la storia delle corna con l'inevitabile solidarietà pelosa degli amici aveva messo a dura prova il suo orgoglio di comandante. E poi la politica era tornata a indispettirlo perché il governo piemontese, per risarcire Napoleone III, aveva ceduto alla Francia Nizza e la Savoia. Pazienza per la Savoia. In fondo era la terra d'origine del re: non erano affari suoi, se Vittorio Emanuele non si preoccupava di trovarsi "straniero in patria". Ma a Nizza c'era nato lui e gli sembrava che, cedendola, abbandonassero oltre confine anche un pezzo delle sue radici e della sua storia personale. Trovava che quello scambio non fosse politicamente corretto. Il suo compagno di viaggio gli suggerì di imbracciare il fucile e di guidare una spedizione proprio là. Il piano? Semplice. I cittadini stavano votando una specie di plebiscito-truffa attraverso il quale dovevano accettare di cambiare nazionalità. Bastava creare un tumulto, impadronirsi delle urne e bruciarle. E poi guerriglia. Si promisero reciprocamente di rivedersi per approfondire l'argomento. Oliphant lo cercò e quando riuscì a incontrarlo vide che c'era parecchia gente con lui. Tutti ringalluzziti e molto determinati. «Partiamo! Quando si parte?». Dapprima si rallegrò che quella sua idea avesse così tanti estimatori e solo dopo qualche ora si rese conto che non pensavano a Nizza ma alla Sicilia. Il programma – grosso modo – era rimasto lo stesso, ma la meta era cambiata.

I "se" e i "ma" non appartengono alla ricerca storica e, tuttavia, come immaginare l'impresa dei Mille con un Garibaldi fresco sposo? I clamori truculenti della battaglia preferiti ai morbidi sussurri della giovanissima moglie? I languori della luna di miele trasformati in assalti all'arma bianca? Probabilmente è vero che l'Italia diventò una, anche perché l'eroe subì gli inganni sentimentali della marchesina Raimondi. Niente casa, niente famiglia: si trovò ad alloggiare a Villa Spinola, a levante di Genova, ospite di Carlo Augusto Vecchi, combattente della repubblica romana, padre di un ragazzo che, con lo pseudonimo di Jack La Bolina, divenne uno scrittore di libri per ragazzi. Sulla porta dell'albergo, a testimonza dell'ardore ideologico del proprietario, era stato affisso un cartello: "Vietato l'ingresso ai cani e ai preti". Si era dimenticato di interdire l'entrata anche a spie, sbirri, curiosi, agitatori e ruffiani che, in quei giorni, affollarono salotti e anticamere. In gran segreto si stava preparando una spedizione della quale erano tutti al corrente. Vi partecipò Giuseppe La Masa, 35 anni, veterano dell'insurrezione del 1848-49, quando girava con un elmo d'argento dal pennacchio bianco. C'era Gerolamo Bixio, genovese, che tutti chiamavano Nino e che il Padreterno aveva dotato del cuore di un leone. A Roma aveva fatto prigioniero un ufficiale francese, rincorrendolo a cavallo e agguantandolo per i capelli. Era un pezzo grosso della loggia massonica Trionfo Ligure dove era iscritto con tessera numero 105. Si trovava in buona compagnia di "fratelli". C'era Francesco Crispi, avvocato con studi di cospirazione alle spalle, repubblicano inquieto con gli ideali roventi e poi, sempre più conservatore, fino a diventare primo ministro (colonialista e un po' forcaiolo) con la monarchia. Crispi si era portato anche la quasi-moglie, l'unica donna della spedizione, Rosalie Montmasson: «fiera savoiarda e disinteressata, piena di coraggio, ardita più di quanto in femmina soglia accadere, dall'animo vivace, anzi di fuoco, dalla parola pronta, nata alla libertà e all'indipendenza». Faceva la stiratrice a Torino, ma sentiva la vocazione della rivoluzionaria. C'era il sottotenente Giuseppe Bandi che si era guadagnato un posto nel reggimento piemontese di Alessandria per avere partecipato all'insurrezione che portò il granducato di Toscana ai Savoia. Allora, studente di giurisprudenza all'università di Pisa, portava il cappello "alla come mi pare" e scriveva versi taglienti di ispirazione foscoliana con i quali voleva dare fuoco alla dinastia di Leopoldo. Non c'era Luigi Càroli. Non per mancanza di coraggio né perché ritenesse quell'impresa povera di gloria. Si trattava – come dire? – di una certa sensibilità. Meglio saltare un giro. Assente giustificato.

La compagnia che il 5 maggio 1860 si imbarcò a Quarto per scendere verso la Sicilia poteva sembrare folcloristica: 150 avvocati, 100 medici, 20 farmacisti, 50 ingegneri; 60 vennero definiti «possidenti» e non si poté trovare nessun contadino. Ovidio Sermone, fuoriuscito da Salerno, compariva come «prete», Luigi Gusmaroli come «ex prete», Giuseppe Sirtori come «prete spretato». In Sicilia si aggiunse poi il frate Giovanni Pantaleo. Non era difficile morire in pace. Gente anche strana, se vogliamo, su quella banchina del porto, all'ora di partenza: un prestigiatore, un apparatore di chiese, un causidico, un girovago. Anche lo scultore Giobatta Tassara che aveva preso a modello se stesso per un Mosè destinato al cimitero di Staglieno.

Quasi tutti stavano scappando da qualcuno o da qualcosa: mogli abbandonate, amanti infuriate, figli illegittimi, conti da regolare con la giustizia e non sempre per ragioni politiche. I ricchi partirono per il gusto dell'avventura, gli squattrinati perché così, almeno, si assicuravano una pagnotta e un bicchiere di vino. Ognuno aveva obiettivi diversi e forse confusi ma quasi tutti, alla vigilia della guerra, cercarono l'amore di altre sottane: non a caso, appena arrivati a Genova, prima ancora di incontrare l'eroe dei due mondi, si infilarono nelle case di tolleranza che le cronache vollero precisare «legali».

Simone Schiaffino portava un orecchino al lobo dell'orecchio perché aveva doppiato Capo Horn. I bergamaschi di Francesco Nullo lo guardavano come se fosse un extraterrestre. Stefano Turr veniva da oltre cortina, silenzioso, altero ma elegante. Fra quella gente sbrindellata, non rinunciava a cilindro e redingote, come se fosse uscito da un ritratto di Rubens. Si infilò nel gruppo anche un giornalista francese, Maxime du Camp e, con lui, un altro giovanotto pallido e timido con il taccuino sempre in mano: Ippolito Nievo.

Tentarono di imbarcarsi una quantità di ragazzini e i genitori si precipitarono alla partenza per trattenerli a schiaffi. Uno riuscì a convincere la madre a lasciarlo andare: Riccardo Luzzato, 16 anni, partito con il cuore gonfio d'emozione ma destinato a scoppiare al primo assalto. Altri tre: Gaspare Tibelli, Angelo Vai e Luigi Adolfo Biffi, 17, 16 e solo 14 anni, ingannarono i parenti nascondendosi sui vapori diretti in Sicilia. Nemmeno loro arrivarono al compleanno successivo: bruciarono la loro gioventù per una citazione nelle pagine della storia. Il più giovane aveva 11 anni, Peppino Marchetti di Chioggia, ma lui stava per mano a papà il quale, volendo seguire Garibaldi ma non sapendo a chi affidare il figliolo, prese la decisione di portarselo dietro come se si trattasse di una partita di caccia. Il più vecchio risulterebbe Tommaso Parodi, genovese, che, di anni, ne aveva 69.

Attorno a quella compagnia di incoscienti prese consistenza un clima di simpatica solidarietà e qualcuno tentò subito di approfittarne. Troppi ideali, solennemente affermati, servirono per coprire speculazioni, traffici illeciti e interessi del tutto personali. Il primo imbroglio riguardò la vicenda dei piroscafi che sarebbero dovuti servire per il trasporto dei Mille. La versione più eroica riferì dei contatti avuti dai garibaldini con l'amministratore della società di navigazione Rubattino: Giovan Battista Fauché. Gli offrirono 100.000 lire per una nave ma quel brav'uomo di patriota, dopo qualche minuto di riflessione a testa bassa, comunicò che avrebbe messo a loro disposizione il vapore *Piemonte* senza che fosse necessario pagarlo. Però occorreva far finta di rapinarlo perché, se la spedizione avesse avuto esito negativo, non poteva correre eccessivi rischi giudiziari e provocare conseguenze diplomatiche rilevanti. Detto fatto. E poiché, al momento di partire, si accorsero che una nave era troppo poco, gli rubarono anche il *Lombardo*.

Per cent'anni almeno, l'episodio fu ricordato come un esempio disinteressato di altruismo politico. Poi, poco per volta, cominciarono a emergere particolari contraddittori sufficienti a costruire un'altra verità, meno nobile e ancor meno intrepida. Risultò che Fauché fu licenziato perché si era preso delle iniziative personali, illecite, avventate e controproducenti. Ma, a festa finita e a vittoria ottenuta, il proprietario della compagnia di navigazione, Raffaele Rubattino, fu tra i primi ad accreditarsi ai nuovi governanti come benemerito per ottenere appalti e prebende. Il minimo – si vantò – per l'aiuto disinteressato dato a suo tempo. Scrivendo a Bixio reclamerà la sua parte. «Caro amico, sento ogni giorno proclamare la massima che chi ha sofferto per il paese debba essere dal paese ricompensato. Io non pretendo aver meriti personali né aspiro a compensi di sorta. Parmi però giusto che un compenso sia dovuto alla mia società il che, più che a me, profitterebbe tanti interessati che vi posero fiducia».

Fauché, naturalmente, restò disoccupato e per lavorare dovette cambiare città.

Questa versione che, di per sé, consente di degradare i campioni del patriottismo al livello degli approfittatori, non è, ancora, tutta la verità. Più recentemente è stato possibile scoprire che i due barconi furono acquistati con un regolare certificato di vendita firmato, controfirmato e arricchito con ogni genere di garanzie fidejussorie. Rubattino incontrò a Modena il re Vittorio Emanuele II e Camillo Benso conte di Cavour e chiese loro che garantissero il pagamento delle due navi. L'atto venne stipulato, la sera del 4 maggio 1860, a Torino, alla presenza del notaio Gioachino Vincenzo Baldioli. Il professionista aveva aperto i suoi uffici al numero 12 di via Santa Teresa ma, considerando la delicatezza di quella transazione, preferì ospitare i contraenti nella sua casa di via Po. C'erano Giacomo Medici, in rappresentanza di Garibaldi, l'acquirente, e lo stesso Rubattino, il venditore. La certezza che il debito sarebbe stato onorato venne dagli uomini dei servizi segreti piemontesi: l'avvocato Ferdinando Riccardi e il generale Negri di Saint Front che avevano avuto quell'incarico dall'ufficio dell'Alta Sorveglianza

Politica e dal Servizio Informazioni del presidente del Consiglio. Il governo, dunque, era consapevole e responsabile del progetto d'invasione nel regno delle due Sicilie: non soltanto sapeva ma, in qualche modo, era parte attiva nell'approntare la spedizione. E proprio per evitare sospetti controproducenti e chiacchiere inutili, anche a futura memoria, Vittorio Emanuele e Cavour fecero in modo di rimanere a Modena dove ostentarono volutamente la loro presenza in città svolgendo attività politica e poi partecipando a manifestazioni, frequentando i salotti e accettando di ricevere i notabili emiliani.

Il documento del notaio venne redatto con le caratteristiche di uno «speciale atto di vendita temporaneo» riguardo due navi che venivano cedute dalla compagnia Rubattino al governo del regno di Sardegna il quale, a sua volta, le avrebbe girate a Garibaldi. L'atto venne sottoposto al più rigoroso dei segreti di stato. Per il pagamento le parti in causa accordarono, seduta stante e in contanti, una caparra consistente della quale, tuttavia, non è riferito l'ammontare. Per il saldo finale ci sarebbe stata una tolleranza di 180 giorni.

Le barche si staccarono da Quarto la notte del giorno dopo, 5 maggio 1860: alcuni trattenevano le lacrime, altri agitavano la mano per salutare, altri ancora canticchiavano motivi patriottici. I giornali dapprima restarono all'oscuro di notizie: o, più probabilmente, finsero di non averne. Poi, con le indiscrezioni che arrivavano via mare, cominciarono a sollecitare i lettori a favorire la spedizione di Garibaldi. La «Gazzetta del Popolo», per esempio, quotidianamente, pubblicò gli atti di patriottica prodigalità dei torinesi. «Teresa Diominici, ostetrica della reale famiglia, contribuì con 5 lire». La società operaia di mutuo soccorso raccolse fra i soci 319,25 lire, cifra «consegnata a Barra, presidente».

Il municipio stanziò un contributo di 10 lire. E da Buenos Aires, «mittente Giuseppe Bartarelli», arrivò un vaglia di 100 lire. I circoli liberali, le associazioni tricolore e le dame della Torino bene raccoglievano contributi in denaro per comperare armi e munizioni e mettevano insieme chilometri di bende per curare i feriti. Le ricevute furono rigorosamente compilate e nel bilancio quelle cifre comparvero, una per una, spuntate con il segno blu. Le comunità di Parma e di Pavia furono le più generose. Venne inviato tutto a Genova, in via Nuovissima – oggi via Cairoli – all'abitazione di Agostino Bertani che non si era imbarcato per poter provvedere, da terra, all'amministrazione dei fondi destinati all'impresa dei Mille. La sua gestione fu un po' più alla "garibaldina". Per questo, al momento del rendiconto, si affastellarono le polemiche e i sospetti sui tanti che ci avevano marciato facendoci sopra la cresta. Storia del dopo.

Quella notte del 5 maggio Garibaldi non chiuse occhio. Dapprima tentò di comporre un inno per i suoi uomini ma, abituato a brandire la spada, gli riusciva faticoso guidare la penna, evidentemente troppo leggera. Trasformò in un miscuglio di luoghi comuni l'insieme delle sue reminescenze letterarie.

«Lo straniero la mia terra calpesta / il mio gregge macella – il mio onor / vuol strapparmi – ma un ferro mi resta / un acciar per ferirlo nel cuor».

Per l'accompagnamento musicale immaginava i ritmi del coro della *Norma* «Guerra, guerra» che gli pareva abbastanza gladiatorio e sufficientemente deciso. Facile? Ogni volta che provava a cantare le strofe con quello spartito si accorgeva che gli mancava una sillaba o che qualcuna era di troppo. Lasciò perdere quando si accorse che uno dei suoi aveva attaccato con *La bela Gigogin* tirandosi dietro tutta la truppa. Sul popolo facevano più presa le canzoni del folklore.

L'eroe dei due mondi attese l'alba sul ponte della nave e cominciò a riflettere sul futuro che gli si stava preparando.

Erano certamente pochi e non c'erano armi per tutti: 1.056 uomini e mille fucili che gli stessi della spedizione consideravano "catenacci". Le camicie rosse dovevano avere in dotazione delle carabine moderne che, però, vennero sequestrate dagli agenti del governo, alla vigilia della partenza da Quarto. Al posto di quel piccolo arsenale ormai inutilizzabile, La Farina riuscì a ottenere alcune casse di schioppi del tutto inadeguati alla bisogna e tuttavia utili per mostrare qualcosa che avesse la parvenza di una bocca di fuoco. Nessuno aveva informazioni precise su cosa stesse succedendo in Sicilia e nessuno aveva pratica dei luoghi. Non avevano le cartine topografiche, perciò non conoscevano gli approdi e ignoravano dove fosse più conveniente sbarcare. Non diversamente, a tutta prima, dei fratelli Bandiera o di Carlo Pisacane che, partiti con l'entusiasmo scervellato della gioventù, finirono fucilati dai borbonici e infilzati dalle forche dei contadini del posto. Certo, nel 1860, c'era lui, Garibaldi, un uomo di avventure sconsiderate, attratto dal fascino del rischio e, qualche volta, della temerarietà, ma sostenuto dal carisma del capo. Non gli faceva difetto il senso tattico e conosceva i fondamentali degli scontri campali, ma la sua forza stava nella sicurezza che dava in battaglia. I suoi uomini gli ubbidivano senza esitazione. Lo consideravano uno di loro, comandante per riconoscimento della truppa e non per galloni conseguiti in accademia: era una di quelle persone per le quali poteva valere la pena di morire. Garibaldi sapeva cogliere il momento opportuno per forzare con un attacco le linee nemiche e si rendeva conto quando era invece il tempo di fermarsi per consolidare i risultati ottenuti. Un geniaccio militare. "Sentiva" la battaglia e interpretava gli scontri con i nemici con le poche regole e la molta fantasia maturata in anni di guerriglia dove, nella decisione da prendere in un lampo, stava la differenza fra la vita e la morte. Francesco Crispi sintetizzò: «Più che un eroe, era uno che gli eroi li creava perché, accanto a lui, non si poteva essere codardi».

Tuttavia non poteva bastare. Una squadra raccogliticcia di "Brancaleoni" sarebbe stata massacrata dall'esercito borbonico, considerato fra i migliori e meglio preparati, e di gran lunga più agguerrito e addestrato delle mille camicie rosse. Se ne resero conto gli storici che si occuparono dell'argomento, ognuno dei quali – chi con maggiore enfasi, chi con qualche guizzo di ironia – dovette affidare alla «fortuna propizia e senza limiti» le ragioni della riuscita dell'impresa.

In effetti, risulta difficile negare che Garibaldi – nell'uno e nell'altro mondo – si sia mosso sotto una buona stella. Tuttavia, quanto peso può essere attribuito alla buona sorte? E per quanto tempo?

Non ci sarebbe stata conquista del regno delle due Sicilie se non si fossero unite le convenienze inglesi con quelle della mafia meridionale e se, gli uni e l'altra, non avessero finanziato e soccorso il movimento insurrezionale. Non per il tricolore né per la causa dell'unità di un paese. Semplicemente perché il loro interesse non era più compatibile con la monarchia dei Borboni: occorreva scalzare dal trono quei re per sostituirli. Con chi non aveva molta importanza. Il Savoia? Perché no?! Garibaldi poteva, perciò, stare tranquillo. Riprese carta e penna e tornò a litigare con rime e ritmi: «Salve, o terra dei Vespri / Il tuo destino / è d'esser grande! / Salve, o falange di gagliardi! O Mille / guerrieri avventurosi / Invan l'invidia / della canaglia vi dilagna».

Il copyright inglese

La sconfitta dei Borboni non fu provocata dallo slancio dei garibaldini né dal valore delle loro armi. Fu letteralmente comprata a peso d'oro. Ammiragli e capitani di vascelli, in mare, generali e tenenti effettivi, sulla terraferma, concordarono – ciascuno per proprio conto – il prezzo per ritirare le loro truppe davanti al nemico, scappando invece di attaccare. Con il denaro venne anche garantito che buona parte dei traditori sarebbe entrata a far parte dell'esercito del nuovo stato mantenendo grado, qualifiche e comandi militari. La promessa fu generalmente mantenuta e si realizzò in tempi rapidissimi. Quasi senza soluzione di continuità, 2.300 ufficiali che avevano inutilmente giurato per il giglio dei Borboni si trasferirono a ranghi compatti sotto la croce dei Savoia alla quale riproposero la loro placida fedeltà. Sembrò un trasloco: burocratico e scontato. Forse, talora, capitò che i vincitori sui campi di battaglia – in teoria – si trovassero subordinati a quelli che – sempre in teoria – erano stati sconfitti. Ma se imbarazzi ci furono, vennero risolti con brillantezza.

L'esistenza di questo piccolo tesoro destinato a corrompere i nemici è stata trovata dallo studioso Giulio Di Vita il quale, dopo una ricerca meticolosa condotta negli archivi delle logge massoniche scozzesi di Edimburgo, è in grado di sostenere che in Gran Bretagna vennero raccolti tre milioni di franchi francesi. Il denaro venne poi convertito in un milione di piastre turche, le monete utilizzate soprattutto nei porti del Mediterraneo per le transazioni finanziarie e gli accordi commerciali. Una specie di Euro dei mercanti dell'Ottocento. A conti fatti, in valuta di oggi, con qualche approssimazione per difetto, si trattò di 29 miliardi di lire. Alla colletta parteciparono anche i "fratelli" della massoneria degli Stati Uniti d'America e del Canada e non si trattò di un'iniziativa estemporanea. Da tempo, oltre Manica, volevano mandare in fallimento il trono del regno delle due Sicilie. L'operazione fu lungamente meditata e scientificamente pianificata in segreto, in attesa del momento propizio per intervenire.

Come spiegare un'ostilità così radicata negli inglesi alla causa dei Borboni e, contemporaneamente, una compiacenza altrettanto spregiudicata con i piemontesi? È Raleigh Trevelyan, storico, a individuare i motivi di questa risoluta ingerenza della Gran Bretagna in un contenzioso tutto italiano. Alcune ragioni possono apparire banali. In Inghilterra la religione di stato è quella anglicana, e quindi gli abitanti del Regno Unito di tale fede, non sopportavano gli eccessi cattolici di quei sovrani di Napoli così fedeli al Papa da essere proni a ogni liturgia. E non avevano dimenticato la repressione, al limite della persecuzione, che – fra il 1825 e il 1832 – venne ordinata in Sicilia contro le logge massoniche dell'isola.

Ma, certo, ragioni più profonde per intervenire stavano nella dimensione politica che l'Europa lentamente e con qualche contraddizione andava assumendo. La Gran Bretagna voleva giocare un ruolo di primo piano nelle questioni internazionali e vedeva con sospetto l'amicizia troppo forte che legava Francia e Piemonte. Contemporaneamente i diplomatici inglesi segnalavano con preoccupata apprensione l'avvicinamento dei Borboni all'impero russo che cercava uno sbocco marittimo sul Mediterraneo. Aiutare il Piemonte a prendersi il Sud dell'Italia avrebbe avuto, per Londra, due risultati positivi. Innanzi tutto si sarebbe accreditata a Torino come alleata affidabile almeno quanto i francesi, togliendo loro un'egemonia psicologica e politica su quello staterello governato dai Savoia. Poi avrebbero levato di mezzo un regno che poteva offrire i suoi porti ai concorrenti dell'Europa dell'Est. Le coste meridionali d'Italia, in vista dell'apertura del canale di Suez, sarebbero diventate un punto di riferimento importante delle rotte via mare e, quindi, un attracco strategico per i commerci. Da ultimo gli inglesi sentivano la necessità di garantire le immense proprietà immobiliari e finanziarie che avevano acquistato e investito in Sicilia. Per parecchi anni i possidenti britannici erano stati al sicuro e avevano addirittura acquisito un ruolo egemonico ma, da qualche tempo, i re di Napoli non sembravano così attenti agli interessi dei loro ospiti. Non era conveniente spostare i finanziamenti altrove: meglio cambiare governanti.

Anche in questo episodio di storia è illuminante il lavoro dello storico Trevelyan che ebbe l'opportunità di consultare il diario personale e i carteggi di Tina Whitaker, residente a Palermo, erede del ricchissimo Benjamin Ingham e destinataria di una cospicua fortuna. Risulta che quella famiglia, attraverso incroci societari qualche volta assai complicati, amministrava un patrimonio di 500 milioni di sterline dell'epoca che, oggi, significherebbero 5.000 miliardi di lire. L'indotto commerciale che gravitava attorno a questo piccolo impero di denaro, nell'isola e all'estero, è stato quantificato in 400 milioni di sterline di allora, 4.000 miliardi di lire attuali. Un'enormità.

Fra le imprese che gli industriali di Londra gestivano con profitto in Sicilia, c'era quella dell'estrazione dello zolfo. Almeno metà della produzione di questo minerale prendeva il mare diretto in Inghilterra. Il resto era destinato a Francia, Olanda, Russia e Stati Uniti. Attorno a questi accordi, nel 1838, esplose una questione dai contorni allarmanti. Il re di Napoli, Ferdinando II, ruppe le intese passate e concesse alla compagnia Taix e Aycard, francesi di Marsiglia, una serie di agevolazioni tali da affidare loro una specie di monopolio nel settore. Gli inglesi si trovarono, in qualche modo, espropriati. Conseguenze? Lord Palmerston protestò ufficialmente e lo fece con un tono più vicino a quello del padrone che esige riparazione piuttosto che del governante che si rivolge al collega. Re Ferdinando, alla festa del suo compleanno, con una quantità di ospiti stranieri invitati, non salutò nemmeno gli inglesi preferendo riservare le sue attenzioni ai diplomatici russi. Anche un personaggio dell'importanza del duca di Buceluch venne malamente ignorato.

Gli industriali danneggiati si rivolsero al tribunale per un risarcimento colossale, ma non riuscirono a convincere i giudici della bontà dei loro argomenti e persero la causa. Il governo di Londra, a quel punto (aprile 1840) scelse l'azione di forza e decise di assediare i porti siciliani, bloccando le navi con bandiera borbonica. Il re di Napoli mobilitò 12.000 soldati minacciando rappresaglie terribili nei confronti dei possedimenti inglesi. La guerra commerciale fu a un passo dal trasformarsi in guerra vera e soltanto l'intervento degli stati della Santa Alleanza (Russia, Austria e Prussia) impedì una degenerazione della contesa. Il 21 luglio 1840 venne raggiunto un accordo che, praticamente, ripristinava le condizioni economiche di due anni prima. L'amicizia e la fiducia, però, erano del tutto compromesse.

Inutile tentare di rabberciarle. Nessuno, per la verità, nemmeno fra diplomatici avvezzi a transazioni apparentemente disperate, tentò di chiedere ai contraenti dell'accordo un gesto formale di reciproca stima. La decisione degli inglesi di scaricare il Borbone ebbe, in quegli episodi sulla contesa dello zolfo, una conferma decisiva. Si trattò di organizzarsi opportunamente e poi attendere l'occasione più propizia.

Un primo riscontro storico, utile a evidenziare i progetti inglesi, si trova nelle pubblicazioni di un altro Trevelyan, George Macaulay. Nel 1856, a Parigi, si incontrarono Cavour e Lord Clarendon, inviato speciale di Lord Palmerston. A nome del governo di Sua Maestà e della massoneria che, nella maggior parte dei suoi esponenti, era la stessa cosa, venne indicato quali erano le ambizioni di Londra. Gli ambasciatori James Hudson, a Torino, ed Henry Elliot, a Napoli, erano al corrente dei progetti e stavano lavorando per attuarli.

La controprova viene da alcune lettere di Cavour all'ammiraglio Persano; il "tessitore" scrisse che occorreva tentare di «far esplodere una rivolta antiborbonica» a Napoli, e suggerì come possibile capo della rivoluzione «un amico di Lord Russel, di Lord Palmerston e dell'ambasciatore Elliot». In altri due messaggi, sempre indirizzati a Persano, lo invitò a mettersi in contatto con Edwin James, esponente della sinistra liberale anglosassone, in Italia su incarico di Lord Palmerston, «persona in grado di prendere in loco gli opportuni contatti per favorire il trionfo della causa italiana». Atteggiamenti di esplicita e riconosciuta complicità.

A Palermo, in un monumentale palazzo di via Toledo, il barone Pietro Riso organizzava delle feste con periodicità settimanale. Al primo piano musica e balli e al secondo riunione politica dei nobili siciliani che si consideravano filo-inglesi. Tina Whitaker ricordò alcuni di quegli episodi: «Gli uomini, in abito da sera, sgattaiolavano su per le scale, tra un allegro walzer e una controdanza, dandosi da fare per preparare una cospirazione».

A Napoli, il 7 luglio 1859, si ammutinarono due dei quattro reggimenti svizzeri che costituivano la forza scelta dei Borboni. Mercenari ma di grande coraggio e affidabilità. La sommossa fu presto domata anche con l'aiuto degli svizzeri che non avevano partecipato ai tafferugli, ma le ragioni della sollevazione risultarono poco chiare. La Dieta di Berna aveva deciso «di porre fine all'arruolamento dei suoi cittadini sotto bandiere straniere» per cui erano state ammainate le bandiere cantonali e sostituite con quelle gigliate del regno delle due Sicilie. La spiegazione ufficiale fu che i militari, in un rigurgito di nazionalismo, si indispettirono nel non ritrovare più i colori della loro patria e protestarono con la ruvidezza del loro mestiere. Erano quasi tutti ubriachi. L'ambasciatore austriaco a Napoli, barone von Hübner, in una nota diplomatica diretta al suo governo, osservò argutamente che «nelle loro tasche tintinnava più denaro del solito». E il giorno dopo l'ambasciatore francese Brenier aggiunse che «il sommovimento era stato probabilmente concordato con ambienti ultraliberali, i quali avevano distribuito ai soldati svizzeri ben 100.000 franchi francesi in oro». Il risultato fu che il generale Alessandro Nunziante, braccio destro del re, consigliò di congedare i mercenari. Tutti: quelli che avevano provocato i disordini e quelli che erano intervenuti per porvi rimedio. Dovette insistere parecchio perché quei reggimenti avevano tolto d'impaccio i Borboni nelle situazioni più complicate, ma alla fine la sua tesi ebbe la meglio.

In pochi giorni, gli svizzeri prepararono il trasloco: salutarono, presentarono le armi, inneggiarono ai governanti e a passo di marcia imboccarono la strada del Nord. Lasciarono la città più debole e più indifesa. Il generale Nunziante assicurò che ci avrebbe pensato lui. In realtà pensò soltanto a se stesso e si accodò al carro dei piemontesi alla prima occasione propizia. Non a caso il ministro plenipotenziario piemontese a Napoli, Gropello, commentò per lettera al conte di Cavour: «Credo che, a lungo andare, questo avvenimento avrà conseguenze importanti. Senza svizzeri che erano ammirevolmente disciplinati e diretti, l'esercito napoletano resta in condizioni disastrose, privo di spirito marziale e di guida intelligente».

In Sicilia, invece, il 27 novembre 1859, sugli scalini della cattedrale di Palermo, accoltellarono il responsabile della polizia borbonica, Salvatore Maniscalco. Colpirono ripetutamente per ammazzarlo ma riuscirono soltanto a fargli molto male, un po' per la precipitazione dell'aggressore, un po' per lo straordinario intuito della vittima che riuscì a proteggersi con un braccio e a deviare verso la spalla un colpo che, altrimenti, le avrebbe spezzato la schiena. Non si sa chi decise e chi attuò l'attentato. Una scuola di pensiero storico – a cominciare dal professor Tommaso Mirabella – sostiene la tesi secondo la quale quell'episodio fu il risultato di un'alleanza fra la finanza inglese e la mafia siciliana. Vito Farina detto "Farinella", svelto di mano e capace di sbrogliare quelle situazioni, fu incaricato di realizzare l'agguato. Il prezzo? Seicento ducati d'oro. I baronetti, uomini d'onore, con i loro uomini stavano scegliendo i compagni del loro gioco. Comunque avevano deciso di abbandonare il re di Napoli al suo destino. Il risultato dell'attentato fu che il poliziotto dovette rimanere convalescente per un paio di mesi abbandonando a se stesso l'ordine pubblico in Sicilia. Maniscalco era uno sbirro che conosceva bene il suo mestiere e sapeva come combattere i criminali. Ovunque aveva chi sentiva e vedeva per lui in modo da poter intervenire tempestivamente. Non lasciava tregua ai suoi nemici. Era l'uomo più temuto di Palermo ma non per questo era odiato. Lo rispettavano e gli riconoscevano una sorta di codice d'onore che gli consentiva di essere duro e persino brutale con i criminali ma senza abusare dei suoi poteri e della sua autorità.

Il tempo per il ribaltone del trono dei Borboni sembrava prossimo. La spallata decisiva poteva venire dalle camicie rosse. Garibaldi che, pure, aveva accettato di comandarle soltanto all'ultimo minuto e con qualche riluttanza, era un uomo che gli inglesi conoscevano bene e che potevano apprezzare. Era un massone, iniziato nella loggia Asile de la Vertu di Montevideo. Aveva popolato le cronache dei giornali anglosassoni, non escluso il compassato «The Time», per cui godeva della popolarità di un eroe senza macchia e senza paura. E per anni le navi della marina britannica avevano incontrato per mare Garibaldi rendendogli favori a tutta prima inspiegabili. Il commodoro Pulvis gli salvò la vita nel 1841 alle foci del River Plate. Poco più tardi una flotta inglese intervenne per soccorrere l'eroe dei due mondi e i suoi uomini in balìa degli argentini che li stavano cannoneggiando. E, ancora, al largo di Capo Matapán, un veliero di Londra agganciò il suo barcone rimasto senza viveri e senza timone dopo aver subito un assalto dei pirati berberi.

Dunque Garibaldi, con tanti capelli ricci che scendevano dalla testa e altrettanto pelo sullo stomaco, andava benissimo. Gli mandarono una camicia rossa confezionata apposta per lui in una sartoria esclusiva del quartiere elegante di Londra. Henry Distin gli procurò un centinaio di trombe militari. Il colonnello inglese John Dunn e un migliaio di connazionali, congedati dall'esercito regolare in accordo con i superiori, in uniforme nera, seguirono la spedizione dei Mille. Certo l'aiuto più consistente venne dal milione di piastre turche con le quali fu pianificata la più capillare opera di corruzione mai immaginata in tempo di – presunta – guerra. Un fiume carsico di quattrini sciolse velleitari propositi di resistenza, infranse certezze consolidate, sconvolse il senso dell'onore e incoraggiò giravolte politiche radicali.

Gli agenti segreti ebbero un compito largamente facilitato dai responsabili della Marina per le condizioni sociali dei comandanti delle navi. Gli uomini di mare, per lo più, provenivano dalle famiglie di piccola e media borghesia, frequentavano i corsi dell'Accademia e venivano poi inseriti nei ranghi militari. Il nuovo status li obbligava a un tenore di vita dispendioso, ma con il solo stipendio assicurato dallo Stato Maggiore non riuscivano a coprire tutte le necessità imposte dal bon ton. Sembravano i parenti poveri dei colleghi dell'esercito che, al contrario, venivano dalla nobiltà benestante e che, quindi, avevano alle spalle patrimoni e rendite cui attingere. Fra i guardiamarina il disagio economico era palese: difficile per ciascuno di loro resistere alla tentazione di cancellare con un colpo i debiti personali e l'ansia per i creditori. Ai nuovi padroni consegnarono se stessi, i velieri che dirigevano e gli uomini che comandavano. Prezzo: a forfait.

Dovette essere un po' più laborioso comprarsi i favori in fanteria e fra gli artiglieri ma, alla fine, vennero individuati i voltagabbana sufficienti ad assicurare l'esito positivo dell'impresa. Il Gruppo di ricerca storica di Catania è certo che Nino Bixio, nell'imminenza di ogni battaglia, aveva la possibilità di entrare in contatto con gli ufficiali che comandavano le truppe nemiche; per ognuno di essi disponeva degli argomenti utili per convincerli a fare il doppio gioco. Tanti affiliati alla massoneria erano sensibili all'ideologia della fratellanza universale e al richiamo all'obbedienza. Se i maestri del rito scozzese, da Edimbugo, avevano preso decisioni così definitive, non c'era ragione per opporre ostacoli e, anzi, occorreva agevolare il loro progetto. Altri crollavano più facilmente sotto il peso di argomenti finanziari: o perché avevano l'occasione di riscattare i titoli di debito che avevano seminato in giro o perché intravvedevano l'occasione propizia per mettere da parte un gruzzoletto buono per il resto della vita. Le informazioni degli agenti finanziari furono, a questo proposito, tempestive e preziose.

Il tema del tradimento venne sostenuto con ostinazione dall'*entourage* del re delle due Sicilie e dai memorialisti a lui vicini, mentre i commentatori italiani trascurarono l'argomento come se si fosse trattato di una maldicenza creata per gettare discredito sulla nobiltà dell'impresa. I giornali dell'epoca che si azzardarono a riprendere qualche voce di critica vennero ridotti al silenzio a colpi di processi, multe insostenibili, decreti di chiusura delle tipografie.

I Borboni non hanno accusato a vanvera. Uno storico imparziale come Pier Giusto Jaeger si sentì in dovere di sottolineare che «alcuni racconti erano falsi» ma, onestamente, non nascose che «altri erano veri e non poco vergognosi».

La cronaca dello sbarco e dell'avvio della campagna siciliana dei Mille dimostra l'intervento non disinteressato degli inglesi e la compiacenza dei comandanti delle forze nemiche. Il *Piemonte* e il *Lombardo* riuscirono – fortunosamente – a ingannare la sorveglianza delle navi borboniche e a giungere in vista della costa di Marsala. La città siciliana era praticamente una colonia inglese che aveva installato macchinari e capannoni per la produzione e l'esportazione del vino. La popolazione anglosassone era più numerosa di quella locale al punto che in città era stato mandato un vice-console, Cousins, per provvedere alle possibili e legittime richieste della collettività che rappresentava. Mentre la flotta di casa inseguiva ombre chissà dove, due vascelli britannici, per caso, stavano proprio lì: l'*Argus*, al comando di Winnington-Ingram, e l'*Intrepid*, capitanato da Marryat.

Il *Piemonte*, per l'abilità dei suoi timonieri, riuscì a indovinare l'ingresso del porto mentre il *Lombardo*, che evidentemente aveva un equipaggio con qualche problema, si infilò in un cumulo di sabbia, incagliandosi. Lo sbarco occupò più tempo del previsto e prima della fine delle operazioni spuntò la sagoma del vascello *Stromboli* con le bandiere della marina napoletana, lanciata da giorni a caccia degli invasori. Scoppiò il panico. Una cannonata, sparata al posto giusto, avrebbe chiuso la partita. Medaglie, promozioni e ringraziamenti solenni da una parte; disperazione, funerali di prima classe e un elenco di eroi, da venerare per i secoli a venire, dall'altra.

Per evitare un inutile spargimento di sangue, i vascelli inglesi accostarono un poco, in modo da mettersi in mezzo, quasi di traverso, fra il *Lombardo* dei garibaldini e il veliero di Napoli. Anni dopo, Winnington-Ingram pubblicherà un volume di memorie ricordando anche quell'episodio. Il comandante dello *Stromboli* ebbe il dubbio che gli uomini che stavano tentando di guadagnare la riva, un po' nuotando e un po' trascinandosi nell'acqua, fossero inglesi per cui «chiese conferma all'*Intrepid*». La risposta fu naturalmente negativa e «tuttavia si precisò che ufficiali inglesi erano presenti a terra». Con raro senso della cavalleria militare, il napoletano pregò che «venisse inviato un dispaccio perché i loro uomini venissero richiamati a bordo in quanto le sue artiglierie erano sul punto di aprire il fuoco contro i drappelli che stavano sbarcando dal vapore». Detto fatto. Venne anche chiesto al vice-console Cousins di alzare la Union Jack su tutte le case e i negozi appartenenti a inglesi, dentro e nei dintorni della stessa Marsala.

Ancora dalla prosa di Winnington-Ingram: «Intanto una barca si staccò dal vapore napoletano e si diresse verso la nave in secca ma ancor prima di raggiungerla, come se l'equipaggio fosse stato colto da panico, batté in velocissima ritirata». A quel punto «il comandante Marryat, il signor Cousins e io ci imbarcammo subito su una lancia per recarci a bordo della nave napoletana. Volevamo pregare il comandante di dirigere bene il tiro dei suoi cannoni. Con sorpresa scoprimmo che quell'ufficiale parlava perfettamente la nostra lingua e portava un nome di antica famiglia inglese: Guglielmo Acton. Ora egli è Ammiraglio e Ministro della Marina italiana». Il diario venne scritto nel 1883 e pubblicato nel 1889. «Ci parve molto impressionato per la responsabilità che la sua posizione gli creava ma promise di non danneggiare la proprietà britannica, osservando che i suoi cannoni erano puntati soltanto in direzione del molo, contro i banditi». Chissà se c'è stato il tempo per un tè e qualche pasticcino.

«Ci stavamo allontanando per tornare alla nostra nave quando la fregata napoletana lasciò partire una tempesta di proiettili». Piombo a volontà. «I colpi ci passarono sopra la testa ma il tiro era corto e non raggiunse il molo». Si fece inutilmente del chiasso.

In quel momento Garibaldi e i suoi stavano tentando di andarsene trascinandosi dietro, alla meno peggio, armamentario e vettovaglie.

Venne dichiarata decaduta la dinastia dei Borboni, fu abolita la tassa sul sale e sul pane, promisero di dividere i latifondi per offrire un pezzo di terra a ogni contadino e inneggiarono alla monarchia di Vittorio Emanuele. La battaglia avvenne qualche giorno dopo. Per la storia ufficiale lo scontro si svolse a Calatafimi il 15 maggio 1860 e fu uno scontro epico. I memorialisti più pignoli precisano che avvenne in località Pianto Romano: pianto nel senso che avevano piantato una quantità di filari di vite e romano perché la famiglia Romano era proprietaria del podere. Appena più indietro il tempio di Segesta. Garibaldi si alzò di buon mattino per bere il caffè e cominciò a fischiettare come un innamorato. Dall'altra parte il generale Francesco Landi, con i suoi settant'anni compiuti, le varici, la schiena a pezzi e i calli ai piedi, non potendo correre il rischio di salire a cavallo, montò in carrozza per raggiungere il posto destinato al combattimento. Con calma. D'altra parte aveva impiegato sei giorni per trenta miglia.

Le camicie rosse si lanciarono all'assalto con entusiasmo brandendo i fucili che la Società Nazionale aveva dato loro in dotazione. Ferrivecchi a pietra focaia che si inceppavano con una percentuale superiore al 50 per cento.

L'attacco avvenne senza ordine né disciplina e sul pendio di nove terrazze che dovevano scalare per raggiungere i nemici, i garibaldini dispersero il loro ardore. Chi riuscì ad arrampicarsi fino in cima, arrivò senza fiato, con la lingua fuori, le gambe molli e gli occhi dilatati che ci vedevano doppio. Sentirono la tromba che squillava la ritirata e convennero che era meglio così: non si poteva andare avanti. E quindi si meravigliarono, non credendo alle loro orecchie, quando si accorsero che il segnale non era stato lanciato dal loro Beppe Tironi ma dal caporale borbonico che ordinava ai nemici di tornare indietro. Strano? Si disse che il generale Landi incassò una cambiale per 14.000 ducati d'oro ma che, alla fine della guerra, si accorse che il documento non era valido. Morì l'anno successivo, nel 1862, ma i cinque figli non ebbero problemi: tutti ufficiali superiori nell'esercito del Nord. A Calatafimi – luogo eroico del «qui o si fa l'Italia o si muore» – furono uccisi trenta garibaldini. Non tutti per mano nemica.

Alessio Maironi aveva una gamba che, colpita di striscio da un proiettile, buttava sangue come una fontana. Un compagno che credeva di conoscere qualche rudimento medico schiacciò una moneta d'argento sulla ferita per tamponargli l'emorragia ma gli provocò un'infezione di tetano che l'ammazzò in un amen. Luigi Martignoni scelse invece di farla finita da solo: era tormentato da una cancrena che gli faceva soffrire le pene dell'inferno e ottenne una dose di oppio sufficiente per porre definitivamente fine a quel dolore insopportabile.

In campo avverso le perdite furono «leggermente inferiori». D'altra parte i garibaldini con quelle armi che sembravano scope molto pesanti non avevano possibilità di fare del male ai nemici se non in combattimenti ravvicinati corpo a corpo. Ordinatamente, manovrando con garbo e prudenza, le milizie borboniche iniziarono a retrocedere, si sganciarono dagli avversari e poi ripresero la marcia in colonna. Erano 5.000: potevano fare a pezzi le camicie rosse.

La mafia in campo

La mafia fece la sua parte, assecondando gli inglesi con i quali coltivava interessi economici rilevanti e facilitando il compito degli invasori con i quali tentò di accreditarsi per un ruolo politico ufficiale da utilizzare in futuro. Anche la mala-Sicilia aveva scelto di chiudere con il vecchio regime in modo da facilitarne la nascita di uno nuovo. Beninteso, quella di allora non poteva essere l'organizzazione criminale cui le cronache di oggi ci hanno abituato. Ne era il dagherrotipo: una sorta di generone di aristocratici che – vuoi per il blasone, vuoi per la consistenza patrimoniale – esercitavano un'influenza risoluta sulla gente che lavorava per loro. La parola "mafia" divenne di uso comune soltanto nel 1863 quando Giuseppe Rizzotto portò in scena un suo dramma teatrale intitolato *I mafiusi di la Vicarìa*.

Ma certo che, già nel 1834, il ministro borbonico Pietro Ulloa tentò di descriverne gli aspetti più significativi. «Vi ha in molti paesi delle fratellanze, specie di sette che diconsi partiti, senza riunioni né altro legame che quello della dipendenza da un capo che è un possidente».

La storia del contado di Palermo lascia immaginare una stratificazione di livelli di potere conteso fra i "baronetti" nobili, i loro mezzadri che assicuravano una fedeltà oltre ogni immaginazione, la borghesia emergente e le bande criminali. Si trattava di forze che potevano scontrarsi in conflitti anche sanguinosi e che, successivamente, trovavano le convenienze per rimettersi insieme. I confini fra queste realtà restavano incerti come un'immensa zona grigia. Gli storici che hanno analizzato i processi di delinquenza in Sicilia sono in grado di evidenziare che la mafia, per emergere, aveva bisogno dell'Unità d'Italia e di un regime democratico a suffragio universale sempre più vasto. Le lupare dovevano sparare per sua Maestà. E, infatti, successivamente, si schierarono con Vittorio Emanuele II e contro Garibaldi: lasciarono perdere le utopie social-repubblicane e fecero riferimento a casa Savoia perché lì esisteva un terreno di possibile scambio con i poteri dello stato e, quindi, di legittimazione della propria attività. Per questo la visibilità del fenomeno mafioso si manifestò negli anni dell'Unità d'Italia. I suoi esponenti rimasero contro la legge ma cercarono, con i voti ma anche sparando e uccidendo, di conquistare i comuni, le amministrazioni pubbliche, i centri di spesa governativi.

Giuseppe La Masa e Giovanni Corrao furono gli uomini della spedizione di Garibaldi che si preoccuparono di tenere i contatti con queste piccole realtà sociali e che riuscirono a costruire un'intesa capace di portare a un risultato decisivo. Questo capitolo di storia non dispone di troppa documentazione. In primo luogo perché i vincitori, nel tentativo di avvalorare la tesi della marcia trionfale dei liberatori, nascosero ogni documento che potesse dimostrare il contrario. Poi perché l'organizzazione clandestina delle famiglie "di rispetto" non firmava protocolli, non pubblicava diari di memorie, non partecipava a conferenze programmatiche.

La Masa era un meridionale che sembrava nato in

Scandinavia. Nelle vene doveva scorrergli sangue normanno perché era alto, biondo, chiaro di carnagione e quasi pallido, con un profilo sottile che lo faceva assomigliare a una statua. Non per nulla lo chiamavano "generale Enea". Per carattere, invece, era figlio della sua terra: insoddisfatto a oltranza, permaloso, sempre in cerca di soddisfazioni, romantico, coraggioso, onesto. Non gli interessavano i soldi e per la verità faceva anche poco per procurarseli. Sposò Felicita Bevilacqua che era innamoratissima di lui e che gli portò in dote una piccola fortuna in denaro liquido e possedimenti, che venne interamente dilapidata per finanziare stravaganti progetti rivoluzionari e improbabili sollevazioni patriottiche. Comunque, senza di lui, pochi siciliani avrebbero appoggiato il progetto di Garibaldi e, nonostante la storiografia ufficiale si sia affannata per dimenticarlo, Cesare Abba, forse suo malgrado, si trovò costretto ad ammettere che «fu un elemento prezioso». La Masa, appena sbarcato a Marsala, cominciò a contattare la gente "di rispetto" che conosceva per ottenere l'aiuto indispensabile ad andare avanti. Oltre agli argomenti – per così dire – politici, aveva da spendere sia una parte dei fondi degli inglesi sia le donazioni e le confische che, strada facendo, venivano racimolate. Significativo, per esempio, il contributo offerto personalmente a Garibaldi dall'industriale Ignazio Florio e quello di don Vincenzo Favara di Mazara del Vallo, titolare del più importante "banco di prestanza", che collaborò all'impresa con 100.000 lire d'oro, equivalenti a 630 milioni d'oggi. Così, Stefano Triolo, barone di Sant'Anna di Alcamo, si presentò capeggiando 350 armati e, qualche giorno dopo, il fratello Giovanni arrivò con altri 250. Giuseppe Coppola scese da Monte San Giuliano d'Erice alla testa di 765 uomini, un carico di munizioni inglesi e una buona provvista di viveri.

Calogero Amari Cusi raccolse 600 "picciotti" nella zona di Castelvetrano e si unì alla colonna di garibaldini. Gente disinvolta. Erano capaci di stare a cavallo senza impaccio, portavano lo schioppo di traverso sulle spalle e nella cintura dei pantaloni tenevano infilati pugnali e rivoltelle. Cesare Abba li descrisse come «montanari armati fino ai denti, con certe facce sgherre e certi occhi che paion bocche di fucile». Non avevano prestato servizio militare ma sapevano come ammazzare. A Partinico, un gruppo di loro si imbatté in una squadra di borbonici, in ritirata dopo Calatafimi, e li fecero letteralmente a pezzi. Le camicie rosse che arrivarono qualche tempo dopo trovarono i cadaveri a brandelli, appesi per i piedi, con il viso sfigurato. Trattennero a stento qualche disappunto ma la ferocia del combattimento faceva parte della tecnica della guerriglia perché accresceva nei nemici la paura, li atterriva e quindi li rendeva più deboli e favoriva la diserzione e il tradimento.

Intanto, attorno a Palermo, Giovanni Corrao stava mettendo insieme altre squadre destinate a dare l'assalto alla città. Il suo fu un lavoro possibile soltanto per l'autorità che gli veniva riconosciuta e per le relazioni mantenute negli anni precedenti con le persone che contavano. Anche per lui gli storici si ingegnarono per lasciarlo in ombra e gli scrittori – fra gli stessi Mille – lo accusarono di essere un gradasso vanaglorioso, un rozzo che, in battaglia, cercava le retrovie piuttosto che la linea di combattimento. In realtà era un armadio di un metro e novanta, con mani robuste che, all'occorrenza, bastavano per strangolare una persona. Sapeva di essere forte e cercava di non approfittarne. Non ebbe il tempo di andare a scuola ma era svelto di cervello e, da autodidatta, riuscì a costruirsi una cultura sufficiente per frequentare gli intellettuali. Gli piacevano le ragazze, il vino e le idee liberali. Poi diventò repubblicano e, dopo ancora, un rivoluzionario socialista. Veniva da una famiglia "di rispetto". Il padre Giuseppe era titolare di un'impresa di costruzioni navali e lavorava in un'officina di Borgo Santa Lucia. Corrao faceva parte di quella borghesia di recente costituzione, cresciuta all'ombra degli inglesi, per cui il "rispetto" e il "prestigio" finivano per colludere con la mafia organizzata.

Giovanni Corrao partecipò ai primi moti insurrezionali del 1848 e riuscì a disarmare una guarnigione di borbonici ingannandoli con un cannone di legno rivestito con cerchi di metallo. Finì in galera, venne liberato, partì per l'esilio e cominciò a frequentare il giro dei patrioti fra Piemonte, Liguria e Marsiglia. Divenne amico di Giuseppe La Masa che stimò, ricambiato. I contatti con la Sicilia e la sua gente vennero mantenuti attraverso Giuseppe Badìa, uomo di fiducia, sodale e amico. Con le difficoltà immaginabili che scaturivano dall'occuparsi degli "affari di famiglia" per interposta persona a mille chilometri di distanza.

Fece il pendolare fra Malta, l'Egitto e l'Inghilterra; strinse cordiali rapporti con gli ambienti della massoneria e a Palermo gli attribuirono il titolo di "don" che significava essere entrato nella fascia alta della considerazione sociale. Per preparare un'accoglienza favorevole allo sbarco dei Mille, su consiglio di La Masa, Corrao scelse naturalmente la mafia. Ed egli, una decina di giorni prima degli altri, il 25 marzo, prese il mare imbarcandosi sulla paranza *Madonna del soccorso*, con quattro uomini d'equipaggio, un marinaio che era anche patriota, Agostino Paganetto, il timoniere Raffaele Motto e Rosolino Pilo. Il noleggio costò 1500 lire ma non erano i soldi che mancavano. La loggia massonica di Genova Trionfo Ligure aveva raccolto 700.000 lire, equivalenti a quattro miliardi di lire d'oggi. A lui venne assegnata una quota di 250.000 lire (un miliardo e mezzo), le altre 450.000 (due miliardi e mezzo) andarono a Nino Bixio.

La traversata non fu affare di ordinaria amministrazione. Il maltempo rallentò il viaggio e una burrasca violenta, in mare aperto, fece delirare Rosolino Pilo che cantava poesie d'amore, intonava inni guerreschi e dettava le sue ultime volontà. Il 10 aprile sbarcarono sulla costa di Messina e lì cominciarono a contattare gli esponenti delle famiglie importanti, i patrioti, i libertari. Poi in marcia verso Palermo: Capo d'Orlando, Sant'Agata di Militello, Cefalù. Lo storico Giuseppe Paolucci annota che «ovunque al loro passaggio, le autorità locali sparivano preventivamente mentre schiere di animosi si offrivano». In particolare, un gruppo di una dozzina di cavalieri armati si presentò come la squadra dei picciotti di Campofelice Roccella "a disposizione" per una sorta di guardia del corpo. Avanti verso il capoluogo: Gratteri, Termini Imerese, Piana dei Greci. Le spie borboniche li avevano seguiti passo a passo e avevano inviato rapporti circostanziati ai superiori, ma i tentativi per catturarli fallirono perché le spie dei picciotti, più tempestive, riuscivano a farli scappare prima che i soldati arrivassero a circondare l'accampamento.

Il 29 aprile don Giovanni Corrao entrò a Palermo. Lo aspettavano perché erano stati affissi al muro dei cartelli con «I prodi emigrati sono fra noi». Incontrò parenti e amici, concordò una serie di comportamenti con le persone "giuste", poi si spostò a Carini dove fissò il quartier generale. In assenza di La Masa, indiscusso capo dei rivoluzionari siciliani, lui, Corrao, assunse la responsabilità delle operazioni militari, mentre a Rosolino Pilo venne affidato il compito di comandante politico. Scelsero per i rifornimenti Pietro Tondù di Carini; per le comunicazioni e i trasporti Giuseppe Bruno di Belmonte Mezzagno; per la cassa Giovan Battista Marinuzzi anch'egli di Carini; per la manutenzione delle armi Salvatore La Barbera e Salvatore Nicolò Ramacca; per il servizio informazioni Andrea Saldano di Piana dei Greci; per guidare gli esploratori Andrea Guidara di Boccadifalco e come ufficiali Carlo Trasselli e Rosario Salvo di Pietraganzili. I "picciotti" arrivarono a migliaia da 35 paesi della provincia di Palermo e da 15 borgate cittadine, tutti guerriglieri senza paura del sangue, con fucili e revolver. La truppa venne divisa in squadre di 20 uomini ciascuno. In attesa di Garibaldi che stava marciando verso la città, ebbero il tempo di corrompere e di intimidire, ora con garbo e quasi con cortesia, ora con severità e, addirittura, con asprezza.

Così, quando giunse l'eroe dei due mondi, il clima politico era favorevole. Tifavano tutti per la rivoluzione: chi perché soddisfatto dal denaro ottenuto, chi perché spaventato dalle minacce di quegli uomini che, solitamente, non promettevano a vanvera. A Misilmeri, i Mille e i picciotti vennero accolti con fiaccolate, luminarie, qualche botto d'artificio, applausi e brindisi. Si presentarono anche tre ufficiali della marina britannica. A leggere i loro commenti, ci arrivarono in modo totalmente casuale. Con la campagna popolata da gente armata e, in qualche caso, non troppo raccomandabile, questi gentiluomini avevano optato per una passeggiata in carrozza e per un momento di relax. Attraverso strade normalmente quasi impraticabili, giunsero a un incontro, allo stesso tempo, fausto e inatteso. Gli ufficiali «si meravigliarono di sapere che il Generalissimo sedeva a pranzo in un vicino vigneto e accolsero con un fremito di gioia il messaggero che li invitava alla sua tavola. [...] Il più soave degli ambasciatori non avrebbe potuto ammaliarli più del guerriero in camicia rossa che, nel loro stesso idioma, disse cose tanto lusinghiere dell'Inghilterra». Offrì fragoline di bosco e calici in alto per augurarsi rispettive fortune.

Poco dopo – ma sempre per caso – furono due ufficiali americani a rendere visita a Garibaldi. I resoconti non riferirono il menù dei cibi e delle bevande offerte ma precisarono che uno degli ospiti lasciò la propria pistola in dono.

Il giornalista Ferdinando Eber che era ungherese ma scriveva per «The Times» di Londra, insieme a Michele Pojero, arrivò con la carta topografica della città.

Corrao, invece, volle presentare all'eroe dei due mondi, Turi Miceli, caposquadra dei "picciotti" e capo della mafia di Monreale il quale, contrariamente alle opinioni di quasi tutto lo Stato Maggiore, assicurò che l'eventuale attacco a Palermo avrebbe avuto esito positivo. I suoi erano già all'erta.

Il 27 maggio 1860, alle 7 di mattina, i garibaldini riuscirono a entrare in città senza troppa fatica, seguendo il cammino dei contrabbandieri che i picciotti conoscevano bene. Ma per la verità la difesa non fu così accanita. Il generale Lanza che comandava i borbonici, era molto più vecchio dei suoi 73 anni compiuti, e con nessun fatto d'arme significativo da citare a titolo di merito. L'unico episodio notorio si riferiva a quando cadde da cavallo, durante una parata, proprio davanti al re e proprio dentro una pozzanghera. Tenne 18.000 uomini asserragliati a Palazzo Reale impedendogli, di fatto, di partecipare al combattimento. Il generale Cataldo, con 4.000 uomini, senza ancora aver sentito una schioppettata, abbandonò la postazione e si ritirò più indietro. L'ospedale venne perduto «per viltà del comandante e per il tradimento del cappellano». A custodire le carceri della Vicarìa non c'era più nessuno: 2.000 detenuti, arrabbiati e inferociti, uscirono dalle celle e si lanciarono all'inseguimento delle divise borboniche perché, massacrando gli uomini, credevano di rivalersi dei soprusi che la legge aveva inflitto loro. Masino Chinnici, di Misilmeri, il "boia borbonico" che non andava per il sottile quando doveva intervenire, cambiò casacca e cominciò a combattere dall'altra parte con identico impegno e accresciuta determinazione.

Dal mare il comandante Flores, a bordo dell'*Ercole*, cominciò a bombardare le zone dove si trovavano i garibaldini. Avrebbe dovuto farlo anche il capitano del *Partenope*, Cossovich, il quale, però, si sforzò in ogni modo di indirizzare i colpi il più lontano possibile.

Anche per don Giuseppe Buttà, fedele al Borbone, testimone di quegli scontri e divulgatore dei suoi ricordi, risultò impossibile spiegare tutta questa idiozia bellica senza dar credito alla voce che indicava il prezzo pagato per il tradimento di ciascuno.

Dopo tre giorni di combattimento, Lanza, con la guarnigione al completo, chiese agli inglesi di proporre una tregua perché lui, personalmente, era a disagio nel trattare con un filibustiere. Gli risposero che non avevano né titolo né autorità per avventurarsi in una mediazione del genere. Allora lui decise di fare da sé e scrisse a «Sua Eccellenza il Generale Garibaldi». Tutto maiuscolo nella più prona reverenza.

Le camicie rosse non avevano più un colpo da sparare. Il generale Colonna e il generale Sury stavano contrattacando vittoriosamente, ma vennero fermati per rispettare il tempo concordato per il silenzio delle armi. Dall'altra parte della città, il colonnello von Mechel e il maggiore Ferdinando Bosco stavano impegnando i nemici con successo ma accorsero i capitani Bellucci e Nicoletti per richiamarli al senso della disciplina. Non si poteva più sparare né incrociare le baionette. La tregua diventò poi armistizio e venne trattata dai generali Letizia e Bonopane i quali posero condizioni così irrisorie che gli avversari ebbero soltanto il problema di mascherare la soddisfazione per il successo inaspettato. Praticamente l'esercito del re delle due Sicilie chiedeva di andarsene. Lanza, davanti a tutti, guidò la marcia di qualche decina di migliaia di soldati che sfilarono davanti ai garabaldini che erano in numero enormemente inferiore e, per la verità, anche male in arnese. Un militare tentò di obiettare: «Ma Eccellé, vedete quanti siamo, e dobbiamo scappare?!». La risposta fu tagliente: «Zitto 'mbriacone, guarda avanti e cammina».

Quando Lanza arrivò a Napoli, il re gli proibì di sbarcare e pretese che venisse confinato all'isola di Ischia in attesa della Corte Marziale. Il processo, in realtà, non poté celebrarsi e il vecchio generale si consolò riposandosi.

A rinforzare le fila di Garibaldi, quasi contemporaneamente, arrivarono il conte Amilcare Anguissola che comandava la pirofregata a due ruote *Veloce* e la contessa Della Torre che aveva affrontato un viaggio avventuroso per raggiungere la Sicilia. Il capitano consegnò ai nemici se stesso e la sua nave che venne ribattezzata *Tukory*, dal nome di Luigi Tukory, volontario ungherese che aveva partecipato all'impresa dei Mille ed era morto in un assalto diventando un eroe. La nobildonna – stivali, speroni e cappello con piumazzo, come nei film di cappa e spada – prese a frequentare gli accampamenti dei soldati denunciando i suoi spostamenti con il cigolare della spada che teneva appesa al cinturone. Sembrava un'opera buffa, ma la Sicilia era perduta e l'annessione al regno sabaudo inevitabile.

Il plebiscito che ebbe luogo il 21 ottobre 1860 nei territori dell'ex regno delle due Sicilie, venne bandito, con le contorsioni lessicali abituali in tempo di elezioni e portò alle urne il 70 per cento degli aventi diritto al voto, la maggior parte analfabeti. I sì furono 430.000 e i no 680.

In questa pressoché assoluta unanimità, il peso della democrazia fu insignificante. Le diatribe immediatamente successive scavarono un fossato fra i legittimisti borbonici che consideravano quei risultati un autentico sopruso e i piemontesi che invece sottolineavano il valore della consultazione popolare. Oggi, tutti gli storici ammettono che le preferenze della gente furono pronunciate in modo inconsapevole, con forzature anche vistose o, addirittura, dietro intimidazione. Quelli che si rendevano conto di che cosa si stesse facendo e che lo fecero con convinzione dovettero essere una minoranza di intellettuali idealisti.

Tomasi di Lampedusa, ne *Il Gattopardo*, tentò di descrivere il clima politico di quel momento. Certo, non è possibile leggere un romanzo come se fosse un libro di storia. Tuttavia, qualche volta, la finzione risulta più autentica della realtà e consente di comprendere, semplificandoli, gli stati d'animo più genuini. A Donnafugata gli iscritti al voto erano 515 e votarono in 512: tutti sì e nessun no. Dal balcone del municipio, i risultati vennero letti da "don" Calogero con panciera tricolore, fiancheggiato da due inservienti che tenevano due candelabri accesi, peraltro spenti alla prima folata di vento.

Dal fondo della piazza un battimano e qualche evviva. Il principe si era espresso per l'annessione, convinto com'era della necessità di cambiare tutto perché tutto rimanesse uguale. Ma "don" Ciccio aveva votato contro.

«Io, Eccellenza – denunciò – avevo detto no. Cento volte no. So quello che mi avevate detto: la necessità, l'unità, l'opportunità. Avrete ragione voi: io di politica non me ne sento. Lascio queste cose agli altri. Ma Ciccio Tumeo è un galantuomo, povero e miserabile, con i calzoni sfondati». E percuoteva sulle sue chiappe gli accurati rattoppi dei pantaloni da caccia. «Ciccio Tumeo il beneficio ricevuto non lo aveva dimenticato. E quei porci, in Municipio, s'inghiottono la mia opinione, la masticano e poi la cacano via trasformata come vogliono loro. Io ho detto nero e loro mi fanno dire bianco! Per una volta che potevo dire quello che pensavo, quel succhiasangue di Sedàra mi annulla, fa come se non fossi esistito, come se fossi un niente immischiato con nessuno: io che sono Francesco Tumeo La Manna, fu Leonardo, organista della madre chiesa, padrone suo mille volte, che gli ho anche dedicato una mazurka composta da me quando è nata quella smorfiosa di sua figlia».

Una denuncia senza misure. Spietata. L'autore commentò che, in quella sera, era stata uccisa una neonata, la buonafede, quella creatura che più si doveva curare, il cui irrobustimento avrebbe evitato altri stupidi vandalismi compiuti. Il no di don Ciccio, 50 voti come i suoi, 100.000 no in tutto il regno, non avrebbero mutato in nulla il risultato. Anzi, lo avrebbero reso più significativo.

Sei mesi prima si udiva la dura voce dispotica che diceva: «Fai come dico io, altrimenti sono botte». Adesso si aveva già l'impressione che la minaccia venisse sostituita dalle parole molli dell'usuraio: «Ma se hai firmato tu stesso... non vedi? È tanto chiaro. Devi fare come diciamo noi perché, guarda la cambiale: la tua volontà è uguale alla mia».

Allora non si poteva sapere, ma buona parte della neghittosità e dell'acquiescenza che servirono per vituperare la gente del Mezzogiorno ebbe origine proprio in quello stupido annullamento della prima espressione di libertà.

Bixio, Zambianchi e Nievo

Un'analisi storica che riproponga la spedizione dei Mille, alla luce degli interessi inglesi e della quantità spropositata di denaro speso per comprarsi il favore dei nemici, consente di intendere diversamente episodi che, fino a oggi, erano stati trascurati perché sembravano marginali e poco significativi: il massacro di Bronte, l'impresa e la morte di Callimaco Zambianchi, l'attività di cassiere e la scomparsa di Ippolito Nievo.

Bronte, il paese principale della "Ducea", sul confine fra le province di Messina, Catania e Siracusa, si convinse che le idee di libertà propagandate dai garabaldini avessero una loro forza naturale e, perciò, meritevoli di essere messe in pratica. "Abbasso la schiavitù della gente legata alla terra come i servi della gleba; a morte i padroni che non faticavano e si arricchivano": era questo il senso della protesta popolare. Via i Borboni, dunque, ma anche coloro che avevano retto loro il sacco. Le "coppole", i contadini poveri, insorsero e, come furie, armati degli attrezzi da campagna, sgozzarono senza misericordia i "cappelli", i ricchi, senza badare se erano giovani o vecchi, maschi o femmine. Ammazzarono sedici persone fra cui l'avvocato Cannata, bruciarono il catasto e ritennero che, distrutti i titoli di proprietà, avrebbero più facilmente diviso la terra in parti uguali. Avvenne tutto fra il 2 e il 3 agosto 1860. Ogni contrada si rese responsabile di reazioni sproporzionate, era questa l'opinione comune. Gli eccessi non furono episodi isolati e, qualche volta, si trattò di regolamenti di conti che non avevano nemmeno una parvenza di giustificazione politica. Furono vendette primitive e spesso atroci a Cesarò, Castiglione, Ragalbuto, Randazzo. Solo Bronte, però, venne investita dalla collera dei garibaldini che in quell'unico paese si preoccuparono di riportare l'ordine e la disciplina.

Strano? Quelle terre erano state concesse dal re Ferdinando all'ammiraglio Nelson, come ringraziamento per aver sconfitto Napoleone Bonaparte e per avergli indirettamente restituito il trono. Erano possedimenti della Corona britannica. Gli inglesi ci abitavano, lavoravano – nel senso che facevano lavorare gli altri – gestivano le proprietà e le case. Non potevano accettare che loro, i finanziatori e i protettori dell'impresa dei Mille, fossero le prime vittime della rivoluzione.

La signora Bridport, proprietaria di un latifondo, incaricò il suo intendente William Thovez di chiedere aiuto all'ambasciata. Fra gli uccisi c'era stato anche il suo contabile Rosario Leotta. L'uomo incontrò il viceconsole inglese di Catania, John Jeans, il quale riferì al console Goodwin che stava a Palermo che, a sua volta, reclamò ufficialmente con Garibaldi. Dovette presentare le sue proteste in modo così risoluto da non ammettere repliche e pretese un intervento immediato e riparatore che, date le circostanze, non poteva essere rifiutato.

Il Generalissimo parlò a Sirtori, il quale incaricò Nino Bixio perché provvedesse personalmente. Il 6 agosto una colonna "mobile" di 300 camicie rosse si arrampicò sul pendio della montagna mentre dall'alto gli uomini aspettavano, con le mani fra le cosce e la barba lunga, forse spaventati da quello che essi stessi avevano fatto e, in qualche modo, rassegnati a subirne le conseguenze. La salita era stata faticosa. Il generale stava in groppa al suo cavallo nero, ma gli altri se l'erano fatta tutta a piedi, con le spalle curve per lo zaino e sotto il peso del fucile arrugginito. Appena giunti a destinazione, venne ordinata la fucilazione di cinque o sei uomini fra cui il sindaco Lombardo, il nano Pizzanello e il taglialegna che piangeva e che morì in ginocchio. Vennero scelti a casaccio: l'importante era dare una lezione che potesse bastare lì e servire da esempio altrove.

Gli autori filoborbonici come Giuseppe Buttà e Giacinto De Sivo esagerarono nel contare il numero dei morti che, nei loro resoconti, diventarono 24. Riferirono di nefandezze sulle donne e di violenze sui bambini, un paio dei quali sarebbero stati lanciati dai balconi sul selciato. Secondo queste versioni Nino Bixio, personalmente, sparò nella testa di un uomo che voleva soltanto parlargli: l'aveva scambiato per un ribelle e pensò di fare giustizia arrangiandosi da solo perché non voleva disturbare i suoi soldati che, in quel momento, a mezzogiorno passato da un pezzo, stavano attendendo la distribuzione del rancio.

I memorialisti di fede liberale, al contrario, cercarono di assolvere il generale, evidenziando piuttosto il cieco furore degli insorti, i quali avrebbero scannato le donne tagliando loro il seno e maltrattato i bambini ammazzandoli a bastonate. Fra i difensori d'ufficio comparve anche una suora violentata. L'episodio, nel 1972, divenne anche un film: *Bronte – Cronaca di un massacro che i libri di storia non hanno raccontato*. Florestano Vancini lo sceneggiò, assieme a Leonardo Sciascia, Fabio Carpi e Badalucco, da un lavoro di Benedetto Radice. Mariano Rigillo indossò i panni di Bixio e lo interpretò con un'indulgenza che sembrerebbe eccessiva. Giovanni Verga si occupò di Bronte in una novella intitolata *Libertà*. La sua fu una ricostruzione abbastanza onesta con un paio di omissioni che non piacquero a Leonardo Sciascia. Lo scrittore denunciò come «le ragioni di una mistificazione risorgimentale» avessero, alla fine, consigliato troppi scrittori a un esercizio di «radicale omertà», anche coloro che da quella guerra avrebbero avuto ogni motivo per considerarsi "vinti".

In ogni modo la rappresaglia attuata a Bronte fu inumana. La punizione sembrò più severa della colpa. Bixio se ne pentì e scrivendo alla moglie definì «maledetta» quella missione. «Mi mandarono – spiegò – dove l'uomo della mia natura non dovrebbe mai essere destinato». Anche il console Goodwin fu preso in contropiede dalla rapidità dell'azione e dalla durezza con cui era stata fatta giustizia. Si sentì in dovere di giustificarsi con il ministro Russel per sostenere che aveva chiesto soltanto di individuare il responsabile dell'uccisione del contabile di casa Bridport. Non poteva prevedere che, al posto di un processo, avrebbero provveduto con atti di giustizia sommaria. In generale, fra i garibaldini gallonati, l'incidente venne considerato un doloroso impiccio. I loro soldati soffrivano per la malaria. Ed erano più preoccupati di attraversare lo stretto di Messina per portare la guerra in Calabria e risalire verso Napoli.

Ma sulla strada dell'Unità d'Italia non ci fu solo quella «maledetta» missione. Ci furono anche due morti eccellenti. Il primo a lasciarci la pelle per la "ragione di stato" fu Callimaco Zambianchi, uno spaccamontagne di un paio di metri d'altezza, un quintale di muscoli e pochi grammi di cervello. Era un manigoldo che correva ovunque ci fosse da menare le mani. Un'avventura da disperati come la spedizione dei Mille sembrava fatta su misura per lui. S'imbarcò, infatti, sul vapore *Lombardo* diretto in Sicilia ma venne convinto a scendere a metà strada: a Talamone, in Toscana. Per un secolo abbondante si fece credere che la sosta doveva servire per rifornirsi di armi. In realtà si trattava di caricare soltanto una vecchia colubrina del Seicento così ingombrante e inutile da scoraggiare anche soltanto le manovre di approdo.

La tappa fu decisa per sbarazzarsi di un manipolo di volontari che avrebbero potuto creare dei problemi e, con l'occasione, per far scomparire una cassa di denaro. Gli uomini da allontanare erano i mazziniani duri e puri che, non vedendo null'altro che la repubblica, non avrebbero condiviso un'impresa destinata a favorire la monarchia dei Savoia; i soldi, invece, dovevano essere una parte dei fondi "in nero" raccolti per finanziare la spedizione. Garibaldi si inventò la necessità di compiere una scorreria nello Stato Pontificio e la presentò come un momento strategicamente importante nei suoi piani di guerra. Callimaco Zambianchi – armato come Pancho Villa con fucile, pistola e quattro pugnali – avrebbe guidato quel drappello di prodi e portato con sé la cassetta del tesoro. Il suo vice sarebbe stato Stefano Siccoli, fedelissimo dell'eroe dei due mondi, che aveva combattuto con lui in Perù ma poi, ferito, aveva dovuto subire l'amputazione di una gamba. Con le stampelle non poteva essere molto utile in Sicilia e Garibaldi se lo levò di torno.

Sbarcarono in 60 e si misero subito in marcia. Fra tutti potevano contare su 35 spadoni già con qualche principio di ruggine, 40 fucili e 42 pistole. Un gruppo di poveracci con infinitesime possibilità di cavarsela senza danni. La banda, dovendo fare di necessità virtù, si era divisa in due gruppi: davanti Zambianchi a marce forzate con i trucidi e gli impazienti, e dietro Siccoli, al passo di una gamba sola, con i più assennati e prudenti. Quella manovra che – come un po' tutto quello che sarebbe accaduto nel corso dell'impresa dei Mille – sembrava un capolavoro di segretezza era, al contrario, conosciuta nei dettagli dalle autorità. Infatti il prefetto di Grosseto, Michele Lazzerini, segnalò la notizia al governatore della Toscana, barone Bettino Ricasoli, chiedendo «istruzioni». Non ottenne che una vaga risposta, formalmente diplomatica e sostanzialmente ipocrita, nello stile di un moderno Pilato: occorreva controllare «discretamente» e intervenire «se le circostanze lo avessero richiesto». Quel marciare di uomini male in arnese non era una sorpresa nemmeno per i soldati papalini i quali, secondo un altro dispaccio del prefetto di Arezzo, stavano ammassando le loro truppe al confine con l'Umbria, dove i rivoluzionari sembravano diretti.

Zambianchi arrivò a Manciano, chiese scarpe per i suoi uomini, minacciò di fucilare chi non avesse obbedito in fretta e trovò il tempo per scrivere una lettera ricca di umori entusiastici al segretario di Garibaldi, Luigi Coltelletti: «Dica alla mia donna che entro nello stato romano in buona salute».

Qualche giorno dopo, a Pitigliano, venti chilometri più in là, a un tiro di schioppo dal confine, la banda dovette pretendere ancora «vitto, uniformi militari, armi e oggetti di corredo come camicie, scarpe, coperte, marmitte, gamelle». Il gonfaloniere Gaspare Petruccioli tentò di prendere tempo e poi, per evitare noie, fece stanziare 5.000 lire dal consiglio comunale e le offrì ai rivoltosi. Ma, intanto, la spedizione dei Mille aveva assunto precisi connotati politici rispetto ai quali – era chiaro – Zambianchi e compagnia non avevano nulla da spartire.

Ricasoli si svegliò leone e firmò un ordine perentorio: «Fermare la colonna». E per eliminare qualche eventuale residuo di dubbio, precisò: «A ogni costo».

Il prefetto Lazzerini passò all'azione e con manovra che, nei dispacci venne descritta come un'impresa, fermò la corsa dell'unica gamba di Siccoli e arrestò i suoi uomini. Zambianchi, appena passata la frontiera, si scontrò con i papalini. Non si preoccupò della scaramanzia e lasciò che i suoi si accampassero in località "La sconfitta" ma non badò nemmeno a organizzare una guardia in grado di segnalare movimenti di eserciti nemici perché la sua truppa si disperse fra bettole e cantine. Quando i mercenari del Papa furono loro addosso, non tentarono nemmeno di reagire. Chi era in grado di correre, magari barcollando per il troppo vino bevuto, alzò i tacchi e scappò di corsa. Protetti dal buio, tornarono in Toscana dove però li aspettavano i granatieri con l'ordine di catturarli.

La partita era perduta. Zambianchi stava almanaccando sulla possibilità di accettare battaglia e di sacrificarsi come un eroe coraggioso quando gli arrivarono i messaggi dello Stato Maggiore dei Mille che gli consigliarono un atteggiamento più conciliante. Sembra che Garibaldi in persona abbia trovato il modo di fargli giungere un suo personale suggerimento di non correre rischi inutilmente.

Zambianchi avviò allora un negoziato con i piemontesi: lui e i suoi avrebbero deposto le armi ma, in cambio, sarebbe stato consegnato loro un salvacondotto per ritornare a casa. Ricasoli sembrò disponibile all'accordo e accettò di «tirare un frego» sulle conseguenze penali di quella spedizione.

Ma il generale Durando fece di testa propria e una volta che i garibaldini se ne andarono, li inseguì, uno a uno, e li fece accompagnare sotto scorta a Genova dove vennero sbattuti in prigione. Strano atteggiamento per un governo che ufficialmente non voleva compromettersi con l'impresa dei Mille ma che, di nascosto, non perdeva occasione per assecondarla. Perché intervenire così severamente contro uomini che, in fondo, erano garibaldini e avevano obbedito agli ordini del Generalissimo?

La capitaneria del porto di Genova era obbligata a chiudere entrambi gli occhi per non vedere il traffico d'armi diretto verso Sud al fine di soccorrere la rivoluzione. Alcuni reparti militari vennero incoraggiati a far finta di disertare per arruolarsi come volontari nell'esercito meridionale. E allora perché punire coloro che, la camicia rossa, indossarono fin dalla prima ora?

Anche un "senza cervello" come Zambianchi si rese conto che era un controsenso. Sul tavolaccio di legno della sua cella, impugnò la penna per raccomandarsi a Francesco Nardelli: «Mettete tutto in moto per salvare un difensore della patria». Scrisse con la stessa grazia che usava per ammazzare la gente: «Voi che foste presenti a tutto, spero che non mi abbandonerete. Bertani, Medici e Coltelletti devono pur darsi premura di sciogliere il misfatto, a nome del Generale, del quale si sono serviti per farmi retrocedere. Ecco il premio della mia abnegazione!».

Silenzio. Bertani, che pure stava a Genova, non intervenne. Medici stava combattendo. Coltelletti doveva intrecciare intense relazioni diplomatiche. E Garibaldi aveva altro da fare che intervenire con messaggi per chicchessia.

Zambianchi fu trasferito dapprima nelle prigioni di Torino, poi in quelle di Firenze da dove, con regolare tempestività, spedì proteste e lamentele. A Coltelletti: «Sono tradotto come un galeotto qualsiasi: datene avviso alla mia famiglia». A Bertani: «È necessario che sappiate che non ho più un centesimo e che il cibo dei malfattori non l'inghiottirò mai. Voi sapete che non ho colpe e, se soffro, è colpa di altri e per la Patria». La cassa dei soldi? Eccola lì. Mise nero su bianco di aver consegnato una forte somma di denaro a un suo emissario, un certo Angelo Fumagalli, quando questi lo aveva contattato per convincerlo ad arrendersi ai piemontesi. Fumagalli, interpellato, negò naturalmente la circostanza e si accettò l'ipotesi che Zambianchi si fosse inventato tutto quanto. Eppure è difficile far passare il galeotto per bugiardo. I suoi compagni erano stati liberati da un pezzo e qualcuno riuscì a raggiungere Garibaldi che stava avanzando nel regno delle due Sicilie. Il mantovano Domenico Guerzoni, che non riteneva Zambianchi degno della forca, non riuscì a farsi una ragione del perché lo lasciassero trattare a quel modo. Appuntò sul suo diario che «attendeva una spiegazione plausibile dal Generale». Poi, evidentemente se ne dimenticò perché, quando firmò una biografia di Garibaldi e Bixio, omaggio per i trionfatori, si preoccupò soltanto di ingigantire ogni merito oltre misura, evitando anche la sola citazione di qualche manchevolezza e non ci fu spazio per sottolineare l'ingiusta disattenzione riservata a uno di loro.

Contro Zambianchi non venne mai formulata un'accusa precisa e, tuttavia, restò in carcere sette mesi, fino al febbraio 1861. Quando gli restituirono la libertà, lo obbligarono ad andarsene dall'Italia e lui si rifugiò a Londra da dove, però, non rinunciò a rivendicare i propri diritti. Quello di Bertani era l'indirizzo che usava più frequentemente: accusava Fumagalli di averlo imbrogliato e si lamentava per quelle migliaia di lire che gli aveva incautamente affidato. Non aveva soldi per campare e suggeriva di chiudere i conti con una sorta di transazione: sei portasigari in filigrana d'argento e sei in argento dorato che avrebbe potuto vendere e tirare avanti con il ricavato. Quale sarebbe stata la risposta di un bugiardo, che aveva tentato di macchiare la reputazione di un patriota e che tentava miserevoli ricatti? A dimostrazione che le sue pretese non erano affatto fuori luogo, Bertani mercanteggiò sul prezzo, facendosi uno sconto del 50 per cento e proponendo perciò: «Tre portasigari d'argento di lire 30 e tre dorati di lire 40». Questione chiusa? Quel ribaldo continuò a insistere, a vantare le sue ragioni e a minacciare con tanta convinzione da preoccupare i nuovi padroni d'Italia. Il caso andava risolto drasticamente. Gli misero in tasca 10.000 lire e un biglietto di sola andata sul piroscafo che salpava per l'America del Sud. Laggiù avrebbe trovato altre 10.000 lire e un lavoro sicuro. Certo non poteva essere un'iniziativa dettata da generosità. Gli avevano rifiutato sei portasigari per 200 lire e adesso erano disposti a pagarne 20.000? Lui vantava un diritto per qualche migliaia di lire e loro dichiaravano di voler comprare la sua complicità e il suo silenzio con una piccola fortuna in danaro? Non poteva essere così semplice.

Il viaggio di Callimaco Zambianchi verso il Nuovo Mondo cominciò puntualmente ma non finì mai. In alto mare venne colto da un malore improvviso e per la verità inspiegabile. Quel marcantonio, abituato ai disagi di tutte le guerre, morì in un amen. Lo avvolsero in un sacco, com'era costume durante le traversate, e lo lanciarono nell'Oceano. Nel diario di bordo, il capitano registrò i beni ritrovati nella sua cabina in modo che fossero recapitati ai familiari: due giacche, una «lisa», l'altra «molto lisa», un paio di pantaloni di fustagno, la cintura, un orologio, 4 lire di carta e 18 centesimi in monete. Quella morte finì per essere provvidenziale perché liberò i nuovi eroi da un peso morale e da un debito economico. Le 10.000 lire che toccavano a Zambianchi non vennero, ovviamente, pagate e non è difficile immaginare che anche le 10 date in anticipo ritornarono da dove erano venute. I servizi segreti di allora usavano metodi spicci e rudimentali ma non per questo meno efficaci. Il segreto della cassa di soldi di Talamone finì in acqua.

L'altro cadavere illustre è quello di Ippolito Nievo, un poeta che aveva dimestichezza con le rime baciate, a cui venne affidata l'amministrazione della cassa delle camicie rosse. Al suo diario confidò che la scelta di Garibaldi e dello Stato Maggiore doveva essere caduta su di lui per un solo motivo: perché non sapeva rubare. «L'onestà – rifletté severamente – è una grande virtù in Sicilia dove principe e imbroglione è tutt'uno». Certo, non poteva conoscere bene i meridionali, essendo appena sbarcato a Marsala e, a parte il pregiudizio che gli consentiva di masticare massime a vuoto, non lo si poteva rimproverare più di tanto. Maggiori responsabilità potevano essergli addossate per non aver conosciuto abbastanza piemontesi e settentrionali con i quali aveva ben più consolidata dimestichezza e che, da uomo di belle lettere, avrebbe dovuto osservare con maggiore attenzione.

All'inizio, per il suo lavoro di tesoriere, Nievo si limitò a raggranellare i soldi necessari per la paga dei soldati. E lo fece con tanto scrupolo che, una volta, sui sentieri impervi delle Madonie, pretese di fermare la marcia della colonna militare per otto ore in modo da recuperare una manciata di monete, scivolate fuori dalla cassa, lungo un burrone. Le camicie rosse più esperte in alpinismo si calarono in fondo alla gola per riprendersi fino all'ultimo centesimo. Poi, quando la rivoluzione entrò a Palermo e si impadronì del Banco di Sicilia, ebbe da amministrare un patrimonio smisurato valutabile in 5 milioni di ducati. Non è possibile conoscere quanto spese e a favore di chi perché i bilanci affondarono nel mare di Sicilia e le ricevute di pagamento non vennero ritrovate. Vero è che la maggior parte di quel tesoro venne disperso in mille rivoli: per rifornirsi di armi, per corrompere nemici, per finanziare discutibili interventi diplomatici, per assicurarsi la collaborazione delle spie e degli informatori. Nel marasma della guerra, tutti affondavano le mani e ognuno prendeva: chi "onestamente" per ragioni di servizio e chi per mettersi da parte qualche risparmio per il futuro.

Ippolito Nievo probabilmente non rubò ma, certo, gli altri lo fecero senza ritegno e lui, il cassiere, alle prese con il diario da aggiornare, le poesie da abbellire, i racconti garibaldini da scrivere e le lettere da spedire a tutto il mondo, non aveva né il tempo né la malizia di accorgersene. Generali, ufficiali, nuovi governanti, intrallazzatori, lestofanti in divisa o in borghese gli chiedevano somme importanti e qualche volta enormi, giustificandole come spese di guerra che lui pagava pronta cassa. Sui fogli a quadretti dei suoi quaderni registrava con scrupolo ogni voce in uscita, ma non si preoccupò di verificare che quelle richieste di denaro fossero legittime e, soprattutto, che i fondi stanziati venissero impiegati per lo scopo dichiarato. Non si rese conto che la mancanza di controlli da parte sua rappresentava una specie di avallo per cui, alla fine, soltanto lui sarebbe stato chiamato a rispondere di irregolarità.

Infatti, appena l'esercito lasciò la Sicilia per marciare verso Napoli, cominciarono a diffondersi le voci che mettevano in dubbio la sua correttezza. La stampa, foraggiata da La Farina, agli ordini del conte di Cavour, aveva cominciato a sparpagliare le prime contestazioni. Nievo si trovò alle prese con le scartoffie dell'amministrazione bancaria, si annoiava per la banalità delle operazioni che doveva produrre, aveva nostalgia dell'aria di casa e cominciava a rendersi conto di essere finito in un affare più grosso delle sue capacità.

Verso metà dicembre 1860 ebbe una specie di licenza che utilizzò per tornare al Nord. La madre fu subito informata: «Un salto dai 19 gradi di Palermo ai 10 sotto zero di Milano e sette giorni in battello da Napoli a Genova». Tuttavia le impressioni più negative riguardarono il clima politico: gli elementi più qualificati della rivoluzione venivano, a poco a poco, emarginati mentre gli affaristi e i potentati economici stavano preparandosi a occupare il parlamento per avere maggiori possibilità di governare i loro affari.

Nievo tornò al Sud, a Napoli, tre giorni prima che Vittorio Emanuele II, con regale degnanza, si prendesse in regalo quella mezza Italia che altri – fortunosamente – avevano conquistato per lui.

La campagna denigratoria sugli sprechi di denaro stava diventando all'ordine del giorno. Garibaldi «s'è circondato di canaglie, ne ha seguito i cattivi consigli e ha piombato questo infelice paese in una situazione spaventosa». Da Torino poterono giustificarsi con il fatto che non era più possibile ignorare un chiacchiericcio così insistentemente diffuso. Chiesero a Nievo di tornare in Sicilia per recuperare la documentazione delle spese sostenute. E lui si imbarcò sull'*Elettrico* la sera del 15 febbraio 1861 e sbarcò all'alba del 18: «Un caldo di 23 gradi e dopo una superba dormita di 15 ore». Certo, essere posto sotto inchiesta e con lui, indirettamente, tutta quanta l'epopea eroica dei garibaldini, lo metteva di cattivo umore, ma riteneva di poter agevolmente dimostrare che la sua contabilità era stata puntuale e che le spese avevano rispettato le esigenze del momento. Il suo disagio derivava dal fatto che a rimestare nel torbido erano quelli che dall'impresa dei Mille avevano ottenuto maggiori benefici. A cominciare da Cavour, nei confronti del quale assicurava eterno odio: inutile, tuttavia, «per procurare pregiudizio alle rotondità del suo addome».

Il 25 febbario venne invitato a cena nella casa degli Ennequin, una famiglia di commercianti di vino, lui originario della Lorena e lei svizzera del lago di Ginevra. Nievo li aveva conosciuti dopo la presa di Palermo ed erano diventati amici. Il poeta frequentava volentieri la loro casa perché, durante il pasto, non si beveva uno di quei vini sfusi dei fondachi della zona, sempre troppo acidi, ma si stappava una bottiglia di Bordeaux. E alla fine, con il dessert, evitavano il gusto dolce e soporifero del Marsala come era abitudine in Sicilia, ma si affidavano a una coppa di champagne.

Lasciò gli Ennequin con fastidi allo stomaco che attribuì alle arance. Tornò a casa abbastanza presto e andò subito a letto. Il mattino dopo stava bene anche se gli dovette rimanere qualche cupo presagio. Scrisse la sua ultima lettera a Cesare Cologna, vecchio amico e compagno di vacanze. Due paginette con la solita calligrafia minuta, appena inclinata verso destra. «Mi conservo fanciullo – assicurò –, mi muovo per muovermi, respiro per respirare, morirò per morire. E tutto sarà finito». Disincantato. Come se fosse rassegnato a consegnarsi ai carnefici. Vittima senza resistere.

Il venerdì successivo tornò dagli Ennequin «per dare fondo a un'altra caraffa di Bordeaux» e sorseggiare champagne. Annunciò che sarebbe partito due giorni dopo. I padroni di casa ne approfittarono per averlo loro ospite ancora una volta: al pranzo di domenica, per l'appunto, in modo che si imbarcasse subito dopo. Un altro presentimento? La signora Ennequin che, come tutti quelli che sapevano tenere una penna in mano, non si coricava senza aver confidato le proprie impressioni a una pagina di diario, riportò una frase di Nievo secondo la quale, quella, sarebbe stata la loro ultima occasione di incontrarsi. Aggiunse: «Il desinare fu silenzioso e mesto».

Il poeta salì a bordo dell'*Ercole*, pallido in volto e con le mani che non riuscivano a nascondere un preoccupante tremolìo. Gli amici gli chiesero ragione del suo stato di salute e lui ammise di non sentirsi «affatto bene». Ma allora, perché non rimandare la partenza di qualche giorno? No, non ne valeva la pena. Insistette per partire: «Dormirò fino a Genova e quando arriverò starò benone». Non ci credeva nemmeno lui. Al suo seguito una mezza dozzina di bauli con le carte dell'amministrazione e quattro addetti dell'Intendenza: i maggiori Salviati e Maiolini, il direttore della contabilità Servetta e lo scrivano contabile Fontana. Il battello era affidato al capitano Michele Mancuni, un napoletano che aveva lunga esperienza di mare e di trasporti. Salirono 12 passeggeri e 63 membri d'equipaggio. Nella stiva erano stipate 233 tonnellate di merci varie destinate ai mercati del Nord. Il mare non era tranquillo e le previsioni annunciavano burrasca, ma era un cattivo tempo al quale i marinai erano abituati. Certo nessuno della capitaneria di porto sconsigliò la partenza.

Il giorno dopo il piroscafo *Ercole* non esisteva più: scomparso nel nulla, sciolto nelle onde come se fosse stato di cartapesta, affondato con ogni suppellettile senza lasciarsi dietro nemmeno un pezzo di carta dei tanti fogli che erano a bordo. Un fenomeno che, a dar retta alla gente di mare, sembrò del tutto eccezionale. Di ogni naufragio, anche a distanza di tempo, viene rintracciato qualche relitto. Non tutto può affondare, non tutto può andare perduto. Come non pensare al sabotaggio di qualche spione, incaricato da chi non voleva controlli su quella contabilità del Banco di Sicilia?

La notizia arrivò a Torino una quindicina di giorni dopo, ma solo perché Acerbi che aspettava Nievo telegrafò a Palermo per chiedere ragione del ritardo. Con una «pressantissima» sollecitò la sua venuta in Piemonte «per rendere conto». La risposta di Domenico Morotti lasciò intendere che doveva essere successo qualche cosa di grave: «L'Intendente avrebbe dovuto essere lì da un paio di settimane». Possibile che un incidente di quelle proporzioni potesse avvenire nell'inconsapevolezza e nel disinteresse? I giornali d'opposizione, infatti, si scatenarono. L'*Ercole* era una vecchia carretta che, forse, doveva essere ritirato dalla circolazione. E, tuttavia, il vapore avrebbe retto ancora il mare se non ci fossero stati troppi interessi a sbarazzarsi di carte compromettenti.

I fogli governativi si crogiolarono nell'imbarazzo. I più scelsero il silenzio come nelle migliori tradizioni di chi riteneva che, dopo un po' di chiasso, le cose si sarebbero chetate da sole. Ma qualcun altro tentò delle spiegazioni e farcì la cronaca con particolari abbondantemente ridicoli per spiegare l'inspiegabile. L'elemento più controverso e difficile da chiarire era l'enorme ritardo con cui erano partiti i soccorsi. A nessun magistrato venne consentito di aprire un'inchiesta e si accreditò l'ipotesi dell'incendio a bordo senza che si potesse esibire uno straccio di indizio.

Qualche tempo dopo venne trovato un cadavere sulla spiaggia di Ischia e per qualche giorno sembrò che quel corpo potesse essere di Ippolito Nievo. Una serie di controlli successivi lo esclusero del tutto. Qualcuno ritenne che fosse ancora vivo, pronto a tornare per vendicarsi dei nemici. Qualcun altro, ritenendolo responsabile di ogni nefandezza, assicurava che era morto per castigo di Dio e in nome di una giustizia superiore. I più contenti di esserselo levato di torno se ne stettero in silenzio.

In quel modo Ippolito Nievo non poteva essere accusato di scorrettezze amministrative che certamente doveva aver commesso non foss'altro per la sua stentata dimestichezza con i numeri. Ma era ben più importante che, per difendersi, non potesse accusare nessuno. Ancora una volta il mare fece da custode a segreti e sospetti.

Francesco II «re lasagna»

Mentre il regno delle due Sicilie si stava liquefacendo come un gelato di panna al solleone, a Napoli, il re dei Borboni, Francesco II, consumava corone di rosario nella speranza che un fulmine dal cielo incenerisse i nemici. Era convinto che i poteri soprannaturali dell'aldilà si sarebbero prima o poi manifestati rimettendo le cose a posto. D'altra parte, chi doveva ascoltare? La regina madre incarnava l'Austria e la reazione. Lo zio, conte di Siracusa, lo incitava a stringere un'alleanza con i Savoia; mentre il conte d'Aquila aveva cominciato a prendere pose da liberale a oltranza. L'altro parente, il conte di Trapani, si barcamenava fra tutti, convinto che i fatti avrebbero dato ragione a lui.

Quel ragazzo era giovane, inesperto, insicuro e, forse, troppo educato, per governare una situazione dove tutto sembrava impazzito. Era destinato al trono dei Borboni, ma lo chiamavano «lasagna» tanto era ghiotto di quel pasticcio cucinato con larghe fettucce di pasta e abbondante intingolo di carne tritata. Si trovò in testa la corona di re senza essersi preparato a dovere per quell'incarico e, probabilmente, senza rendersi del tutto conto dell'impegno che comportava. Il giorno della battaglia di Montebello (20 maggio 1859), quando l'esercito franco-piemontese sconfisse gli austriaci, venne chiamato al capezzale del padre Ferdinando che, divorato dalle piaghe di una misteriosa malattia, si sentiva vicino alla morte. Il vecchio sovrano, allo stremo delle forze, lo fece giurare che avrebbe seguito scrupolosamente la sua politica "dell'amico con tutti e del nemico con nessuno". Il che significava, grosso modo, non lasciarsi coinvolgere in quel che accadeva fuori dal reame: erano eventi che non dovevano riguardarlo. L'acqua santa del Regno Pontificio e l'acqua salata che circondava il suo stato erano protezioni sufficienti per non essere obbligati a impegnative alleanze difensive.

Francesco aveva 23 anni. In gioventù aveva imparato bene il latino e un po' meno bene il francese; aveva studiato diritto ecclesiastico e frequentato un corso completo di teologia. Mai un viaggio all'estero e mai un tiro di scherma perché pensava che la ginnastica, facendo sudare, provocasse dei danni fisici. Poteva, forse, essere preparato per entrare in seminario ma, certo, doveva fargli difetto l'attitudine dell'uomo di governo. Gracile fisicamente, con un torace ripiegato all'indentro e le spalle curve come un attaccapanni: di carattere introverso e silenzioso con due grandi occhi scuri che guardavano i fasti e le miserie con lo stesso sguardo rassegnatamente melanconico.

L'episodio che più lo aveva impressionato era stato la dissepoltura della madre, Maria Sofia di Savoia. Era morta giovanissima lasciando orfano lui e vedovo il marito, che corse immediatamente ai ripari con Maria Teresa d'Asburgo. Il cadavere fu trovato intatto e la bara emanava un dolce profumo di violette. La gente credette a un miracolo. Francesco per primo. E poiché la Chiesa iniziò un processo di beatificazione, tutti cominciarono a chiamarla «la Santa», presi dall'entusiasmo che quell'evento avrebbe significato. Da allora il giovane re schivò i contatti con le donne, nessuna sembrandogli all'altezza di quel portento di mamma e crebbe solitario e sognatore, casto e illibato. Perché mettesse su famiglia dovettero cercargli moglie. Il suo fu l'ultimo matrimonio reale d'Europa per procura. Senza conoscerla personalmente, sposò Maria Sofia, figlia di Massimiliano e Ludovica di Wittelsbach, sorella della più famosa Sissi. Quando la vide rimase con le labbra socchiuse senza riuscire a produrre un suono per la sorpresa di aver incontrato una creatura di quella straordinaria bellezza. Continuò a restare senza parole per molto. A sera si inginocchiò davanti alle statue dei santi e cominciò a srotolare fra le dita i grani del rosario. «Dite alla mia sposa che farò tardi!». E si decise ad andare a letto solo quando fu ben certo che sua moglie fosse pesantemente addormentata. Si infilò sotto le coperte sollevandone soltanto un angolo e si rannicchiò nel minor spazio possibile per essere sicuro che qualche movimento brusco non la svegliasse. Ci vollero delle settimane per trovare qualche briciolo di confidenza. Le cameriere spiavano dal buco della serratura. Nessuna intimità ma nemmeno freddezza. Lei in camicia da notte, seduta sul letto con le gambe incrociate, e lui a saltellare per la camera per recitare scenette comiche in dialetto napoletano. Riuscì – sembra – a mettersi alla pari con i doveri di marito, quando già era in esilio a Roma, dopo un'operazione chirurgica che gli rimosse una fimosi fastidiosa che – proprio lì – sul prepuzio gli creava imbarazzanti impedimenti.

Una corona pesante, quella che aveva ereditato Francesco II.

Napoli, allora, era la quarta città d'Europa. Vi abitavano 500.000 abitanti. Con Vienna, Londra e Parigi gareggiava in sfarzo e ricchezza. La capitale partenopea trafficava con il mondo. Il porto allineava, in ordine sparso, le navi di numerosi paesi. Erano vascelli eleganti costruiti per andare a vela sui quali avevano installato i motori e le ciminiere. I diplomatici portavano una ventata di internazionalità con abiti diversi, accenti inconsueti, abitudini singolari. Festeggiavano le ricorrenze dei rispettivi stati invitando i rappresentanti di tutti gli altri o accettandone gli inviti, in modo da partecipare con convinzione anche alle celebrazioni più insignificanti. Le strade si popolavano di soldati di tutte le armi ma, districandosi fra linguaggi e dialetti molto distanti fra loro, riuscivano a convivere con paciosità.

Le osterie erano rumorose, il vino abbondante e le ragazze generosamente vivaci. Merville, nella sua guida turistica, non ha potuto dimenticarle: «Una cosa incredibile è la grande quantità di donnine allegre. La cosa peggiore è che sono così carine e invitanti che bisogna avere molta virtù per fallire contro questo scoglio».

Nobili e popolani convivevano sotto il cielo della stessa indolente rassegnazione. Le differenze sociali erano marcate e, qualche volta, in maniera spaventosa. I ricchi e la gran parte del clero non si facevano mancare nulla ed erano costretti a espedienti per ingannare la giornata in modo di arrivare a sera senza far nulla. Come i consanguinei sfaccendati e i compari parassiti di altri paesi: a cominciare dai milanesi argutamente sbeffeggiati dal Parini, qualche decennio prima, nel suo poema *Il Giorno*. Poi c'erano i dottori e gli uomini di legge che si distinguevano per la giacchetta nera e il cappello. I commercianti e gli artigiani erano una classe laboriosa e in crescita: c'era una bottega a ogni angolo di via. E, infine, una marea di plebei era sempre in movimento come una comunità di formiche, ma tutto questo dibattersi non era necessariamente finalizzato alla ricerca di un lavoro: era piuttosto la costruzione di qualche espediente quotidiano per mettere insieme una pagnotta da mangiare. Vivevano in quartieri miserabili, in spazi ristretti e in condizione di perenne promiscuità. Gomito a gomito, per muoversi, dovevano urtarsi anche fisicamente facendo esplodere conflitti infiniti che, però, proprio per questo, raramente degeneravano in rissa.

Come nelle grandi città di allora e, per la verità, come oggi, in Italia e in Europa, i problemi e i contrasti sociali sembravano sempre sul punto di diventare ingovernabili. Tuttavia i risultati del primo censimento, dopo la proclamazione dell'Unità d'Italia, indicarono nelle province napoletane 90.844 poveri, pari all'1,34 per cento, quantità del tutto omogenea con il resto del paese. Il Piemonte ne denunciava 35.000 (1 per cento), la Lombardia 51.000 (1,67 per cento), la Romagna 21.000 (2,11 per cento) e l'Umbria 11.000 (2,14 per cento).

Napoli restava una città mediterranea: colorata, talvolta sporca, tiepida anche nei giorni di freddo, cordiale, avvezza a impicciarsi dei fatti altrui, disposta all'ospitalità. E fra la gente tutto un rincorrersi di grida e di urla per salutarsi, per offrire della merce ai vari acquirenti, per informarsi sulla salute dei familiari, per procurarsi notizie o pregare per una cortesia. Tutto, senza segreti né vergogne. A cielo aperto. Spaghetti e mandolino, Pulcinella e il Vesuvio (con un fil di fumo) erano, già allora, le immagini un po' stereotipate che disegnavano gli umori e il carattere della gente. Era una città di esagerazioni, di contrasti e di eccessi con una quantità di abitanti che si esprimeva con un surplus di decibel e con un gesticolare da teatro. Si dovrebbe dire che il popolo era ottimista: non aveva nulla ma restava prigioniero della gioia di vivere. Cantavano dal mattino alla sera, pregavano san Gennaro, attendevano il carnevale che portava allegria e l'albero della cuccagna carico di squisitezze da mangiare.

I Borboni cercarono di compiacere il loro popolo senza sforzarsi di governarlo.

Il primo Ferdinando era il «lazzarone»: lo chiamavano così non tanto per rimproverargli un'indolenza eccessiva, ma per accreditargli il merito di essere uno di loro. Il secondo Ferdinando usciva in carrozza e i lazzaroni li trovava per strada: lo aspettavano per fargli festa perché sapevano che dopo qualche «Viva 'o re» si toglieva il sigaro dalla bocca per offrirlo loro. Era talmente obeso da non poter più montare a cavallo, parlava sempre in dialetto e per ognuno c'era un nomignolo graziosamente ironico.

Francesco, alle prese con la sua timidezza, non era quell'imbecille che la storiografia del Risorgimento ha cercato di dipingere. Almeno, non più imbecille di altri sovrani del suo tempo che, pure, riuscirono a conservare il trono ancora per qualche decennio e regnarono felicemente. Michele Topa, uno storico di parte borbonica, ancorché equilibrato, ammise che il brevissimo regno di Francesco II (1859-60) fu segnato dall'immobilismo politico. Ma, in compenso, al teatro San Carlo furoreggiarono le ballerine più famose del tempo. La Steffenoni, la Spezia, la Salvini e la Boschetti furono protagoniste di un'esplosione di mondanità. Queste ragazze – una via di mezzo fra danzatrici classiche e starlette – entusiasmarono il pubblico dei teatri e complicarono le notti dei loro ammiratori. Sulla Boschetti, protagonista osannata in *Loretta l'Indovina* e nella *Rita* di Taglioni, un critico commentò che la sua esibizione era stata travolgente al punto che «pareva che il cervello l'avesse nei piedi».

E mentre il popolo notturno affollava i locali, il re recitava con solennità le sue preghiere, la regina si tuffava infagottata nel golfo di Napoli attirando una folla di gente che dalla spiaggia ammirava il suo "zompo" quotidiano. Festa grande il 1° gennaio 1860 per la cerimonia del baciamano; festa il 16 per celebrare i 24 anni di Francesco; e festa, due giorni dopo, per inaugurare la splendida fregata *Borbone* con la bottiglia di champagne che si ruppe sulla fiancata al secondo tentativo. L'ultimo sprazzo di serenità – forse incosciente – prima del diluvio provocato dall'impresa delle camicie rosse. Che dovesse succedere qualcosa lo immaginavano un po' tutti e che «i parenti di Torino» fossero infidi lo sostenevano in parecchi. Infatti il cugino Vittorio Emanuele II scrisse al sovrano delle due Sicilie proponendogli di spartire la penisola in due stati, destinati a irrobustirsi con una alleanza di reciproco interesse. Se le due politiche fossero state ben coordinate e onestamente seguite le "italie" sarebbero state due ma simili e, quindi, in grado di rispondere positivamente al problema nazionale. Una proposta non troppo disinteressata. Il tono, peraltro, aveva il valore dell'ultimatum. Francesco doveva decidere subito altrimenti «sua Maestà dovrà sperimentare l'amarezza delle terribili parole: troppo tardi». Qualcuno sostiene che così facendo avrebbe salvato il regno. In realtà forse l'avrebbe perduto in altro modo. Comunque, il re dei Borboni rispose di no. Non se ne doveva nemmeno parlare: non tanto per questo connubio che non comprendeva e non riusciva ad apprezzare, quanto perché l'affare si sarebbe costruito affettando il Regno Pontificio e spogliando il papa Pio IX dei suoi domini. Non c'era cosa che a Francesco II potesse dare maggiormente fastidio. Nella sua concezione della religione come dovere e nel suo trasporto verso l'aldilà, sulla strada della superstizione, interferire con il sacro equivaleva a un passaporto irrevocabile per l'inferno. «Mai!».

Quando partirono i Mille alla volta del regno delle due Sicilie si sapeva tutto: quanti erano i «filibustieri», dove sarebbero arrivati e che intenzioni avevano.

C'erano tutte le premesse perché venissero respinti in mare. Ma la storia cambiò programma.

Da quel momento Napoli cominciò a popolarsi di spie piemontesi che preparavano il terreno per rivolte, che sondavano la disponibilità dei nobili a parteggiare per i Savoia, che cominciavano a pagare mercenari di tutte le bandiere, che creavano le condizioni per destabilizzare quel trono già in pericolosa oscillazione. Vennero spesi milioni "in nero" per assicurarsi improbabili "pronunciamenti" anche se, alla fine, gli effetti non risultarono proporzionati allo sforzo. La borsa era sempre aperta. L'ammiraglio Persano girava in città travestito, ma con scarso successo visto che non poteva nascondere i due barbigi di barba rossastra. Villamarina, plenipotenziario di Cavour, scriveva e spediva lettere. Nel porto c'era ancorato lo yacht di Alessandro Dumas, giornalista indipendente diventato ricco, con l'ambizione di servire gli ideali romantici e conquistarsi anche un pezzetto di gloria. A leggere i suoi racconti sembra che la rivoluzione l'abbia fatta da solo: con qualche sporadico intervento di Emma Lyons che, ospite sulla sua barca, adorava vestirsi da marinaretta. Alcuni gruppi stampavano dei fogli antiborbonici. Un giornale si chiamava, addirittura, «Il Garibaldi» e pubblicava le memorie dell'eroe dei due mondi e notizie di rara tempestività.

Chi pagava? A conti fatti, nel 1864, Quintino Sella, ministro delle Finanze, lasciò il dicastero a Marco Minghetti. Nel passargli le consegne e nell'avvertirlo che «la situazione non era affatto allegra» preparò uno specchietto riassuntivo dei debiti cui doveva far fronte il nuovo stato. Il deficit ammontava a 418 milioni, nel 1862, diminuiti a 350 nel 1863. Fra le voci in negativo: 7.905.607 attribuiti a "spese per la spedizione di Garibaldi". L'Italia era in rosso per 6.000 miliardi attuali,

60 dei quali sarebbero stati utilizzati per sostenere l'impresa delle camicie rosse alla conquista del Sud.

Francesco II non sapeva come cavarsela, sempre preso dal dubbio e roso dall'incertezza. I suoi consiglieri, con ottant'anni ciascuno sulla schiena, non erano più concludenti. Le opinioni sul da farsi erano contraddittorie e, spesso, le stesse persone cambiavano parere dal mattino alla sera. Quando, invece, una decisione veniva presa collegialmente, subito dopo, il re incontrava, uno a uno, i partecipanti alla riunione i quali gli confessavano di non condividere per nulla ciò che avevano solennemente contribuito a decidere.

A Napoli, il vero problema erano gli uomini di corte. A eccezione del principe Filangeri che sapeva il fatto suo, era impossibile individuare una persona con un bagaglio minimo di cultura, intelligenza e lealtà. I cosiddetti uomini di stato erano ignoranti, incapaci e corrotti. I generali erano pronti al tradimento alla minima difficoltà e al bagliore di qualche convenienza. E, tutti, con un cinismo davvero diffuso, ritenevano inutile sudarsi i galloni se bastava cambiare padrone per averli senza fatica.

Un brano di una lettera, da ufficiale a ufficiale, consente di comprendere l'atteggiamento dei militari: «Caro colonnello, io sto benissimo e l'attuale mio incarico mi frutta in benessere il cento per cento trovandomi lontano da ogni responsabilità. Per la tua nomina a generale brigadiere non se ne parla né posso io giovarti non vedendo nessuno. Che vuoi? Alcuni saltano senza rompersi le gambe e cadendo, anzi, sulle piume. La tua posizione è difficile: cerca di avere qualche affare con la ciurma dei garibaldini, elogia te stesso, compila un rapporto sanguinolento e glorioso a tuo favore ed eccoti le spalline di generale». La citazione è del professor Luciano Biancardi che aggiunge un commento: «Sappiamo che quel colonnello fece carriera, nell'esercito italiano, naturalmente».

Garibaldi si prese la Sicilia e passò in Calabria nel senso che lo lasciarono passare. L'ammiraglio Salazar che pure doveva controllare una porzione di mare relativamente piccola e un tratto di spiaggia davvero breve, riuscì a condurre la sua flotta così lontano da impedirsi di vedere le camicie rosse. Con un tragitto di una quindicina di miglia l'eroe dei due mondi, sul *Francklin,* approdò a sud di Reggio. Dietro di lui Bixio, sul *Torino*, fece forzare le macchine al massimo della potenza e andò a incagliarsi sulla spiaggia. Eppure l'equipaggio non era quello del *Lombardo* a Marsala. Nessuno si accorse che centinaia di uomini dovettero arrancare per due ore per togliersi da un bastimento rovesciato di 30 gradi e raggiungere la riva. I borbonici si erano già convinti a non opporre troppa resistenza. Non conveniva. Dovette esserci stato una sorta di passa-parola.

Il generale Alessandro Nunziante, antica famiglia di blasone dorato, esempio – fino a quel momento – di dedizione al Borbone, inviò le dimissioni al re e si ritirò dalla guerra, dedicandosi subito dopo a tramare con noncuranza con gli inviati del conte di Cavour.

Il generale Gullotti, prima ancora che i nemici comparissero da lontano, aveva già telegrafato a Napoli che la situazione era disperata. Peggio: «Senza pronto aiuto, qui, vi è poco da sperare».

Il generale Melendez si fece circondare a bella posta e, quindi, si arrese con 3.000 uomini armati fino ai denti.

Si arrese il generale Briganti che, però, pagò cara la sua decisione. A cavallo, in borghese, si imbatté in un gruppo di reduci borbonici che lo riconobbero e lo investirono di urla: «Viva 'o re!». E poi: «Traditore! Traditore-e-e! Tra-di-to-re!». Una fucilata lo abbatté e i soldati, scatenati, lo spogliarono, trascinarono il cadavere per strada e lo fecero a brandelli.

I militari semplici, a differenza dei superiori, restarono fedeli al giuramento prestato sulle bandiere di Francesco II e non accettarono facilmente di servire i nuovi padroni. Soldati analfabeti tennero testa ai generali sabaudi che li volevano convincere a cambiare divisa. Il generale La Marmora non apprezzò il loro senso dell'onore e li chiamò "carogne". Su 1.600 prigionieri, ammassati in una specie di campo di concentramento allestito alla periferia di Milano, «non arrivarono a 100» coloro che accettarono di affiancare i piemontesi in guerra. Cavour consigliò di «mandare a casa coloro che avevano più di due anni di servizio» perché probabilmente irrecuperabili, mentre si doveva «tenere sotto le armi i giovani» che, si supponeva, avrebbero accolto il nuovo corso con minore riottosità.

L'«esercito di Franceschiello», passato dalle cronache alla storia per descrivere un'armata di fannulloni, deve riferirsi soltanto ai gradi superiori, da capitano in su. Nella stessa famiglia reale – cugini, zii e fratellastri – non si dettero pena, quando si accorsero che la barca dello stato non stava più a galla: la abbandonarono e cercarono rifugio in quella dei piemontesi che avevano provocato il naufragio. Non a caso, il giornale satirico francese «Charivari» pubblicò una vignetta nella quale comparivano un soldato, un sottufficiale e un ufficiale borbonici. Il primo aveva la testa di un leone, il secondo di asino e il terzo era senza testa. Fra gli alti gradi, chi tradiva, chi dava le dimissioni e chi dava le dimissioni per tradire più in fretta.

Il generale Ghio firmò la sua rinuncia all'incarico di comandante ma, siccome non venne sostituito tempestivamente, si consegnò con tutti gli uomini dei reparti al garibaldino Cosenz. Lui aderì al nuovo corso e i suoi uomini rifiutarono l'invito di combattere a fianco delle camicie rosse.

Il «direttore di guerra» Fonseca scoprì di avere «l'artridide» e ritenne che quella fastidiosa sensazione di spilli nelle ossa gli impedisse di offrire il suo contributo alla patria. Il cavalier Antonio Spinelli, presidente del Consiglio dei ministri, abbandonò l'incarico perché a essere malata era la moglie. Se ne andò il conte Trani, indispettito, a suo dire, per la timidezza con cui venivano combattuti i «filibustieri» e per dare il segno della gagliardia che avrebbe voluto personalmente usare si ritirò a casa sua a giocare a carte e a bere vermut con gli agenti segreti nemici. Inutile – e pericoloso – restare a Palazzo Reale. Il 4 settembre 1860 consigliarono a Francesco II di abbandonare la capitale. Il Borbone chiese loro di metterlo per iscritto: la gran parte firmò e il principe Ischitella, dopo aver aggiunto il suo nome sotto la lista dei colleghi, spezzò la penna. Nella notte fra il 5 e il 6 settembre si preparò il trasloco da Napoli a Gaeta.

Il proclama di addio venne concepito in modo che retorica e umanità si intrecciassero fino a confondersi.

«Fra i doveri prescritti ai re, quelli dei giorni di sventura sono i più grandiosi e solenni e io intendo compierli con rassegnazione scevra di debolezza, con animo sereno e fiducioso, quale si addice al discendente di tanti Monarchi». Non in silenzio. «Io protesto solennemente contro queste inqualificabili ostilità sulle quali pronunzierà il suo severo giudizio l'età presente e la futura». La decisione di andarsene era obbligata. «La guerra si avvicina alle mura della città e con dolore ineffabile io mi devo allontanare. Discendente di una dinastia che per 126 anni regnò in queste contrade, sono qui. Io sono napoletano né potrei senza grave rammarico dirigere parole di addio ai miei amatissimi popoli». Le promesse: «Serberò sempre amorevoli rimembranze». Gli incoraggiamenti: «Raccomando la concordia. Che uno smodato zelo per la mia corona non diventi face di turbolenze». E la speranza: «Sia che per le sorti della presente guerra io torni in breve fra voi o in ogni altro tempo in cui piacerà alla giustizia di Dio restituirmi al trono dei miei maggiori».

Se ne andò lasciando un tesoro di gioielli e una quantità di opere d'arte. Ordinò che imballassero per lui solo un Raffaello e un Tiziano, ma si preoccupò personalmente di trasferire 66 reliquiari fra cui un'urna con il corpo di sant'Ausonia. Lasciò in banca un patrimonio di 11 milioni di ducati e non badò all'argenteria che sparì quando il corteo reale svoltò l'angolo.

Con straordinario tempismo Garibaldi, risalita la penisola, era pronto a entrare in città per essere ricevuto con tutti gli onori. La stessa sera era già a Salerno e per la verità arrivò fra l'indifferenza generale perché la gente credeva di averlo già salutato la mattina quando venne preceduto da un inglese, mister Peard, che somigliava al generale come una goccia d'acqua e che, in camicia rossa, sembrava proprio lui.

Comunque l'eroe dei due mondi non cercava la folla. Doveva parlare con i maggiorenti napoletani: il comandante del battaglione delle guardie nazionali Achille Di Lorenzo e il luogotenente Luigi Rendina; il sindaco, il principe D'Alessandro; il vecchio generale Roberto de Sauget. Assente giustificato: Liborio Romano, ministro degli Interni con i Borboni, e l'ambizione di restare ministro degli Interni con i loro nemici. Egli non poteva lasciare l'ufficio – delicatissimo – che stava occupando: mandò un biglietto e preparò un'accoglienza trionfale. Per essere certo che riuscisse tutto bene, Romano si fece aiutare dalle persone "di rispetto" di Napoli: quelle abituate a incontrarsi davanti alla bettola di Marianna De Crescenzo che tutti conoscevano come “la Giovannara” perché era nata a San Giovanni a Teduccio, sulla via di Portici. Quell’osteria fino a poche settimane prima era un indirizzo della criminalità meno accomodante ma, in poche ore, riuscì a trasformarsi in un ritrovo di patrioti, riscattando il malaffare con la bandiera tricolore. Marianna, ingioiellata e agghindata come un albero di Natale, attese «l’invitto» davanti alla stazione. Con lei Rosa “’a Pazza”, capace di qualche stranezza; Luisella “’a lum ’a ggiorno” che incontrava i clienti in una stanza dove le candele erano sempre accese, e Nannarella “’e quattro rane” che per quattro soldi accontentava cittadini e forestieri. Attorno a loro, personaggi già di per sé appariscenti, parenti e famiglie dalla faccia sfregiata ma dalla mano lesta.

I Mille alleati con la mafia in Sicilia? E con la ’ndrangheta in Campania! I malavitosi si organizzarono per accogliere il Generalissimo e mettersi a sua disposizione. Battiti di mani, urla, cori, evviva. Le ruote del treno raschiarono sui binari facendole stridere e si fermarono davanti alla pensilina della stazione, in modo che il vagone dove viaggiava Garibaldi fosse proprio in corrispondenza di quel gruppo di autorità agghindate a festa. Ma l’eroe non si affacciò sul predellino. Non subito. Invece di scendere dalla parte dove la folla lo aspettava, aprì lo sportello sul lato opposto dove non c’era nessuno. Doveva fare la pipì e gli serviva qualche attimo di riservatezza. In terra partenopea il primo atto del Generalissimo non fu ufficiale. Si aprì i pantaloni, socchiuse gli occhi e tirò un respiro molto profondo. Poi rientrò nei panni del personaggio inossidabile e riattraversò il treno per infilare – questa volta – l’uscita giusta. Un cronista commentò: «Celatosi per un momento, ricomparve in mezzo a tutti, calmo e bonario».

Sulla carrozza di Garibaldi salirono Demetrio Salazaro, il frate francescano Giovanni Pantaleo, Agostino

Bertani e il conte Giuseppe Ricciardi. Gli uomini della "Società riformata", ex "Onorata Società", cioè la camorra, fecero egregiamente il loro dovere. In prima fila Michele 'o Chiazzere che ritirava le tangenti dagli ambulanti di piazza. Dall'altra parte 'o Schiavuttiello che sembrava un saraceno. Davanti a tutti, come si conviene a un capo, il fratello di Marianna, Salvatore "Tore 'e Criscenzo". Guardiani della malavita, paladini dell'Unità d'Italia. Napoli era ancora popolata di soldati borbonici in divisa che sfilavano per le strade marciando ma, invece di combattere, presentarono le armi. I loro capi avevano impartito ordini rigorosi. Tutto secondo le regole. Anche san Gennaro si sciolse e l'averlo fatto per un ateo miscredente come Garibaldi dette la dimensione del gradimento divino. Inutile coltivare l'illusione che la marcia della rivoluzione delle camicie rosse potesse arrestarsi.

Gaeta fu per il re delle due Sicilie l'ultimo baluardo, l'ultima difesa, l'ultima occasione di riscatto. Anche morale. Francesco II, in quella fortezza di sassi, fu un monarca di valore e gli uomini che non lo abbandonarono furono così orgogliosi della scelta fatta che, più tardi, sui biglietti da visita ostentarono come titolo di merito: «capitolato a Gaeta». Difficile immaginare che cosa spingesse tanta gente a combattere su quell'estremo baluardo di una guerra ormai perduta. Odio per il nuovo corso del mondo al punto da lottare dovunque possibile contro di esso? Desiderio di menare le mani? Incapacità di fare un mestiere diverso? Senso dell'onore? La storia talvolta regala atteggiamenti razionalmente incomprensibili che maturano in un clima irripetibile, esaltato, ancorché l'esito delle imprese si riveli un massacro. Con le debite proporzioni e realizzati gli opportuni distinguo, non accadde qualche cosa di simile anche con la Repubblica sociale di Salò?

A Gaeta non poteva essere accreditata una sola possibilità di rivincita. Forse qualcuno sperava nella rivolta del popolo e nella guerriglia delle campagne, ma i più avveduti riconoscevano che il re e il rimasuglio del regno borbonico avevano i giorni e le ore contate. Viverle eroicamente era il tributo che ognuno pagava al proprio orgoglio.

Mentre i garibaldini stavano avanzando lentamente dalle province meridionali, da Nord apparve l'esercito piemontese che decise di entrare in guerra quasi senza dichiararla. Da Torino, Camillo Benso di Cavour fece sapere che il suo governo doveva assumersi un compito ingrato: quello di «arrestare l'anarchia». A suo giudizio c'era il rischio fondato che l'impresa dei Mille potesse degenerare in una vera e propria rivoluzione, con esiti politici pericolosi che avrebbero creato seri problemi alle monarchie europee. Poi, se la guerra non fosse stata fermata in tempo, non era difficile prevedere uno sviluppo immediato nei territori dello Stato Pontificio con pericolo per l'incolumità stessa di Pio IX e dei suoi possedimenti. Occorreva intervenire e occorreva farlo in fretta. Il Vicario di Cristo doveva essere protetto dalla banda di teste calde che stavano coltivando propositi pericolosi. Solo Vittorio Emanuele II – secondo Cavour – era nelle condizioni di fugare le preoccupazioni internazionali sulle sorti di Roma e di intervenire in modo che l'ordine venisse correttamente ripristinato. I timori dei piemontesi sarebbero stati giustificati da una serie di disordini avvenuti proprio nello Stato Pontificio. Per la verità, queste "insurrezioni" popolari si verificarono in paesi, come Urbino e Città della Pieve, un po' troppo vicini al confine toscano per non generare il sospetto che i dimostranti fossero turisti piemontesi in trasferta. E gli appelli a re Vittorio vennero pronunciati soltanto dopo il passaggio del suo esercito e non prima.

La politica, arte del possibile, consentì comunque di invadere i territori del Papa con il pretesto di difenderli e, alla fine della campagna militare, Pio IX, grazie all'aiuto di Cavour, scoprì che Marche e Umbria non erano più sue ma acquisite da Torino. Analogamente, e persino con più spudorata presunzione, il governo sabaudo, che si era arrogato il titolo di proteggere la Santa Sede, ordinò che Roma licenziasse le truppe straniere al suo servizio le quali, in passato, non avevano avuto difficoltà nel preservare il papato. E poiché la città eterna non si disarmò, il Piemonte – sempre per tutelare più efficacemente il Pontefice – attaccò le sue truppe senza complimenti. L'impresa venne considerata un capolavoro del genio di Cavour. In verità sembrerebbe piuttosto un esempio di pirateria politica.

In fondo Hitler non si comportò troppo diversamente quando attraversò Belgio, Olanda e Lussemburgo per arrivare alla Francia. E, certo, se avesse vinto la guerra conquistandosi l'Europa, sarebbe stato celebrato come un politico lungimirante, capace di una digressione strategica per evitare uno scontro frontale fra eserciti nemici che avrebbero provocato migliaia di morti. Un benemerito della pace che si era proposto di limitare il numero delle vittime evitando inutili massacri fra soldati: i suoi, naturalmente, ma anche gli avversari e proprio nel rispetto della vita dei nemici avrebbe dovuto risiedere la maggiore grandiosità del personaggio.

Le truppe piemontesi varcarono la frontiera l'11 settembre 1860. Puntarono su Perugia e la occuparono. Arrestarono il vescovo monsignor Bellà «virile e bruna figura» che fu portato via mentre con «sguardo ferino» guardava i conquistatori. E poi fucilarono un parroco colpevole, secondo loro, di aver sparato una schioppettata dal campanile della sua chiesa. Le forze in campo – tanta era la loro sproporzione – non potevano consentire un combattimento vero e proprio, ma questo fu utile al generale Cialdini per amplificare i suoi meriti e firmare un resoconto della sua impresa con una quantità di vanterie persino paradossali. Lo scontro fra sabaudi e papalini del generale Lamorcière avvenne a Crocette: 18-20.000 uomini contro 2.000. In un'ora scarsa i piemontesi dilagarono. Lamorcière venne catturato e il suo vice, il conte George di Pimodan, fu ferito a morte. A Torino arrivarono tronfi messaggi di vittoria.

Intanto venne indicato come luogo dello scontro Castelfidardo forse perché vincere a Crocette sembrava meno dignitoso. I nemici divennero 11.000 ai quali si sarebbero aggiunti altri 4.000 volontari da Ancona. Cialdini consumò alcune pagine per inneggiare al suo eroismo e a quello dei suoi uomini e per denigrare gli sconfitti che, feriti, assassinavano «a colpi di stile» i piemontesi, chini su di loro per soccorrerli.

L'anno successivo, venne pubblicato un libricino di 34 pagine messo in vendità a 20 centesimi. Comparve dapprima in Francia e poi venne tradotto in italiano «per i tipi mareggiani all'insegna di Dante», a Bologna, «non per dare maggiore pubblicità a turpitudini e delitti che disonorarono e infamarono la nostra povera Italia, ma perché, più facilmente siano smentite». L'autore si firmò J.A. e si qualificò come «spia del conte di Cavour». Gli addetti ai lavori non faticarono a riconoscere nelle note autobiografiche e nei riferimenti storici J.A. Curletti. Dopo aver servito fedelmente «per trenta mesi!», decise di raccontare qualche segreto. Per esempio, un retroscena disgustoso della battaglia di Castelfidardo. «Il generale Pimodan – rivelò – non morì in combattimento ma fu assassinato. Un nostro soldato, infiltrato fra i papalini e collocato presso di lui, tirògli a bruciapelo un colpo di fuoco che lo centrò in sulle spalle. Questo soldato – puntualizzò – pochi mesi prima, io avea fatto arruolare a Roma. Ora è attualmente promosso al grado di sergente maggiore ed è di guarnigione a Modena». L'editore inserì in neretto quattro righe: «Speriamo che il governo di Torino non manchi di smentire pubblicamente questa crudele asserzione». La ritrattazione non fu ritenuta necessaria.

A Napoli i caffè e i bordelli erano frequentati da uomini che ostentavano le più pittoresche uniformi. Garibaldi decise di abolire il gioco del lotto e di assegnare una pensione e una dote alla famiglia di Agesilao Milano, attentatore alla vita di Ferdinando II. Ma l'una e l'altra iniziativa non vennero del tutto comprese. La gente, in subbuglio, lo costrinse a riaprire i botteghini per tentare la fortuna. E Vittorio Emanuele II – che era pur sempre un re – volle che l'appannaggio venisse tolto a chi era stato protagonista di un attentato contro la monarchia. Dumas venne nominato sovrintendente ai beni culturali ma la sua genialità ebbe poca comprensione. Fu inseguito a sassate dalla folla perché aveva ordinato di aprire al pubblico la sala delle statue oscene. Sicché l'unico provvedimento che, almeno inizialmente, poté trovare applicazione fu la confisca dei beni dei gesuiti.

I piemontesi conquistarono Spoleto e cadde Ancona. I garibaldini vennero sconfitti a Caiazzo e dovettero scappare da Isernia. Ma la sfida decisiva avvenne sulle sponde del Volturno dove bruciarono le residue speranze di riscossa borbonica. Francesco II tentò di assumere un comandante straniero che – chissà perché – gli dava maggiore fiducia. Poi, preso atto che non vi era nessuno a comandare i suoi uomini, si accontentò di quello che aveva a disposizione: il generale Ritucci, leale e coraggioso, nell'esercito da quando aveva 13 anni, arrivato ai vertici della gerarchia militare senza raccomandazioni né parentele, "virile" per i suoi sessantasei anni, anche in rapporto con la razza da cronicario che formava lo Stato Maggiore napoletano.

La battaglia si svolse il 1° ottobre, un lunedì. I volontari erano soliti scherzare sul fatto che questo era un giorno in cui i napoletani attaccavano, sospinti dalle preghiere e dagli incitamenti di preti e cappellani della domenica precedente. Certo, quella volta, i borbonici fecero sul serio, andarono all'assalto con vigore e furono vicini alla vittoria. Questo tipo di scontri campali sono difficili da raccontare perché condizionati da una serie di circostanze che sfuggono persino ai testimoni immediati. E gli storici finiscono con il presentare come mosse ponderate e precise anche quelle che sono state confuse iniziative, motivate da circostanze del tutto occasionali. Più volte i garibaldini furono costretti a ripiegare e da entrambe le parti si registrarono episodi di eroismo degni di menzione. Francesco II cavalcò in prima linea e fu visto esporsi al fuoco accanto al generale Ritucci. Garibaldi, quella mattina, era divorato dai periodici dolori d'artrite; non riuscì a stare a cavallo ma pretese di essere accompagnato al fronte in carrozza. Mangiò alcuni fichi prendendoli dal cesto che gli porse Jessie White ma fece la sua parte rischiando addirittura di essere ammazzato da una scarica di fucileria che gli uccise il cavallo e gli rovesciò il calesse. Lo scontro fu aspro, violento e, fino all'ultimo, incerto. Il numero dei morti e dei feriti garibaldini superò di gran lunga quello dei napoletani, ma alla fine l'esercito borbonico dovette fermarsi e ripiegare in ordine composto. I volontari vinsero nel senso che non si lasciarono sconfiggere e i borbonici persero nel senso che non riuscirono a sfondare le linee nemiche.

La farsa del plebiscito: Borboni addio

I conquistatori pensarono di dare un valore definitivo al successo con un plebiscito di annessione. La definizione era già di per sé infelice perché dava l'idea non già della confluenza di varie regioni, per libera scelta delle popolazioni, nella grande patria comune, ma di un'espansione a macchia d'olio del regno di Sardegna. Il 21 ottobre fu il giorno dedicato al voto ma non fu possibile assicurare nemmeno la parvenza della consultazione democratica. Nei seggi vennero disposte due urne che contenevano – una – le schede già stampate per chi voleva rispondere "sì" e – l'altra – quelle per il "no". Il cittadino, sotto gli occhi di tutti, raccogliendo applausi in un caso e rischiando bastonate nell'altro, doveva farsi consegnare il certificato con la risposta e poi depositarla in una terza urna, più grande, disposta in mezzo fra le altre due. Escludendo, in questo modo, la segretezza, ci voleva coraggio per opporsi al nuovo corso. L'ammiraglio Mundy, che pure era favorevole all'Italia di Cavour, commentò: «Un plebiscito regolato da tali modalità non può essere ritenuto veridica manifestazione dei reali sentimenti del paese». Ed Elliot, ancor più esplicitamente: «Le urne stavano fra la corruzione e la violenza». Vennero ammessi nelle liste elettorali, in blocco, tutti i soldati dell'esercito meridionale e già che c'erano un gran numero di garibaldini si divertì a votare più volte. In compenso vennero esclusi i borbonici raccolti ancora sotto le bandiere di Francesco II oltre il Volturno, quelli che stavano a Gaeta, i cafoni delle bande legittimiste.

A Napoli il risultato da esibire fu imponente: un milione e 300.000 sì e 10.000 no.

Gaeta che resisteva all'assedio, poteva apparire soltanto il rimasuglio di una romanticheria ottocentesca. La città di oggi non è – ovviamente – quel potente baluardo di guerra che venne costruito nei secoli, inviolato dal Medioevo, che procurò l'ultima difesa ai Borboni. L'ambizione degli amministratori dei comuni marittimi italiani è rendere la loro città simile, per quanto possibile, ad Alassio o a Rimini. In questo senso, i sindaci gaetani hanno fatto del loro meglio mettendo mano anche dove le cannonate di Cialdini non avevano ottenuto risultati. Nel luogo dove si stagliavano i muraglioni del «fronte di mare», si trova, adesso, una passeggiata abbastanza anonima. Spianando il Bastione Ferdinando è stato ottenuto un grazioso giardinetto. E il sacrario che, fino a una ventina d'anni fa, ospitava i resti dei caduti di entrambi gli eserciti, venne distrutto per far posto a una palestra. I pochi oggetti storici, alcuni bottoni di divise e qualche fibbia dei cinturoni, sono stati rubati. Scavando un fossato venne recuperato un cannone ma era già l'imbrunire e, la mattina dopo, il cannone non c'era più. Il «piccolo porto» è occupato oggi dalla scuola navale della Guardia di Finanza. Il castello che ospitò la traboccante guarnigione borbonica venne trasformato in una prigione militare dove fu rinchiuso, per esempio, il colonnello delle SS Herbert Kappler.

Sui pochi chilometri quadrati del castello di Gaeta si svolse l'ultima battaglia del Risorgimento. I generali piemontesi la combatterono in modo che, per larghi tratti, assomigliasse a una scampagnata. Cialdini aveva requisito la villa reale di Camposile, circondata da un immenso parco di agrumi. Quando si svegliava, all'alba, poteva vedere dalla finestra la fortezza nemica e assistere dal letto al bombardamento martellante cui sottopose gli assediati. Gli altri ufficiali si adattarono egualmente bene: scoprirono cibi sconosciuti, eppure gustosi, come i mandarini, i melograni e i fichi secchi. Per pasteggiare andavano bene i robusti vini meridionali ma per le occasione speciali ci voleva lo champagne. Serristori, magro e altissimo, si faceva seguire da un domestico nero acquistato durante la guerra in Crimea. Prampero confidò al diario la fatica della giornata: sveglia alle 7, colazione «à la fourchette alle dieci», un po' di esercizio fisico di pomeriggio con una galoppata a cavallo e alle 17 pranzo destinato a durare fin all'ora di andare letto. Mancavano i sigari "Cavour" e quelli napoletani non erano all'altezza. Il tenente Giulio Ricordi suonava il piano. Il tenente di vascello Saint Bon organizzava, invece, interminabili tornei di scacchi dai quali usciva vincitore nonostante offrisse agli avversari clamorosi vantaggi. Le vivandiere erano giovani e carine: lavoravano in cucina, servivano a tavola e per accontentare i signori ufficiali avevano il loro daffare per tutto il resto della giornata.

Eppure Cialdini – nero su bianco – in una lettera indirizzata a Cavour protestò: «È impossibile fare un assedio in condizioni peggiori delle mie». Disponeva di 15.500 uomini e 808 ufficiali. La tattica militare consistette nel piazzare una serie di 160 mortai in linea di tiro e di usarli a ripetizione contro la fortezza di Gaeta. I proiettili, però, erano di scarsa qualità e il più delle volte non esplodevano. In seguito il reparto offensivo venne arricchito da altri due cannoni, rivoluzionari per la tecnica balistica dell'epoca perché non si caricavano dalla bocca ma dalla culatta ed erano capaci di una gittata di cinque chilometri. Li aveva fatti costruire il colonnello Cavalli. I risultati non migliorarono: queste armi si inceppavano continuamente per via della scarsa lubrificazione e la precisione del tiro risultò alquanto lacunosa. Il più grosso sparò 73 colpi e poi si ruppe, l'altro arrivò a lanciare 130 proiettili prima di risultare del tutto inservibile. Tuttavia gli assediati non avevano altra possibilità che durare più a lungo.

Francesco II e la regina Maria Sofia si mostrarono all'altezza della situazione. Lui riscattò l'immagine di mollaccione, lei fu donna di fascino e trascinò l'entusiasmo dei giovani nobili d'Europa. Si distinsero insieme sugli spalti, incoraggiarono i soldati, curarono i feriti, si dichiararono comprensivi con gli uomini della guarnigione, condivisero il razionamento del cibo e, anzi, si privarono del pranzo per favorire gli abitanti della cittadella. La regina fece a pezzi i suoi abiti per ottenere bendaggi per l'ospedale e confezionò dei nastrini azzurri per premiare i più valorosi. Restò accanto al marito, sui bastioni, anche quando i nemici bombardavano le loro difese. I proiettili fischiavano ed esplodevano tutt'intorno, ma sembrava non dessero loro pensiero. I re, allora, erano allevati con il presagio della morte ed erano abituati alle notizie di parenti uccisi in un attentato in qualche parte del mondo. Le famiglie di sangue blu erano preparate al peggio e lo dimostravano in modo quasi incurante, come fosse un dovere della regalità.

L'assedio durò 101 giorni. All'inizio la gente asserragliata a Gaeta fu in qualche modo protetta dalla presenza di alcune navi francesi. Sotto la loro difesa i soldati borbonici avevano la possibilità di buttare le lenze in mare e pescare pranzo e cena. In quel periodo Francesco II si illuse che «le dominazioni non fossero eterne» e che l'Europa legittimista sarebbe insorta per difenderlo. In questa prospettiva scrisse: «Quando vedo i miei sudditi che tanto amo in preda ai mali dell'anarchia e della dominazione straniera, il mio cuore di napoletano batte indignato». Rivendicò la bontà delle sue decisioni. «In mezzo a continue cospirazioni non ho fatto versare una goccia di sangue e mi si accusa di debolezza. Ho fermato le mani dei miei generali per evitare la distruzione di Palermo. Ho preferito abbandonare Napoli per non esporla agli orrori di un bombardamento». E non risparmò accuse ai Savoia. «Ho creduto che il re del Piemonte che si diceva fratello e amico, che protestava contro il modo di agire di Garibaldi, che negoziava con me un'alleanza conforme agli interessi d'Italia, non avrebbe rotto tutti i patti e violato tutte le leggi per invadere i miei stati in piena pace. Sono la vittima della più ingiusta delle invasioni straniere».

Linguaggio nobile e persino coraggioso e, tuttavia, inutile. Vittorio Emanuele II stava entrando a Napoli, la città era moderatamente trionfante, ma lui era di umore cupo come l'acquazzone che veniva giù. Acqua a catinelle sulla testa della gente e anche sui capelli tinti del re che gocciolavano sulla camicia. La tempesta sconvolse le decorazioni di gesso, cartapesta e tela che il municipio – per 200.000 ducati – aveva fatto costruire in suo onore. Il vento a raffiche fece a brandelli gli addobbi. In tal modo quello che avrebbe dovuto essere lo scenario di un fastoso benvenuto si trasformò nell'immagine posticcia di un teatro all'aperto sconvolto dalle intemperie. I muratori, a Palazzo Reale, stavano scalpellando le insegne del giglio per sostituirle con la croce dei Savoia. E c'erano in giro cento statue di donne seminude simboleggianti le cento città d'Italia che colavano lacrime di gesso non sufficientemente rappreso. Si dovettero chiamare le guardie del servizio d'ordine per aprire un varco e consentire che il corteo potesse entrare nel Duomo e ci volle la forza di una dozzina di uomini per allontanare la calca dei napoletani che volevano vedere da vicino quel piemontese baciare la reliquia del loro santo. Il re non voleva farlo, in fondo doveva fargli un po' schifo, ma poi si lasciò convincere ad accarezzare con le labbra l'ampolla del sangue di san Gennaro. Il miracolo della liquefazione si ripeté. Nuovo segnale divino e pari e patta con Garibaldi che vi era riuscito prima di lui.

Come immaginare una restaurazione del Borbone? I governi stranieri presero atto della mutata condizione politica e anche la Francia che, fino all'ultimo momento aveva tentato di proteggere la corona dei Borboni, dovette accettare la situazione di fatto. Perciò Napoleone III fece rientrare le navi che erano ormeggiate a Gaeta e, di fatto, lasciò via libera ai piemontesi che poterono stringere ancor più l'assedio e sferrare le ultime grandinate di piombo. Era questione di tempo, non c'era possibilità di fuga e, tuttavia, il governo di Torino pensò ancora di mettere mano alla borsa per corrompere e ottenere favori a pagamento. Ancora soldi.

Un intrigo singolare ebbe per protagonista un avvocato siciliano, un certo Goritte, che riuscì a farsi ricevere da Farini e si accreditò come persona in grado di convincere il re delle due Sicilie ad arrendersi in cambio di una parte del suo tesoro. Proposta inverosimile considerando il senso dell'onore di Francesco II e la noncuranza con cui trattava il denaro. Sarebbe dovuta bastare la circostanza che, andandosene da Napoli, aveva lasciato tutto il suo patrimonio nei forzieri della banca. Ma il conte di Cavour, informato, si affrettò a comunicare il suo parere favorevole. E sentenziò: «Fate pure a re Francesco ponti d'oro. La caduta di Gaeta non sarà mai pagata abbastanza». Sempre soldi.

Goritte ricevette una buona quantità di "fondi neri", li spese, naturalmente, e non ottenne alcun risultato ripresentandosi ai suoi committenti per ottenerne altri. Questa volta il governo piemontese si rese conto della truffa e non accettò di rifinaziare un'impresa ridicola. Goritte accampò pretesti, inventò spiegazioni, si sforzò di giustificare la sua diplomazia d'accatto e tentò di ottenere ancora un po' di denaro come rimborso per una serie di spese che – a suo dire – aveva dovuto sostenere. Alla fine della guerra sentì il dovere di spiegarsi meglio e mise mano a un'opera intitolata: *Politico tentativo di dicembre 1860 per la cessione di Gaeta senz'altro sangue*. L'intento era probabilmente quello di dimostrare che il Risorgimento non avrebbe potuto avere successo senza di lui. Purtroppo, però, ritenendo necessario anticipare, come fosse stata una specie di prefazione, la storia del regno di Napoli, a partire dalla Restaurazione dei Borboni, vergò due tomi giganteschi, parte di un'opera ben più complessa e articolata. Ma non ebbe vita sufficiente per concludere il suo impegno letterario e – soprattutto – per spiegare le vicende dei giorni che sarebbero stati più interessanti.

Cavour, però, non si perse d'animo e continuò a pensare al denaro come strumento indispensabile per raggiungere i suoi obiettivi. E diede disposizione di offrire due milioni a Francesco II, precisando che la somma avrebbe potuto essere aumentata se il re avesse offerto anche la resa di Messina e Civitella del Tronto che ancora resistevano.

Fu battaglia impari. Francesco II non rinunciò alla cavalleria che doveva essere patrimonio dei nobili. Pianse e chiese un periodo di lutto quando seppe della morte del duca di Siracusa Leopoldo, zio «Popò», che pure lo aveva tradito e sbeffeggiato («Quale sorte per la dinastia dei Borboni finire con un imbecille!»). Pretese che gli fossero tributati gli onori dovuti al rango e alla parentela. Vietò che gli artiglieri sparassero a una batteria nemica che i piemontesi avevano nascosto al riparo di una chiesa perché i luoghi sacri andavano comunque rispettati. E, in un'altra occasione, ordinò di restituire ai nemici una loro nave che la tempesta aveva spinto sugli scogli di Gaeta. Trattenerla come preda di guerra gli sarebbe sembrato un gesto sleale.

Cialdini non si lasciò intenerire con analoghi scrupoli. Sparacchiò una media di 500 bombe al giorno: una, il 5 febbraio, alle 4 del pomeriggio, centrò l'arsenale che, esplodendo violentemente, fece tremare l'intera piazzaforte. I napoletani resistettero ancora ed è sorprendente, in quella drammatica situazione, che continuassero a combattere. Il cibo scarseggiava e il tifo ammazzava i soldati. Francesco pronunciò per la prima volta la parola capitolazione. Incredibilmente molti dei presenti, compresa la regina, si dichiararono per la resistenza a oltranza, ma alla fine la ragione ebbe il sopravvento.

Le trattative per la resa vennero avviate sotto il fuoco nemico perché Cialdini non ritenne di dover sospendere le ostilità. Non si fermò nemmeno la mattina del 13 febbraio quando fu avvistata la nave francese *Mouette*, segno evidente che i re stavano per andarsene. Nella notte nacque Francesco Capobianco, figlio di Gennaro ed Elisabetta Oliva e, di mattina, venne battezzato: l'ultimo cittadino nato in una città indipendente della nazione napoletana.

La resa fu firmata due ore dopo. L'accordo, dignitoso, garantì onori militari per i difensori.

Il 15 febbraio i due camerieri del re, Agostino Mirante «Austinello» e Peppino Natale, caricarono sulla lancia i pochi bagagli dei re e i reliquiari con i santi e le madonne che Francesco II non voleva abbandonare.

Il Borbone indossò la divisa degli ussari, Maria Sofia scelse un abito primaverile con una giacchetta aperta sulla camicia rosa e, in mano, un cappellino con una piuma verde. Una salva di 21 colpi di cannone, la bandiera gigliata sul pennone della roccaforte e la banda musicale a intonare l'inno di Giovanni Paisiello. I soldati, laceri ed esausti, alzarono le armi per presentarle al loro sovrano. Ma il re non era più un re e il suo regno non esisteva più.

Un parlamento da operetta

Il mondo dei romantici si stava lentamente sgretolando. Anche in letteratura non era più di moda e, gradatamente, doveva lasciare il passo al realismo, più crudo ma anche più vero.

In Europa si commuovevano ancora per le sofferenze patite da David Copperfield e raccontate da Dickens e leggevano con attenzione *La Commedie Humaine* di Balzac. Tuttavia, la vera novità editoriale era rappresentata da *I Miserabili* di Victor Hugo che in Italia, a dispetto di un tasso di analfabetismo vicino al 90 per cento, si pubblicava a dispense. Prosper Mérimée, l'autore di *Carmen*, aveva cinquantotto anni; Aurore Dupin, conosciuta come George Sand, cinquantasette. Gustave Flaubert aveva suscitato qualche scandalo con *Madame Bovary* ma non se ne curava troppo e stava scrivendo *Sallambò* destinato a uscire nella primavera del 1862.

Gli scrittori del tricolore erano i garibaldini come Ippolito Nievo. Edmondo De Amicis era entrato all'Accademia di Modena e, dunque, la «piccola vedetta lombarda» del libro *Cuore* non era ancora nata. Giulio Verne si dedicava a libretti di opere comiche e non aveva ancora scoperto la fantascienza. Carolina Invernizio era una bambina.

In Austria vietarono la rappresentazione della *Traviata* perché la vicenda di quella signorina incoraggiava cattivi pensieri e finiva per diventare un veicolo di immoralità.

La politica aveva bisogno di sancire l'avvenuta Unità d'Italia sotto la bandiera dei Savoia. Dunque, occorrevano elezioni su scala nazionale e un parlamento che rappresentasse tutte le regioni della corona. Con buon anticipo, Cavour scrisse all'allora ministro di Grazia e Giustizia Giovan Battista Cassinis «a fare ogni sforzo onde si acceleri la formazione delle circoscrizioni elettorali». Con quale obiettivo? «Vedendo modo di darci il minor numero di deputati napoletani possibile». Il conte Camillo non lesinò spiegazioni. «Non conviene nasconderci che avremo nel Parlamento a lottare contro una formidabile opposizione e che dalla nostra forza relativa dipende la salute d'Italia». I pionieri della patria, perciò, divisero le province in modo da ricavare una mappa dei collegi per le elezioni sulla base di criteri esclusivamente partigiani e clientelari.

Oggi, con il senno di poi, quelle forzature geografiche appaiono una truffa e, tuttavia, già allora, non passarono del tutto inosservate. Il quotidiano «Il popolo d'Italia» riferì con accenti indignati il caso di Piedimonte d'Alife «che comprende Venafro, Castellone e Capriati». Dove stava il problema? «Piedimonte, fatto centro del collegio, è distante da Castellone più di 50 miglia mentre dal lato settentrionale, orientale e a mezzodì si disgiungono da Piedimonte paesi lontani cinque o sei miglia, forniti di strade».

La storia della campagna elettorale fu un susseguirsi di piccoli e grandi oltraggi al sistema parlamentare.

Al Nord i candidati erano già ampiamente collaudati. Al Sud, dove non esisteva un partito filogovernativo, si mise insieme un'improvvisata schiera di pretendenti deputati, raccogliticcia ed eterogenea finché si vuole, ma agguerrita quanto a volontà di riuscire a ogni costo. In Sicilia, in Calabria o in Campania vennero presentati dei meridionali che erano sì nati laggiù, ma avevano fatto presto le valigie per stabilirsi a Torino o a Milano. Esuli di venti e trent'anni prima che avevano smarrito le loro radici o che le avevano largamente annacquate con usanze – anche culturali – imparate nei paesi d'adozione. E quelli indiscutibilmente locali erano i don Sedàra di Tomasi di Lampedusa. Marco Minghetti, ministro degli Interni, cercò di aggiungere qualche contributo positivo alla riuscita della causa comune e firmò una disposizione perentoria in base alla quale «la pubblica amministrazione non doveva astenersi dall'indicare il candidato più idoneo a servire la causa nazionale, qualora si fossero proposti due o più candidati».

Le proteste della stampa furono inutili. «Il popolo d'Italia» riprese a polemizzare. «È difficile trovare un collegio dove si presenti un solo candidato. Quindi siffatto periodo proclama universale l'ingerirsi dell'autorità nelle elezioni. Questa circolare è figlia del sistema napoleonico di Francia ove le elezioni sono affare esclusivo dei prefetti». Nonostante la retorica risorgimentale voti e legalità non marciarono di pari passo.

Si presentò alle urne lo 0,9 per cento della popolazione. Ogni scheda deposta nell'urna valeva per 107,5 abitanti. Un ex ministro di Cavour, Stefano Iacini, lombardo, proprietario terriero, studente a Milano, a Vienna, a Berna e a Pavia, rifletté amaramente sui numeri e sulle statistiche. «Al sistema di Governo non parteciparono più di 220.000 persone». Per i plebisciti di pochissime settimane prima, il suffragio universale apparì sacrosanto e, addirittura, doveroso. Per indicare i deputati era meglio tornare a far valere il censo, l'alfabetismo, l'affidabilità politica, l'amicizia e il tornaconto.

Si votò con il sistema del ballottaggio il 27 gennaio e il 3 febbraio 1861. Il partito di governo registrò un trionfo sopra le righe. Il "tessitore" Cavour riuscì a sistemare tutti i suoi uomini e a garantirsi una maggioranza blindata. Il Mezzogiorno era una terra a rischio per i moderati, non tanto e non solo perché era stata conquistata troppo di recente ma piuttosto perché i nuovi padroni, visti all'opera, erano riusciti in pochissimo tempo a far rimpiangere i vecchi. Molto meglio quando si stava peggio?

Tuttavia, su 144 parlamentari espressi dalle urne, solo 27 poterono essere collocati nell'area dell'opposizione e di quelli si trovò il modo di lasciarne a casa qualcuno. Come il siciliano canonico Gregorio Ugdulena, per esempio, che era un personaggio bizzarro per quel suo essere un po' prete, un po' liberale e un po' garibaldino, ma che aveva avuto il consenso della gente. Venne rispolverata una vecchia legge piemontese che impediva ai religiosi l'accesso alle cariche dello stato e venne fatto decadere. Per Ugdulena il governo decise di essere rigoroso. Per altri, nelle stesse condizioni, si lasciò correre con maggiore magnanimità.

Vito Di Dario che, scrivendo il suo *Oh, mia patria!*, si paragonò a un «inviato speciale nelle cronache del 1861», commentò che la tornata elettorale era finita. Cavour era stato il vincitore assoluto, avendo lasciato a terra per ko tutti gli avversari: uomini della sinistra, clericali e nostalgici di tutte le altre monarchie d'Italia. Un risultato che pesò per lungo tempo. I primi impiegarono sedici anni per rialzare la testa. I secondi, agitata la bandiera dell'astensionismo, avrebbero dovuto attendere don Sturzo. E gli altri sparirono definitivamente.

I deputati della prima legislatura del regno d'Italia si incontrarono per la prima seduta del parlamento il 14 marzo 1861. Certo, a guardarli da vicino, i cosiddetti rappresentanti del popolo risultarono inadeguati ai bisogni e alle speranze del paese. Incominciarono a disputare sulla questione se i militari eletti potevano presentarsi in parlamento in divisa. Problema irrilevante, in realtà, che però venne preso sul serio dagli interessati. Il dibattito fu lungo ed ebbe anche momenti aspri. L'uniforme non poteva essere indossata senza gli strumenti che la giustificavano, cioè le armi. Ma la Camera dei deputati doveva restare un luogo di libero confronto di idee e non avrebbe dovuto accogliere uomini armati. Solo alla fine si decise che l'abito dei rappresentanti del popolo sarebbe stato quello borghese.

Poi si dovette ragionare sulla possibile indennità di carica. Minghetti decise, e comunicò l'esito ai giornali, che non ci sarebbe stata alcuna retribuzione nemmeno sotto forma di rimborso spese. «Lo Statuto lo esclude – tagliò corto –. Altrimenti il regime parlamentare si incamminerebbe per una pessima via». Anzi: i deputati e i senatori che, dalla loro attività professionale, ricavavano «motivo di lucro» per i servizi resi allo stato, erano invitati a dimettersi o a rinunciare ai lavori che creavano conflitto di interesse. Si trovarono tutti d'accordo nell'enfatizzare quanto quella decisione fosse stata giusta: chi ciondolando il capo per confermare un "sì" davvero condiviso e chi con espressioni del volto molto seriose per dare a intendere che a una questione fondamentale era stata offerta soluzione adeguata. Scenografia. In realtà Francesco Crispi continuò a prestare le sue consulenze legali ai banchieri Weill-Schott di Milano e Firenze anche quando essi tentarono di comperare i monopoli statali del tabacco. E un Weill-Schott, Cimone, firmava i commenti economici sul giornale crispino «La Riforma».

Bixio, generale e deputato, non lasciò la poltrona nel consiglio di amministrazione del Credito Immobiliare e non si sentì in imbarazzo nel ritirare i dividendi anche quando l'istituto ottenne appalti per costruzioni statali.

Gustavo Cavour, fratello del presidente del Consiglio, Camillo, era uno dei maggiori azionisti della Cassa di Sconto che, con capitali inglesi, si accaparrò i lavori del canale, indicati perciò come «i lavori del canale Cavour». I Cavour erano considerati abilissimi "nel fare quattrini". Era stata istituita una tariffa doganale con dazi elevatissimi per l'importazione del fosforo, provvedimento che sembrava, contemporaneamente ingiustificato e inspiegabile. Poi si comprese che il conte era cointeressato in un'azienda di prodotti chimici e farmaceutici che produceva quella sostanza. E durante una carestia, quando il pane era cresciuto di prezzo, si seppe che la famiglia Cavour rappresentava la maggioranza degli azionisti dei mulini di Collegno che facevano incetta di farina e di grano. Già allora l'onestà era da esibire più che da praticare.

Ferdinando Petruccelli della Gattina, lingua e penna velenosa, se ne rese conto con tempestiva lucidità. «La Camera Italiana – scrisse per "La presse" di Parigi – si compone di 443 deputati. A parte 7 dimissionari e 5 morti che, beninteso, non contano più, ci sono 2 principi, 3 duchi, 29 conti, 23 marchesi, 26 baroni, 50 commendatori, 117 cavalieri dei quali 3 della legion d'Onore. Poi: 135 avvocati, 25 medici, 21 ingegneri, 10 preti fra cui Apollo Sanguineti, uno dei più ostinati seccatori del primo ministro mentre Ippolito Amicarelli e Flaminio Valente sono sacerdoti silenziosi. Inoltre: 4 ammiragli, 23 generali, 13 magistrati, 52 professori o ex professori o che si danno come tali». Non è finita. «C'è un bey dell'impero ottomano, l'onorevole Paternostro, 2 ex dittatori, 2 ex proditattori, 19 ex ministri, 6 o 7 milionari, 25 nobili senza titolo, 4 soli letterati e Verdi, il maestro Verdi». Mancava, invece, Carlo Cattaneo che, il parlamento, preferì «farselo da solo, a casa sua», in polemica con l'Italia sabauda che andava prendendo corpo su modelli centralistici e autoritari. Venne eletto per tre volte e per tre volte si rifiutò di giurare fedeltà ai Savoia. Si consentì, anzi, giudizi sprezzanti contro «il servidorame» di Torino «come se avessimo combattuto non per avere più libertà ma per discendere più in basso nel pendio della servitù».

Petruccelli della Gattina si considerava all'opposizione e non tollerava gli inutili riti della retorica parlamentare. I rappresentanti del suo popolo si gonfiavano di saccenza e di altruismo per decidere democraticamente soluzioni tiranniche.

«Abbiamo notizia di 6 balbuzienti, 5 sordi, 3 zoppi, un gobbo, molti con gli occhiali e moltissimi calvi. Neanche un muto!» Parlavano tutti e non lesinavano sulle parole. La sua satira gli provocò qualche guaio. Agostino Depretis lo sfidò a duello e fu possibile evitare lo scontro solo in extremis. Dovette invece incrociare la spada con Giovanni Nicotera e finì con uno ferito al viso e l'altro colpito alla mano destra.

Nella maggioranza, le differenze ideologiche erano vistose e, se possibile, accentuate dall'incompatibilità di carattere. Ricasoli e Spaventa erano dei centralizzatori; Farini e Minghetti chiedevano poteri per le province. Quintino Sella propugnava il controllo dello stato sulla Chiesa, Giovanni Lanza auspicava la «libera Chiesa in libero Stato» mentre Mancini era anticlericale e basta. I deputati, eletti nell'ex regno delle due Sicilie, si collocarono in prevalenza al centro dello schieramento parlamentare. Il centro? Per Petruccelli della Gattina era «la zattera della Medusa». Il posto dove «tutti i naufraghi sono aggrappati, tutti i superstiti, tutti gli sbandati». Una specie di «ospizio degli invalidi per chi non ha più forze ma non per questo manca di speranze».

Anche la sinistra, pur ridotta ai minimi termini, sembrava un arcipelago di anime in pena e contava «mazziniani e garibaldini, autonomisti e federalisti, oltramontani e liberi, dipendenti e indipendentisti». Avevano un loro peso «i misteriosi e gli indecisi, gli imbronciati e gli smarriti, gli scettici, i dottrinari, i pretendenti, gli esploratori in campo nemico e gli uccelli di passaggio». Gli uccelli di passaggio era la definizione che riguardava «alcuni dell'estrema sinistra che, risoluti di passare con la destra, si sono – come dire? – arrestati a mezzo sui banchi della sinistra». Qualche nome? «Chiaves e Gallenca, quantunque il secondo abbia già fatto un passo avanti e ora segga al centro».

Gli scritti di Petruccelli della Gattina vennero pubblicati in un libro che venne intitolato *I moribondi di Palazzo Carignano*: un nome che è già un programma.

Il parlamento di fresca nomina, che avrebbe dovuto trovare in se stesso gli entusiasmi per rinnovare la società italiana, si presentava decrepito negli atteggiamenti ancor prima di mettersi all'opera. Il nuovo stato sembrava incamminarsi verso il futuro più per forza di inerzia che per convinzione.

Torino appariva l'unica città ringalluzzita dopo il Risorgimento e si preparò ad accogliere i deputati nazionali riverniciando di fresco i palazzi. Le zone di Vanchiglia e lungo il Po erano diventate un immenso quartiere edile in vista di futuri insediamenti. Il quartiere di San Salvario stava attrezzandosi per diventare il centro nevralgico. Gli ingegneri avevano dato avvio ai lavori di traforo della montagna del Fréjus che le cronache – chissà perché – continuavano a chiamare «Cenisio». Non a caso l'editore Sonzogno propose una *Nuovissima guida illustrata di Torino e dintorni* da vendere per 2 lire. Erano giorni di neve e di freddo intenso. Il sindaco Nomis di Cossilla dovette pubblicare un bando per impedire ai negozianti di pulire i marciapiedi davanti alle loro botteghe usando secchiellate d'acqua. Il selciato diventava sdrucciolevole come una pista di pattinaggio e troppa gente si era già rovinata le gambe. E, quasi contemporaneamente, fu bandito un concorso per alcuni posti di vigile urbano: i candidati dovevano essere alti almeno un metro e 60, avere un'età compresa fra i 25 e i 36 anni e conoscere la grammatica. A Berlino era morto Federico Guglielmo IV di Prussia: nei salotti dell'aristocrazia piemontese se ne parlò con frequenza senza, tuttavia, molta commozione. Dicevano che, ormai, era diventato un vecchio bisbetico, troppo sensibile ai piaceri della tavola. Era entrato in funzione il telegrafo ma, come tutte le diavolerie moderne, era visto con scetticismo. E all'Alfieri la compagnia teatrale Guillame si esibiva portando in scena un bue ammaestrato.

Il centro della città restava addobbato con grandi stendardi, archi di trionfo e bandiere. Davanti alla stazione di Porta Nuova venne sistemato un giardino con immense aiuole di fiori e di pianticelle sempreverdi: in mezzo una fontana progettata dalla Società delle Acque Potabili che era stata da poco fondata.

La borghesia comperava pianoforti per accondiscendere a una moda improvvisa e, naturalmente, d'importazione. Lo stile dei mobili in voga era il rococò. Le signore usavano cipria al profumo di violetta o di paciulì. E l'occasione degli incontri al bar si collocava nella mezz'ora prima di mezzodì al momento del vermut: il caffè Carpano era il solo che serviva il "punt e mes". L'unico inconveniente era determinato dal fatto che troppa gente, non sempre per bene, era arrivata in città. C'era chi approfittava per sfilare il portafoglio dalle tasche dei distratti. «L'ardire dei mariuoli arrivò al punto di tentare di derubare due poliziotti».

Torino era stata promossa da capoluogo anonimo di una regione decentrata a capitale nazionale; se ne sentiva degna. Ma il resto d'Italia sembrava deluso. Il Nord più avvilito che rabbioso. Il Sud più violento che smarrito.

I milanesi protestavano per le nuove tasse che dovevano pagare e si lamentavano che l'amministrazione austriaca – efficiente per definizione – fosse stata sostituita da quella sabauda che, muovendosi a spanne, girava a vuoto senza essere in grado di rispondere alle esigenze della gente. I telegrammi impiegavano dieci giorni per giungere a destinazione e in quel febbraio 1861 non erano ancora arrivati gli stipendi del mese prima. Era stata fatta tutta quella rivoluzione per sostituire Vienna con Torino? Via gli Asburgo per vedersi governare dai Savoia?

«A ogni nostra osservazione – fu il rilievo de "La Perseveranza" – viene in risposta un rimprovero: siete municipalisti, siete lombardi, siete fanciulli impauriti dallo spettro del piemontesismo. Noi lamentiamo il disordine nelle aziende pubbliche, la perdita di alcune istituzioni rese un tempo floride per matura esperienza, la precipitosa applicazione di leggi non consigliate dalla necessità. Che dicono? Siete lombardi, municipali, politici da campanile». Impossibile – secondo il giornale – contestare che le assunzioni venissero decise soltanto su raccomandazione di Torino e non per pubblico concorso. Vietato evidenziare l'errore di trasferire a Torino la direzione delle ferrovie lombarde. Inutile e per certi versi pericoloso sostenere che fosse ridicolo che solo il provveditore della capitale potesse valutare l'idoneità degli aspiranti all'insegnamento del francese.

«Il pungolo», un giornale del pomeriggio senza peli sulla lingua che si occupava di politica, volle evidenziare le incongruenze della riforma sulla giustizia. «Torino ha posto mano al sistema sconnettendolo, ha alterato l'economia dell'insieme e ci permettiamo di aggiungere: inconsultamente».

I nobili che prima avevano un ruolo di rilievo nella società, si sentivano messi da parte dai "parvenus" piemontesi. I borghesi storcevano il naso perché il cambio delle monete li penalizzava. I lavoratori avevano da faticare dalle 10 alle 14 ore in officina per non ricavare nemmeno i soldi dell'affitto. In compenso al Monte di Pietà dovettero rinforzare il personale per fare fronte alle 136.000 operazioni dell'anno. E, intorno, qualche decina di banchi privati e clandestini di pegno.

I progressisti lombardi erano soliti scherzare: «semm sota i tudosch» per criticare un giogo politico e amministrativo che li soffocava. A indipendenza ottenuta, cominciarono a sussurrare: «semm sota i piemuntes» per dire che non era cambiato nulla e che, semmai, la illiberalità rimasta intatta era diventata più fastidiosa per l'illusione inutilmente coltivata di affrancarsi sul serio. Carlo Cattaneo profetizzò che lo stato italiano, accentrato sotto il pugno dei Savoia, avrebbe finito per anteporre la potenza nazionale alla libertà individuale. Gladstone e Lord Russel, in privato, erano d'accordo: il bel paese sarebbe diventato una caserma sabauda, una società militarizzata.

Il Nord fu tranquillizzato dal re Vittorio Emanuele che si presentò a Milano in diverse visite ufficiali. I risultati economici poi misero la sordina a tanti mugugni.

Al Sud i problemi erano ben più gravi perché era questione di sopravvivenza. La spedizione dei Mille li aveva evidenziati e aveva promesso di risolverli. L'averli lasciati intatti e, qualche volta, aver consentito che si aggravassero, fece rivoltare le coscienze della gente. Piemontese non fu più sinonimo di liberatore; divenne un insulto sanguinoso: voleva dire ladro, ruffiano, bugiardo, "mangia-pane-a-tradimento", sfruttatore.

Intanto c'erano i prigionieri di guerra. Quanti erano stati catturati durante il conflitto? E dove si trovavano?

Era naturalmente comprensibile che, nel corso degli scontri fra eserciti rivali, fossero tenuti in disparte. Ma con la fuga di Francesco II, la proclamazione dell'Unità dell'Italia e il successivo insediamento del parlamento non era doveroso restituire loro la libertà e la dignità di cittadini? Vennero tenuti per anni in campi di concentramento, li trattarono come bestie, li disprezzarono e fecero anche qualche sforzo per ottenere che morissero. Una pagina senza onore che è rimasta abbastanza sconosciuta, forse perché la vergogna era più potente della verità.

La Buchenwald del regno sabaudo di sua maestà il galantuomo era stata ricavata in un avvallamento naturale alla periferia di San Maurizio, sotto i contrafforti del Canavese, una ventina di chilometri da Torino. Un campo di concentramento feroce. Ci arrivavano i soldati dell'esercito di "Franceschiello" e i papalini dello stato della Chiesa che venivano catturati e giudicati bisognosi di rieducazione morale e civile. Il viaggio era massacrante: tre-quattro giorni in nave fino a Genova stipati sottocoperta come animali e poi a piedi, in marcia almeno per una settimana, con abiti sempre più sdruciti e con scarpe sempre più sfondate.

Quando arrivavano era anche peggio. Un articolo del 1861 pubblicato sulla rivista «La Civiltà Cattolica» descrisse le loro condizioni di vita con accenti scandalizzati. Stremati dalle fatiche avevano diritto a «mezza razione di cattivo pane» e una ciotola d'acqua sporca che, secondo l'ufficiale di rancio, era minestra. In una terra dove per otto mesi l'anno il termometro scendeva sotto lo zero dormivano in tende senza giaciglio e con ripari approssimativi. Morivano di fame e di freddo.

I prigionieri aumentavano di numero in modo esponenziale. Il generale Manfredo Fanti scrisse a Cavour per chiedergli di noleggiare all'estero dei vapori perché c'erano 40.000 prigionieri da spedire al Nord e la Marina non era in grado di fare da sola. Fu necessario attrezzare altri campi: uno poco distante da San Benigno Canavese, un altro ad Alessandria e un altro ancora a Fenestrelle, all'imbocco della Val Chisone che, dai tempi antichi, era stata fortificata con un sistema di caserme appollaiate come nidi d'aquila a 1.200 metri per resistere a possibili invasioni a opera dei francesi. Per essere certi che lassù, accanto ai ghiacciai, la vita dei prigionieri fosse davvero dura, i piemontesi si preoccuparono di strappare le finestre dei dormitori.

Di un altro campo di concentramento si ha notizia attraverso una lettera del conte di Cavour. «Ho pregato La Marmora – informò il "tessitore" – di visitare lui stesso i prigionieri che sono a Milano. Lo ha fatto con quella cura che reca nell'adempimento di tutti i suoi doveri. Poscia mi scrisse dichiarandomi che il vecchio soldato napoletano era canaglia da cui era impossibile trarre partito e che avrebbe corrotto i nostri soldati se posto in mezzo a loro». Il generale La Marmora, per l'esattezza, precisò che «i prigionieri napoletani dimostrano un pessimo spirito tanto che su 1.600 non arriveranno a 100 quelli che acconsentiranno a prendere servizio». Le condizioni igieniche erano spaventose. «Sono tutti coperti di rogna e di verminia». Ma senza perdere l'orgoglio. «Dimostrano avversione a prendere da noi servizio. A taluni che con arroganza pretendevano aver diritto andare a casa perché non volevano prestare un nuovo giuramento avendo già giurato fedeltà a Francesco II, gli rinfacciai che per il loro re erano scappati e ora per la patria comune e il re eletto si rifiutavano a servire, che erano un branco di carogne, che avremmo trovato il modo per metterli alla ragione».

Quanti morti? Quanti storpiati per sempre? Quanti lasciati impazzire dal dolore e dalla nostalgia?

Certo le vittime dovettero essere migliaia anche se non vennero registrate da nessuna parte. Morti senza onore, senza tombe, senza lapidi e senza ricordo. Morti di nessuno. Terroni.

A Fenestrelle gli internati organizzarono una rivolta che fu scoperta da una spiata appena in tempo. Ad Alessandria organizzarono uno sciopero della fame e riuscirono a spuntare condizioni di vita più decenti perché il comandante del campo si spaventò all'idea di dover provvedere a centinaia di cadaveri morti tutti insieme. E in qualche altra zona i reduci borbonici finsero di accettare la nuova divisa per disertare subito dopo e correre a ingrossare i reparti dei banditi asserragliati nelle foreste del Sud.

«Quattromila prigionieri – secondo una lettera scritta da Marsiglia da Pietro Calà Ulloa –, attraverso la Lombardia, ripararono nello stato di Venezia» che faceva parte ancora dell'impero austro-ungarico. «Altrettanti – secondo la stessa fonte – osarono attraversare le Alpi per chiedere rifugio in Francia e Svizzera».

Con il tempo altri militari, ex militari, civili invisi al regime, renitenti alla leva, briganti, vennero confinati sulle isole: da Capraia a Gorgona, da Ponza al Giglio. «Stampa Meridionale» pubblicò una sorta di appello di alcuni prigionieri. Qualche settimana dopo «Le Monde» riprese il messaggio. «La nostra sventura è ormai intollerabile. Indarno leviamo la voce: i nostri governanti non l'ascoltano e la disprezzano. In questo orribile scoglio ci troviamo immersi nell'avvilimento e nella miseria estrema. Nostro delitto è quello di aver combattuto sotto la bandiera nazionale di Francesco II, regnante, e di averlo poi seguito a Roma. Quando tornammo a Napoli, prestando fede alle promesse di guarentigie di Vittorio Emanuele II, fummo circondati da drappelli di bersaglieri e condotti sotto scorta al forte del Carmine». Ingannati dal galantuomo.

«La Civiltà Cattolica» precisò che «più di 12.000 furono a domicilio coatto o in Sardegna o nella Maremma Toscana o nelle isole napolitane». Quanti riuscirono a tornare a casa? E quanti fra i sopravvissuti poterono considerare i nuovi governanti come persone cui era dovuta obbedienza e rispetto?

Briganti e agenti segreti

«Cari sudditi, non vi lasceranno neanche gli occhi per piangere». Francesco II, in un anelito di compassione, l'aveva scritto al momento di lasciare il suo regno. Era una previsione quasi ovvia. Qualcuno era già piegato sotto il tallone dei conquistatori. Dopo la guerra "ufficiale", con scontri "regolari" fra borbonici e garibaldini, ne era già cominciata un'altra più nascosta, più violenta e più infida.

Nelle campagne, sulle montagne, attorno alle città la gente si ribellava ai nuovi padroni. Si erano presentati come i campioni della libertà, con il proposito di limitare le ingiustizie e dividere i feudi terrieri in modo da offrire ai contadini la possibilità di lavorare sulla loro proprietà. Invece, ancora provvisoriamente insediati, preferirono imporre nuovi ordinamenti, promulgare nuove leggi e bandire nuove tasse. Senza curarsi di quel "comune sentire" a cui tanto avevano fatto riferimento fino al giorno prima e che avrebbe dovuto ispirare l'iniziativa del "buon" governo.

Colpirono i patrimoni delle famiglie con sistematica cupidità per ricavare denaro ovunque. Qualche volta trascurarono i potenti e i ricchissimi, ma non rinunciarono mai a guadagnare sulle piccole proprietà e si accanirono sulle minuscole.

Con le disposizioni sulla successione, per esempio. «Un padre muore e la tenera famiglia resta. Ma un ricevitore, con il feretro ancora caldo, si presenta imperterrito, rovista la casa, penetra i segreti, fa l'inventario, somma il valore dell'eredità, calcola il diritto del fisco ch'egli rappresenta e i lagrimanti figlioli con la derelitta vedova pagano una somma gravissima. E i pupilli perdono ciò che il genitore con sacrificio e privazioni aveva creato a loro decoro». Lo scrisse un nordista con accenti che parrebbero indignati, il conte Alessandro Bianco de Jurioz. Peccato che la sua riflessione sia stata maturata troppo in là negli anni, nel 1876, al momento in cui tutto era irreparabilmente finito. Quando faceva parte del corpo di Stato Maggiore generale, con qualche possibilità di far sentire la voce e mitigare – se non proprio correggere – quegli atteggiamenti, lasciò che la burocrazia facesse il suo corso.

Perché quella famiglia, rovinata negli affetti e nel patrimonio, avrebbe dovuto essere grata ai Savoia per aver fatto fuggire il Borbone?

Le leggi erano orrende, ma diventavano atroci per colpa di coloro che le applicavano. I liberatori si rivelarono, al tempo stesso, avidi e insensibili, crudeli e incapaci.

Secondo Mack Smith i politicanti del Nord non avevano che da ringraziare se stessi per l'impopolarità che ben presto si guadagnarono.

Lacaita, dalle Puglie, scrisse al presidente del Consiglio Cavour per informarlo che i fautori del partito dell'annessione erano in netta minoranza. E, ancora Mack Smith: «L'incursione dal nord sembrava una nuova invasione barbarica e l'avversione al Piemonte ricordava l'antipatia con cui molti tedeschi del sud guardavano alla Prussia». La nuova classe politica non aveva nessuna esperienza amministrativa e nessuna conoscenza del

Meridione per cui i meriti patriottici – più spesso presunti tali – furono considerati sostitutivi dell'abilità di gestione politica. «Le varie oligarchie regionali furono sostituite da famiglie rivali che erano state più rapide a cambiar casacca. Questo spiega perché, insieme ad alcuni avventurieri e disonesti, un numero spaventoso di imbecilli abbia invaso le nuove province del regno». Lo disse Pasquale Villari. Dopo l'attacco di Garibaldi e dell'esercito alle difese belliche di "Franceschiello", ci fu un secondo assalto della democrazia piemontese, quello agli uffici pubblici. Gli invasori occuparono tutto quello che c'era da occupare, confiscarono lo stato e poi lo trattennero come se fosse diventato "cosa loro". Un volonteroso capitano diventò un generale pedante; un discreto maestro del Nord si trasferì al Sud per diventare un pessimo direttore didattico. Il capo sezione diventò capo ripartizione e il capo divisione diventò prefetto.

Ferrari, colonnello di Stato Maggiore, era cuciniere del duca di Modena. Il generale Pietro Fumel era un doganiere. Il colonnello Cattabena aveva avuto fortuna come tenutario di una casa da gioco. E un cassiere della spedizione dei Mille, Bertani, da sottufficiale addetto ai servizi sanità si ritrovò colonnello. Quando doveva lavorare per vivere chiedeva un compenso di una lira e mezza per ogni visita: un anno dopo poteva vivere di rendita con un piccola fortuna valutata in 14 milioni di lire. Ognuno venne sbalzato dalla piccola barca del tranquillo Piemonte sulla grande nave Italia che, per di più, si trovava in un mare in tempesta.

Il Piemonte peggiorò se stesso e l'Italia. La legge della prevalenza del cretino trovò un'occasione per essere applicata su larga scala.

Coinvolgere nel governo i "terroni"? Gente inaffidabile, sempre con due facce, con una fedeltà approssimativa e con nostalgie borboniche appena chetate, ma sempre pronte a risvegliarsi.

In Piemonte erano tutti "nuovi" e raccomandabili per cui ogni incarico venne distribuito fra Torino e dintorni. Il duca di Maddaloni, nel 1861, si lamentò con passione. «Ai mercanti piemontesi si danno le forniture più lucrose. I burocrati del Piemonte occupano quasi tutti i pubblici uffici, gente spesso ben più corrotta degli antichi burocrati napoletani. A fabbricare le ferrovie si mandano operai piemontesi i quali, oltraggiosamente, pagansi il doppio che i napoletani. A facchini della dogana, a carcerieri, a birri vengono uomini di Piemonte e donne piemontesi si prendono a nutrici dell'ospizio dei trovatelli quasi che neppure il sangue di questo popolo sia salutevole. È un'unione questa? O non è piuttosto un'invasione!»

Degli invasori, i nuovi padroni ebbero gli atteggiamenti, la iattanza, il disprezzo, la supponenza. I ricchi rimasero ricchi e i poveri – se possibile – più poveri. La grande speranza stava partorendo un topolino. Una grande rivoluzione per lasciare tutto come prima. In realtà fu peggio di prima.

Questo popolo del Sud nel 1859 era vestito, calzato, industre, con riserve economiche. La penna del conte de Jurioz che non era affatto indulgente nei confronti dei meridionali, li considerava nati in Italia ma appartenenti alle tribù dell'Africa come i Noueri, i Dinkas o i Pulo-Penango. Per questo le sue osservazioni hanno più valore. «Il contadino possedeva una moneta: comprava e vendeva animali, corrispondeva gli affitti, alimentava la famiglia, viveva contento del proprio stato materiale. Adesso è l'opposto». Dati alla mano. «Le civaie furono trovate al prezzo di 2.80 ma nel 1863 erano già salite a 5.20. La carne di bue vendevasi a 15 grana il rotolo e nel 1863 a grana 36. Una gallina salì da 20 a 55 grana».

Il governo appena instaurato non si curò dell'economia, non promosse l'industria, non favorì l'agricoltura e non procurò lavoro. Per l'immediato dispose lo stato d'assedio per assicurarsi obbedienza sollecita: gradiva che – anche esteticamente – apparisse l'entusiasmo di pagare e di soffrire per il re sabaudo.

I meridionali avrebbero dovuto essere anche contenti? Per chi reclamava: bastonate! Per chi si opponeva: galera! E per chi protestava o sembrava averne voglia: la forca! Non c'era il tempo di sottilizzare, le condanne potevano essere decretate ed eseguite anche perché l'ufficiale comandante, quella mattina, era di cattivo umore. L'arbitrio governativo era una buona regola. Per le bizze di alcuni funzionari, talvolta meschini, venivano arrestate madri e sorelle di ogni presunto responsabile di qualche reato «e su di esse si sfrenava ogni libidine».

Il capitano medico Antonio Restelli bruciò con un ferro rovente un sordomuto di vent'anni, Antonio Cappello, perché credeva che facesse finta di non capire. Ripeté la tortura 154 volte come testimoniarono altrettante bruciature sul corpo di quel poveretto. Ma non ci furono conseguenze immediate. L'anno dopo l'ufficiale venne insignito della croce di San Maurizio e Lazzaro.

Se Indro Montanelli si rabbuia perché l'Italia, da decenni, «ridotta a un lacèrto» con uno stato senza spina dorsale, occorre risalire fino a quel Risorgimento per trovarne i motivi più autentici. E, insieme, verrebbero svelate le vergogne di un sistema giudiziario sempre meno convincente e quelle di un ordinamento fiscale che, con disposizioni aggrovigliate, in un linguaggio indecifrabile, consentì evasioni sfacciate ma autorizzò ripugnanti vessazioni.

La gente si nascose nei boschi e si difese con le armi. Scelsero la macchia alcuni vecchi garibaldini che avevano tifato sinceramente per l'Italia dei Savoia, ma che dovettero verificare quanto ampia fosse la distanza fra le aspirazioni ideali e il risultato pratico. Li seguirono alcune migliaia di reduci dell'esercito borbonico che si trovarono senza lavoro. Si diedero alla guerriglia alcuni nobili legittimisti che vagheggiavano il ritorno di Francesco II, come Achille Caracciolo di Grifalco o gli spagnoli Borjés e Tristany. E poi: contrabbandieri, furfanti, autentici criminali, gente in cerca di avventura, farabutti che, in qualunque tempo, avrebbero sparato per uccidere e ucciso per rubare. Alcuni erano di poche parole, altri invece improvvisavano discorsi dal cavallo per incitare la truppa. Qualcuno era vanitoso e gradiva che si parlasse di lui, qualcun altro viveva in modo più defilato e non sopportava nemmeno di essere guardato con troppa insistenza. In quell'accozzaglia di gente male in arnese si trovavano i fanfaroni e i romantici, gli ambiziosi che si vestivano come ufficiali di immaginari eserciti e i pittoreschi con cappelli grondanti piume e nastri. C'erano gli idealisti e i rubagalline, coloro che – come Domenico Tiburzi – davano un senso cavalleresco alla battaglia e rispettavano i nemici, o altri – come Gaetano Coletta Mammone che, al contrario, inventavano delle torture per spaventarli.

Ebbero un momento di fama Giosafatte Tallarico nelle Puglie, Pietro Corea nella zona di Catanzaro, Cipriano e Giona, La Gala nella provincia di Avellino e soprattutto, nella zona di Potenza, "il generalissimo" Carmine Donatelli Crocco e il suo gregario Giuseppe Nicola Summa "Ninco-Nanco". La gente conosceva i briganti attraverso i nomignoli strani che si erano dati: Diavolicchio, Caprariello, Pelorosso, Cavalcante, Coppolone. Addirittura: Cappuccino, Chiavone e Culopizzuto. Arrotolata sulla pancia, portavano un'ampia cinta di stoffa, zeppa di pistole e coltelloni, come i

Pancho Villa che si sono visti nei film delle rivoluzioni messicane.

Tutti erano religiosi fino alla superstizione. Tenevano sul petto l'immagine del loro santo che doveva risparmiarli dalle schioppettate e, agli incroci delle strade di campagna, si fermavano a baciare i piedi di tutte le statue di Cristo in croce che incontravano E, tutti, senza eccezione, erano contro l'Unità d'Italia.

Invece di comprendere le ragioni del malcontento, i padroni del tricolore inasprirono le sanzioni e la repressione votando la legge Pica che era una specie di licenza di uccidere. «Lo scopo è chiaro». Il conte di Cavour dall'alto del suo seggio di Torino indicò procedure e obiettivo. «Imporre l'Unità alla parte più corrotta. Sui mezzi non vi è gran dubbiezza: la forza morale e, se questa non bastasse, la fisica». Della forza morale non fu possibile scorgere traccia. Le baionette, invece, si rivelarono appuntite e affilate a misura.

De Sivo commentò: «Cominciava l'arte del boia». I piemontesi instaurarono il codice militare di guerra con corti marziali e fucilazione non soltanto per chi «utilizzava» le armi contro i militari di casa Savoia. La legge consentì punizioni esemplari anche contro coloro che genericamente «venivano sorpresi» con un'arma di qualsiasi genere.

L'interpretazione molto ampia che fu data significava, in pratica, che ogni contadino poteva essere ammazzato perché tutti i contadini possedevano almeno un'accetta o un vecchio trombone. Il generale Pinelli estese la pena di morte a chi «avesse con parole o con denaro o con altri mezzi eccitato i villici a insorgere» nonché «a coloro che con parole o atti insultassero lo stemma dei Savoia, il ritratto del Re o la bandiera nazionale». Questo, in una terra dove gli abitanti parlavano una lingua che i conquistatori non capivano, offre un'idea sufficiente degli abusi possibili. Anche il poeta patriota Dragonetti non volle sottrarsi a un commento: «Con la legge Pica le vendette non ebbero mai migliore opportunità di libero sfogo». Bastava poco per finire nella lista dei proscritti e candidarsi al plotone di esecuzione. La rudezza disumana dei conquistatori finì per accrescere il senso di ostilità delle popolazioni locali. Di conseguenza aumentò la durezza della repressione. Il numero degli sbandati crebbe proporzionalmente agli abusi.

I fuorilegge riuscirono a costituire 400 bande agguerrite. Con un calcolo meticoloso Tarquinio Maiorino ha potuto stabilire che contavano 80.702 combattenti. Almeno altrettanti coloro che facevano parte delle organizzazioni ausiliarie: gli informatori, i vivandieri, gli agenti di collegamento, i conviventi, i familiari e le amanti. I banditi godevano di solidarietà diffusa fra la gente e, quando arrivavano nei paesi, era festa grande.

Molti vennero uccisi. Dalle zone di guerriglia pochi riuscirono ad arrivare al carcere. Gli altri vennero sterminati in massa. Quanti? Michele Topa cita i giornali stranieri che, in quegli stessi anni, tentarono un bilancio di questa guerra nascosta e dimenticata. Risultò che, dal settembre 1860 all'agosto 1861 – poco meno di un anno solare – vi furono 8.968 fucilati, 10.604 feriti, 6.112 prigionieri. Vennero uccisi 64 sacerdoti e 22 frati, 60 giovani sotto i 12 anni e 50 donne. Le case distrutte furono 918, sei paesi cancellati dalla carta geografica. Cifre naturalmente provvisorie e ampiamente parziali per difetto.

Con il ferro e con il fuoco distrussero Guardiaregia e Campochiaro, nel Molise; Pontelandolfo e Casalduni nella provincia di Benevento. All'assalto di Pontelandolfo c'era anche un bersagliere di Delebio Valtellina, Carlo Margolfi (classe 1837), che confidò al suo diario emozioni e ricordi. Il 14 agosto 1861, a 24 anni appena compiuti, Margolfi assieme ad altri 900 soldati, fu mandato a sedare i disordini esplosi nel Beneventano dove i ribelli filo-borbonici Cosimo Giordano e Donato Scutignano calpestavano le croci dei Savoia per innalzare gli stendardi gigliati. «Riceviamo l'ordine di entrare in Pontelandolfo, fucilare gli abitanti, meno i figli, le donne e gli infermi, e incendiarlo. Difatti un po' prima di arrivare al paese incontrammo i briganti attaccandoli ed in breve i briganti correvano avanti a noi». I comandanti, invece di inseguire le bande armate che potevano difendersi ed essere pericolose, preferirono sfogare la rabbia contro chi era rimasto chiuso in casa. «Entrammo in paese e subito cominciammo a fucilare i preti e gli uomini, quanti capitavano. Indi il soldato saccheggiava. E, infine, abbiamo dato l'incendio al paese». Fu una specie di Marzabotto dell'Ottocento, un atto di vandalismo senza motivo e senza giustificazione. Il diario di Carlo Margolfi lascia intendere che i soldati eseguirono l'ordine senza entusiasmo. «Quale desolazione! Non si poteva stare d'intorno per il gran calore. E quale rumore facevano quei poveri diavoli che per sorte avevano da morire abbrustoliti sotto le rovine delle case. Noi, invece, durante l'incendio avevamo di tutto: pollastri, vino, formaggio e pane».

Ancora Tarquinio Maiorino racconta che (da un'indagine parlamentare) nella sola provincia di Chieti e soltanto per il periodo 1° gennaio 1861 - 28 febbraio 1863 furono «eliminati» oltre 7.000 banditi dei quali 2.413 uccisi in combattimento, 1.538 catturati e fucilati, 2.768 arrestati e gettati in prigione.

Forse esagerano gli storici che, leggendo il Risorgimento in chiave borbonica, sostengono che il Meridione pagò l'Unità con 700.000 vittime. E probabilmente è un impeto di polemica quello che porta Antonio Ciano a ipotizzare un milione di morti. Ma, certo, la parola "massacro" non è né gratuita né esagerata.

Cifre sproporzionate se si considera che, il 21 e il 22 settembre 1864, per una sommossa di piazza che costò trenta morti a Torino, vennero destituiti quattro ufficiali e il presidente del Consiglio Minghetti fu costretto alle dimissioni. In Piemonte protestarono perché la capitale veniva trasferita a Firenze e i militari – sembra – non si poterono esimere dall'ordinare il fuoco. Evidentemente quelli del Nord erano sudditi buoni e andavano rispettati. La gente del Sud non meritava troppa indulgenza.

Denis Mack Smith rilevò che il numero di coloro che perirono nel corso di questa lotta fu superiore a quello dei caduti di tutte le altre guerre del Risorgimento nazionale. Il generale Della Rocca, quasi vantandosi, scrisse un suo memoriale perché non si dimenticasse: «Tanti erano i ribelli che numerose furono le fucilazioni. Da Torino mi scrissero di moderare queste esecuzioni riducendole ai soli capi ma i miei comandanti, in certe regioni dove non era possibile governare se non incutendo terrore, vedendosi arrivare l'ordine di fucilare solo i capi, telegrafavano con questa formula: "arrestati, armi in pugno, nel luogo tale, tre, quattro, cinque capi briganti". E io rispondevo: fucilate!».

Il comandante Fumel considerò un titolo di merito personale aver mandato a morte 300 persone «fra briganti e non briganti». L'aiutante di campo di Vittorio Emanuele II, generale Solaroli, riteneva che i contadini del Sud fossero «le più grandi canaglie dell'ultimo ceto» e continuò a pensare che dovessero essere fatti fuori senza far sapere nulla alle autorità. Non conveniva nemmeno imprigionarli perché lo stato doveva mantenerli. Meglio lasciarli sotto una spanna di terra. Si distinse in questa repressione anche un Del Boca, Alfonso, che inviato nelle zone del Sud con il grado di capitano, ottenne due promozioni sul campo e poi la croce di colonnello «per meriti speciali». Ognuno di quegli attestati significa aver ordinato alle truppe un'azione sanguinaria di repressione finita con decine e centinaia di morti.

Un altro Del Boca, certo molto più civile, Angelo, di due generazioni più vecchio, giornalista di fama e storico, studioso delle guerre italiane in Africa, ebbe il merito di togliere il coperchio di ipocrisia dalle imprese coloniali realizzate, soprattutto, nel corso del Ventennio fascista. Rivelò che il tricolore si era macchiato di colpe infamanti. «Il nostro – disse rispondendo a un'intervista – è un filone di violenza che iniziò nel 1890 quando un tenente dei carabinieri, Dario Livraghi, fece sparire un centinaio di ausiliari eritrei. Il processo fu una farsa e furono coinvolti soltanto i suoi sottoposti».

Per antinazionalista che possa sembrare, il «filone delle violenze» iniziò ben prima: con la proclamazione dell'Unità e durò dieci anni, fra il 1860 e il 1870, regnante il galantuomo Vittorio Emanuele II, non all'estero ma in Italia, non contro nemici ma con fratelli appena affrancati dal giogo straniero.

I responsabili dei crimini di sterminio non solo non ebbero il fastidio di subire un'inchiesta-farsa (come capitò al tenente citato da Angelo Del Boca), ma vennero decorati, premiati e ringraziati per iscritto per l'opera di "pulizia" cui avevano contribuito personalmente. Vennero usati i cannoni contro città indifese. Il fuoco divorò case e cascinali. Le fucilazioni di massa divennero una pratica normale: furono portati al muro – indifferentemente – banditi, patrioti, ragazzotti, donne incinte, bambini, vecchi decrepiti. Le terre desolate del Sud furono teatro di episodi che, da una parte e dall'altra, non risparmiarono né rappresaglie né atrocità. Come in ogni guerra di conquista coloniale. Ma mentre per una guerra coloniale le torture, gli incendi, le sopraffazioni rientrano in una sia pur spietata logica di guerra, in Abruzzo come in Basilicata o in Calabria si trattava di italiani contro italiani. Soldati che, secondo le dichiarazioni dei loro governanti, avrebbero dovuto portare la pace, il riscatto dal "Franceschiello", la libertà, l'affrancamento e anche un po' di benessere. Tutto si risolse, invece, sulla punta delle sciabole e nei mirini degli schioppi.

Di questo bagno di sangue il Nord Europa non volle saperne. Napoleone III, informato evidentemente per sommi capi di quanto stava accadendo, commentò: «Nemmeno i Borboni potevano fare di peggio». Ma, forse per evitare intoppi diplomatici, non ritenne di interferire. E il deputato Mancini, dovendone discutere in parlamento, se la cavò con: «Preferisco non fare rivelazioni di cui l'Europa potrebbe inorridire». Dichiarazione – nel contempo – seria e ipocrita perché conteneva gli estremi per una denuncia preoccupante e, tuttavia, inutile, perché senza riferimenti significativi non poteva produrre alcun beneficio.

Dieci anni di scontri vennero minimizzati o nascosti all'opinione pubblica. I giornali erano pochi, compiacenti con il governo e – contemporaneamente – disinteressati su quanto potesse accadere dal Tevere in giù.

Mancava anche la coscienza civica e civile. I sabaudi non accettarono di considerarla una guerra "contro" gli occupanti sgraditi e importuni: preferirono esprimersi nei termini di una «lotta ai briganti» come se si trattasse di fuorilegge senza qualificazioni e senza meriti e non di patrioti con il torto di stare dall'altra parte.

Solo dopo molto tempo, quasi con un barlune di accondiscendenza, la storiografia ufficiale accettò di qualificare quel banditismo come "politico" o "sociale" modo da rendere un minimo di riconoscimento a una "montagna" di morti. Massimo d'Azeglio dovette amaramente riflettere che era una ben strana Unità d'Italia se occorrevano battaglioni armati fino ai denti per mantenere una parvenza di ordine al di là del Tronto, mentre al di qua non c'era bisogno né di coprifuoco né di stato d'assedio.

Antonio Gramsci, fondatore del Partito Comunista Italiano, andò oltre e non ebbe difficoltà a dichiarare che «lo stato italiano era una feroce dittatura che ha messo a ferro e fuoco l'Italia meridionale e le isole crocifiggendo, squartando, seppellendo vivi i contadini poveri che gli scrittori sardi tentarono di infamare con il marchio di briganti».

Gramsci era cresciuto ad Ales, in Sardegna, ma la sua famiglia era meridionale. Il padre, Giuseppe, era nato a Gaeta nel 1860, proprio durante l'assedio, e il nonno, Gennaro, che poteva fregiarsi del titolo di "don", era stato capitano della gendarmeria borbonica.

Generali, governo, parlamento non dettero conto dei morti ammazzati fra gli avversari, ma si preoccuparono di non far sapere nemmeno chi fra i regolari ci avesse lasciato la pelle. Certamente non pochi, ma non è possibile ricostruire quanti "piemontesi" furono uccisi perché nell'esercito, in quegli anni, si ricorse alla formula generica di «deceduto per ragioni di servizio».

Da una parte e dall'altra, il grido di battaglia consisteva in: «Portateli vivi o morti; meglio se morti». Questa guerra senza fronte, senza regole e senza prigionieri si svolse secondo schemi ricorrenti. I briganti uscivano all'improvviso dai nascondigli e attaccavano i convogli. Come gli assalti alla diligenza nel Far West. Rapivano i possidenti per ottenere il riscatto e comprare armi. Oppure invadevano qualche paese e saccheggiavano le case dei possidenti considerati amici degli usurpatori. Per i soldati di guardia non c'era scampo e sul pennone del municipio tornava la bandiera gigliata di Francesco II. Poi festeggiavano con vino, arrosti allo spiedo, donne, musica e qualche tentativo di comizio a favore della controrivoluzione. Ma, subito, i soldati italiani arrivavano in forze, riprendevano la posizione perduta e riproponevano alla gente le stesse scene di vendetta per pareggiare i conti con i predecessori.

Imboscate, agguati, tradimenti, i primi "pentiti" a far da spie, cadaveri ammucchiati nei cortili. Vigliaccheria ed eroismo, duelli e massacri, violenza e crudeltà. I banditi con il vantaggio di conoscere i luoghi e con la possibilità di rifugiarsi oltre i confini dello Stato Pontificio che li proteggeva. I piemontesi con una migliore organizzazione e con retrovie che assicuravano rifornimenti rapidi.

Nessuna differenza nel modo di combattere. Insieme praticarono una violenza sfrenata, gareggiando in ferocia. Ma soltanto alla fine, quando i vincitori scrissero la loro storia, si seppe da quale parte stavano i buoni e da quale altra i cattivi. Come sempre.

Nel Meridione d'Italia i banditi persero e restarono banditi mentre la polizia segreta del Risorgimento ebbe la possibilità di mostrarsi onusta di gloria e meritevole di devozione. I partigiani del Borbone insieme a quelli che li aiutavano o che semplicemente non erano palesemente ostili, furono fatti a pezzi come non avrebbero osato nemmeno le truppe di occupazione più inumane. Li impiccarono e li lasciarono ciondolare per giorni dalla forca. Portarono in giro i cadaveri per paesi e contrade e obbligarono la gente a vedere con i propri occhi come venivano trattati i nemici dei Savoia. Alcuni furono inchiodati ai portali dei palazzi.

Conservarono la testa dei più conosciuti in cassette di metallo, una sorta di piccole gabbie, per poterla esibire come trofeo di vittoria. Con l'approvazione dei superiori. Minghetti teorizzò e ottenne: «Un salutare terrore». I vincitori nascosero tutto in fosse comuni nell'Abruzzo, in Campania e nelle Calabrie. Seppellirono la verità con i cadaveri. Infangarono la memoria dei morti attribuendo loro condotte infami che, il più delle volte, erano bugie inventate per il piacere dei vincitori. Costrinsero i vivi a spogliarsi di tutto per pagare il pedaggio dei nuovi padroni del vapore. Qualcuno fu costretto a rubare per tirare a campare in modo che potessero dargli la caccia come pericoloso brigante. I piemontesi si attribuirono meriti che non avevano, vantarono imprese mai accadute, testimoniarono il falso e obbligarono i loro amici a confermare le loro versioni. Fu una repressione largamente arbitraria alla quale pochi tentarono di porre rimedio. Il generale Mazé de la Roche, da Foggia, il 1° ottobre 1862, fu costretto a diramare una circolare per raccomandare «comportamenti corretti specialmente con l'infima classe». L'ufficiale aveva da lamentarsi perché «giacevano nelle carceri un gran numero di persone sul cui conto non si sapeva nulla tranne l'imputazione vaga di connivenza con il brigantaggio. Non di rado persone così arrestate dimostravano con evidenti prove di essere invece vittime dei briganti prima e poscia denunziate per private vendette». Occorreva qualche accertamento in più prima di ammanettare la gente. «In questo modo, infatti, oltre allo smacco col dovere rimettere in libertà questa gente, a meno di ostinarsi in un evidente diniego di giustizia, si fanno nuovi nemici al Governo. Meschina è la figura che fa l'autorità».

Nel 1868, quando la resistenza del Sud andava già declinando, il presidente del Consiglio, non a caso un generale, Luigi Menabrea, pensò che il problema di quei riottosi poteva essere risolto con un "bel" campo di concentramento. Non in Italia, troppo comodo! Lontano, molto lontano, in Patagonia, nel Sud dell'Argentina, con i ghiacciai dell'Antartico all'orizzonte e con una temperatura media di 12 gradi sotto zero. Là i ribelli, abituati a un clima che consentiva loro di camminare scalzi, avrebbero trovato il fatto loro.

Una lettera, indirizzata al plenipotenziario Enrico Della Croce di Loyola, datata 16 settembre 1868, firmata dal capo del governo, contiene, nella premessa, l'esigenza che si «deve porgere ogni cura per quanto si riferisce all'efficacia dei sistemi punitivi onde migliorare la condizione morale del nostro paese». Poi scende nel dettaglio: «Ella non ignora certamente in quali tristi condizioni versino alcune parti d'Italia ed Ella ben conosce come già più volte abbia dato opera a ricercare se, col mezzo degli stabilimenti penali in lontane contrade e colla deportazione dei rei, non raggiungerebbesi quel miglioramento che, nelle condizioni presenti, è pressoché impossibile ottenere col sistema in vigore della reclusione». Occorreva accrescere – di poco, s'intende – il «sano terrorismo» di Minghetti.

Dunque? «In tempi addietro – continua il messaggio – furono fatti studi per fondare uno stabilimento di simil natura nelle regioni bagnate dal Rio Negro che i geografi indicano come limite fra i territori argentini e le regioni deserte. Quel progetto, rimasto allo stadio di semplice studio preparatorio, potrebbe forse utilmente essere coltivato». Occorreva perciò sondare le disponibilità del governo della repubblica argentina per farsi vendere qualche chilometro quadrato di deserto antartico. Beninteso: «Le terre da noi eventualmente scelte sarebbero fra quelle totalmente disabitate e l'occupazione non avrebbe in vista lo stabilimento di una colonia».

Menabrea non lo scrisse ma non c'è altra lettura: doveva essere un campo di sterminio, a cinque mesi di navigazione da casa, senza gente intorno che ficcasse il naso nelle faccende altrui.

Per sbarazzarsi di quei cafoni, l'Italia voleva la sua Cayenna. La voleva l'Italia "nuova" delle libertà ritrovate e del progresso auspicato, quella di Silvio Pellico che fremeva di sdegno per qualche anno di galera allo Spielberg e quella di Cesare Beccaria che da morto, più che da vivo, convinceva un salotto dopo l'altro sulla necessità di una giustizia umana.

Se la Patagonia non diventò la terra della deportazione in massa di poveracci che avevano avuto il torto di tenere la testa alta e la schiena dritta, si deve esclusivamente a ragioni diplomatiche. La risposta, da Buenos Aires, di Enrico Della Croce di Loyola troncò sul nascere le aspettative del presidente del Consiglio Menabrea. Una volta tanto il timore di perdere un sia pur discutibile predominio territoriale su un angolo di deserto ghiacciato, sortì un effetto positivo. E il plenipotenziario argentino non dovette neanche impreziosire la volontà del suo governo; anzi fu inaspettatamente diretto.

«La repubblica argentina ha preteso in ogni tempo e tutt'ora pretende un assoluto diritto di neutralità sulle terre – tutte – al di qua e al di là dello stretto di Magellano. La sovranità argentina sulle zone indicate da Vostra Eccellenza è incontestabile essendo colà un luogo ove sorgeva l'antica missione di Carmen e un forte occupato dagli argentini». Frati e militari scapparono al Nord perché in quelle tundre flagellate dal vento del Polo Sud era impossibile resistere, ma i muri restavano là a testimoniare una presenza ufficiale. «Poca speranza mi rimane che ai disegni del Governo italiano possano essere favorevoli gli animi di questi Governanti, i quali, infatti, negarono la vendita, l'ospitalità, l'affitto, il comodato». Forse senza rendersene conto il Sud America evitò una vergogna maggiore.

Sicilia senza pace

In Sicilia, l'opposizione ai nuovi padroni fu egualmente risoluta e, a tratti, determinata ma – a esclusione dei giorni dell'insurrezione di Palermo del 1866 – non si sviluppò come movimento armato, endemico e diffuso, paragonabile al banditismo delle regioni meridionali della penisola. Perciò la repressione degli uomini del nuovo governo non ebbe il carattere dello stato d'assedio militare, ma si manifestò in maniera più subdola, attraverso intimidazioni e violenze personali.

Se quella fu guerra combattuta, questa fu guerra fredda. I borbonici di antica data, gli autonomisti insoddisfatti, i delusi dell'ultima ora, i rivendicazionisti, gli antipiemontesi, i mazziniani: ognuno per ragioni non omogenee fra loro e, qualche volta, persino in conflitto, non avevano dubbi che le loro condizioni erano peggiorate come se fossero caduti dalla padella nella brace.

I piemontesi si comportarono come dei conquistatori e non si curarono di nasconderlo. Parlavano il dialetto del Nord e non solo non si preoccuparono dei siciliani che si esprimevano con il loro, ma fecero anche pochi sforzi per usare l'italiano. Mandarono caporali con i galloni dei comandanti per mantenere l'ordine con il ferro e con il fuoco. Cercarono di cancellare usanze antiche per sostituirle con altre che non potevano essere comprese nel contesto di tradizioni così differenti. Le leggi vennero esportate da Torino a Palermo, senza il benché minimo sforzo per adattarle a condizioni diverse e, anzi, pretendendo che diventassero patrimonio di un popolo che non le conosceva.

Francesco Carrara, insigne docente di diritto, scrisse al collega Emanuele Rapisardi una lettera dai toni più stizziti che indignati. «Le leggi giudicate ottime in Europa vennero sostituite da quelle piemontesi che erano pessime perché venivano dalla provincia più arretrata nel giure. Dove esisteva minore libertà si ostentò di voler inaugurare la libertà altrui. In questo modo soprusi, servitù, angherie ed estorsioni diventarono elargizione generosissima».

Nel 1850, subito dopo l'esplosione rivoluzionaria del 1848, le carceri borboniche ospitavano 2.024 detenuti. Nel 1863, dopo la caduta della tirannide, in quelle stesse prigioni, con carcerieri piemontesi, erano rinchiuse 20.000 persone. A Torino tutto questo mondo inquieto fu classificato come «garibaldinismo». Temevano le idee del Generalissimo perché, propagandate in tempi di insurrezione armata, erano troppo riconducibili alla rivoluzione. I repubblicani cercavano di impossessarsi del mito delle camicie rosse per sostenere che occorreva superare la monarchia con un governo più vicino ai bisogni della gente. E, certo, finivano per ottenere un aiuto insperato proprio dal re e da chi lo rappresentava perché non erano in grado di conquistarsi una loro credibilità e di operare secondo modelli apprezzabili di efficienza.

Acquisita da pochi giorni l'annessione del Sud, il ministro Minghetti scrisse ai suoi uomini in Sicilia per disporre che venisse ripristinato l'ordine violato dallo «sgoverno» garibaldino. Cominciarono i regolamenti di conti. L'ostilità all'eroe dei due mondi – che, tuttavia, aveva portato in dote un regno senza chiedere contropartita – fu incentivata anche in comportamenti a tutta prima marginali.

Il marchese di Rudinì, destinato a diventare sindaco di Palermo, deputato al parlamento e ministro – ma, in quello scampolo di 1860, era ancora soltanto sovrintendente ai teatri – impegnò il responsabile degli spettacoli Pietro Cutrera a togliere da ogni recita tutto ciò che avesse qualche attinenza con Garibaldi. Gli errori di disattenzione, ancorché lievi, sarebbero stati puniti con durezza.

Vittorio Emanuele II, il 2 dicembre 1860, sceso a Palermo per proclamare l'ingresso dell'isola nell'Italia, ebbe occasione di concordare con il luogotenente Massimo Cordero di Montezemolo un'azione robusta per «purgare» la Sicilia dai sostenitori del disordine. Gli è che, nella concezione del re, per essere classificato «sostenitore del disordine» non occorrevano grandi prove di riottosità: bastava non dimostrarsi «in regolare assetto con il governo». La risposta fu assecondare qualche manifestazione di protesta o, addirittura, sobillare la folla direttamente in modo da rendere plausibile un intervento a pugno duro delle autorità che, giustificate dal clima di tensione, avrebbero potuto muoversi sbrigativamente per spazzare via tutti quelli che davano fastidio. Spie e provocatori di regime tentarono di infiltrarsi fra i gruppi di coloro che, per motivi diversi, mugugnavano di insoddisfazione.

Da questo contesto nacquero episodi – in qualche passaggio ancora da chiarire – dove, tuttavia, è troppo facile riconoscere la mano degli agenti segreti caserecci.

La sera del 1° ottobre 1862, un gruppo di tredici uomini, armati di coltello, quasi contemporaneamente e quasi con la stessa tecnica, pugnalarono altrettanti cittadini che stavano camminando per strada. A casaccio.

Probabilmente non era importante uccidere e, infatti, morì soltanto il gestore di un banco di lotto, Gioachino Sollima. Gli altri, con ferite anche gravi, se la cavarono. L'obiettivo degli agitatori doveva essere quello di provocare il panico fra la gente, farla sentire insicura anche in momenti del tutto tranquilli, creare l'esigenza di una forza di sicurezza determinata e capace. Così come sembravano sbucati dal nulla, i sicari cercarono di scomparirci, sfruttando lo smarrimento dei malcapitati e contando sulla rapidità dell'aggressione. Per dodici di loro in effetti non ci fu problema. Angelo D'Angelo, invece, ebbe la sfortuna di lanciarsi di corsa per la strada dietro Palazzo Resuttana, dove aveva colpito la sua vittima, proprio mentre tre ufficiali stavano uscendo da un locale. Sbatté loro addosso senza avere la possibilità di difendersi e venne trascinato in questura. Lui era un poveraccio che campava di lavori precari, facchino di mattina sulle banchine del porto e lustrascarpe di pomeriggio nelle zone del centro, confidente della polizia borbonica finché questa non andò via e disposto a qualche compromesso con quella piemontese da quando era arrivata.

Non ci provò nemmeno a fare il duro. Raccontò di essere stato avvicinato da un certo Gaetano Castelli il quale, una settimana prima, gli aveva proposto di far parte di una banda che, al momento convenuto, avrebbe dovuto accoltellare della gente. Ogni "lavoro" sarebbe stato compensato con 3 tarì, 2 lire, equivalenti a qualche centinaio di biglietti da mille d'oggi. Il mandante aveva precisato che si trattava di questioni «burbunische». Il processo, celebrato a tempo di record, finì con tre condanne a morte, otto ergastoli e vent'anni di carcere per D'Angelo che, confessando, poté beneficiare di uno sconto di pena.

La sentenza non fece giustizia perché non si riuscì a

identificare chi, davvero, aveva interesse a seminare il panico, con quali obiettivi e in vista di quali risultati. Gli attentati consentirono a questore, prefetto e comandanti delle piazze militari di chiedere «il disarmo generale di qualunque arma offensiva e insidiosa» con la precisazione che chiunque avesse disobbedito sarebbe stato spedito sotto il tagliere della ghigliottina. Il controllo poliziesco diventò, in questo modo, più occhiuto e più invadente. Come non sospettare che si sia trattato della prima strage di stato?

Le indagini della polizia giudiziaria portarono a un blitz fra il 12 e il 13 marzo 1863 con un centinaio di perquisizioni a domicilio e una cinquantina di mandati d'arresto. L'accusa sospettava che si stesse organizzando una vasta manovra sovversiva destinata a sradicare il sistema di governo esistente per dare vita, attraverso forme violente di lotta armata, a un diverso assetto politico. L'elenco dei presunti imputati era composto da un'eterogenea compagnia di scontenti che erano diversi in tutto, ma coltivavano come unico denominatore comune l'avversione dichiarata per gli uomini del Nord, scesi – secondo loro – a sfruttarli con il pretesto di governarli. Erano perciò tutti oppositori del regime che si era instaurato, ma i piemontesi non avevano prove e cercarono di costruirle a tavolino tentando di piegare la magistratura alla ragion di stato.

Nella lista nera dei ricercati risultava anche "don" Giovanni Corrao, il generale garibaldino che aveva convinto i siciliani importanti a sostenere la rivoluzione ma che, quasi subito, si era convinto di aver favorito una soluzione più che controproducente. Uno come lui disponeva di informatori più efficienti dei poliziotti e, con alcuni amici, riuscì a scappare prima di essere catturato.

Gli elementi su cui poggiava l'accusa erano rappresentati da alcune improbabili lettere anonime spedite alle autorità e la testimonianza spontanea di Orazio Matracia – primo "pentito" – che si era presentato alle autorità per comunicare circostanze, fare nomi, indicare indirizzi. Fu «L'Arlecchino oppositore», un foglio della sinistra indipendentista, a scoprire il gioco e a dimostrare che le carte delle autorità erano truccate. L'accusa si fondava sulle parole di «un sergente che fu espulso dalla truppe borboniche per opere infami e che, per altre gravi nefandezze, fu allontanato anche dall'esercito dei volontari garibaldini». Testimone attendibile? «Entra ed esce dal carcere». Anche se la cella aveva tutti i lussi del tempo: «Una stanza di riguardo, una paga di 5 lire al giorno, un lauto pranzo, carta, penna e calamaio e la visita del magistrato prima di ogni interrogatorio». Il giornale precisò i suoi dubbi. «Il 17 febbraio era appena uscito di prigione, per cui come faceva a collaborare alle indagini che si conclusero con la retata del 12 e 13 marzo?».

Probabilmente fu l'elemento decisivo di fronte al quale gli inquirenti non se la sentirono di insistere con un'imputazione ormai inconsistente. Matracia se ne andò da Palermo e venne visto da alcuni siciliani a bordo del postale che, da Napoli, navigava verso Genova. Senza manette, in prima classe, ben vestito. Poi salì su un'altra nave diretta in America. Le accuse svanirono e la magistratura palermitana cominciò a liberare gli imputati in carcere.

Il 2 maggio, "don" Corrao si presentò al magistrato e, pure lui, venne assolto perché le prove non erano sufficienti. Ma per un uomo d'onore come lui la questione non poteva finire con un timbro sulle carte bollate. Il questore Bolis doveva in qualche modo pagarla per aver architettato tutto quel castello di prove inventate.

Contro l'alto funzionario ci fu l'infamia delle pernacchie. In via Maqueda, dove abitava, squadre di centinaia di ragazzini, opportunamente istruiti, si esercitavano in rumori con la mano sulla bocca quando vedevano il questore, qualcuno della famiglia e persino gli inservienti di casa. Un tormento che cominciava all'alba, quando si aprivano le finestre della camera da letto, e continuava fino a notte fonda finché resisteva ancora una luce accesa. Un assedio di bande di maleducati.

Come reagire nei confronti di adolescenti? Il capo della polizia perse, insieme, la faccia e la credibilità: dapprima restò chiuso in casa e poi chiese di essere trasferito. Anche per "don" Giovanni, tuttavia, era giunto il tempo della resa dei conti. Troppo importante lui, e troppo carismatica la sua figura perché passassero inosservate le critiche che – senza mezze misure – rivolgeva al nuovo ordine. Era indicato come un nemico ormai irrecuperabile degli uomini di governo, contro i quali sarebbe stato disposto a tutto pur di vederli sconfitti in Sicilia e ricacciati a casa loro.

Tentarono di tappargli la bocca, la mattina del 6 giugno 1863, mentre usciva da casa. Tre banditi, armati di coltello, lo aggredirono ma furono costretti a fuggire. Corrao ne stese due a calci e il terzo fu colpito dall'uomo che gli faceva da scorta. Le spie che lo seguivano ovunque firmarono un rapporto per il ministero degli Interni e dettero conto del fatto avvenuto «a duecento canne di distanza dalle mura di Palermo». Occorreva dell'altro per chiudere la bocca a un omone con le spalle larghe e una forza proporzionata al fisico.

Il 3 agosto 1863, all'imbrunire, alcuni sicari lo aspettarono mentre in calesse stava percorrendo la strada che da Fondo San Ciro conduceva a Palermo. In prossimità di una mezza curva, ai Mulini, nel rione Brancaccio, due schioppettate gli maciullarono il petto e la testa. Erano in tre: uno aveva fatto il palo per segnalare il suo arrivo e gli altri due avevano sparato, stando da una parte e dall'altra della strada, in modo da colpirlo con un fuoco incrociato.

La morte di "don" Giovanni suscitò a Palermo un'ondata di commozione. La maggior parte delle botteghe restò chiusa in segno di lutto e i balconi della città furono listati di nero. La gente piangeva davvero e «Il Precursore» dette voce al dolore. «Operai, avete perduto vostro fratello! Montanari, avete perduto vostro padre! Perché veniva dalle viscere del popolo. Non udrete più la sua portentosa voce riscuoterci nel seno». Avevano ammazzato uno che stava dalla parte della città e che si impegnava per il suo riscatto sociale.

Venne costituito un comitato per organizzare nel modo più solenne le onoranze funebri e per farne parte si offrirono i capifamiglia più conosciuti.

La salma fu esposta quattro giorni, a cominciare dal 5 agosto, nel convento di Sant'Antonino. Decisero che il corteo funebre avrebbe avuto luogo l'8 e il funerale il 10. Furono naturalmente cerimonie imponenti alle quali parteciparono «le classi sociali più diverse». Gli ex ufficiali e i soldati garibaldini portarono la bara in spalla. Intorno le famiglie di rispetto. La polizia, nei verbali, stimò che la folla era di 50.000 persone. Altre fonti furono disposte ad accreditarne almeno 70.000. Garibaldi mandò alcune righe di cordoglio che furono pubblicate su «Il Precursore» ma vennero commentate con amarezza: «troppo poco» e «troppo tardi» per l'unico dei suoi generali che, fino alla fine, era rimasto fedele ai suoi principi.

Il questore Serafini – che aveva sostituito Bolis – accreditò subito l'ipotesi che il delitto fosse il risultato di una disputa fra proprietari confinanti per il controllo di una sorgente d'acqua. Una dozzina di persone fermate e interrogate in caserma, furono poi rilasciate perché non era dimostrabile un loro coinvolgimento. La polizia non riuscì ad andare oltre e il delitto rimase giudizialmente un caso irrisolto e impunito.

Le vere indagini le condussero gli amici di Corrao seguendo i canali degli uomini d'onore. Vennero subito ammazzati i due guardiani della tenuta dove avvenne l'agguato: uno il 14 e l'altro il 16 agosto. Per la polizia si trattò di una vendetta per questioni di donne, ma la gente sapeva che avevano pagato per le informazioni date ai killer.

Nella notte fra il 3 e il 4 settembre, a un mese dalla morte di Giovanni Corrao, uccisero Antonino Zappa, un ex milite a cavallo, diventato poi capoguardiano della fonte di San Ciro. Il questore, di nuovo, non seppe spiegarsi il delitto e chiuse le indagini in quarantotto ore, ma Palermo fu informata che Zappa era uno dei tre sicari, quello che aveva fatto da palo. Un contributo decisivo per scoprire qualche piccolo particolare attorno a quel delitto lo dette Carlo Trasselli, uno degli uomini più vicini a "don" Giovanni Corrao, colonnello di Garibaldi ai tempi della spedizione delle camicie rosse. Avviò una sua personale indagine che lo portò a perlustrare con attenzione il luogo dell'agguato. Si accorse che, nei pressi, c'era la casa di una donna anziana con la quale riuscì a entrare in amicizia e a strapparle la confidenza che, prima dell'attentato, aveva visto due carabinieri in perlustrazione nella zona. Il giorno della morte di Corrao erano vestiti da cacciatori, ma lei li aveva ugualmente riconosciuti. Un altro delitto di stato?

Trasselli si rivolse alla magistratura firmando un esposto circostanziato con tutte le informazioni che era riuscito a recuperare. Ma se, davvero, erano coinvolti i servizi segreti, una scheggia di verità poteva bastare per aprire il fascicolo di un processo?

La vecchietta cambiò residenza e davanti al giudice negò ogni particolare. Trasselli fu costretto ad ammettere di aver informato le autorità sulla base di alcuni "si dice". Non ebbe difficoltà a prendere atto che le indagini avevano spazzato via i suoi sospetti.

Tanta arrendevolezza non piacque agli amici degli amici. Anche perché nel frattempo si stava dimostrando troppo disponibile con i piemontesi. Aveva accettato l'incarico di vice-comandante della Guardia Nazionale e, con quell'incarico, il 21 luglio 1865, era riuscito a fare arrestare Beppe Badìa. Trasselli si era dimenticato dei progetti studiati di nascosto, delle sofferenze patite insieme a Corrao, della patria che avevano in comune.

Il 25 settembre 1865 un "picciotto", Salvatore Anelli, tentò di ammazzarlo a coltellate sotto casa ma riuscì soltanto a ferirlo. Non sbagliò, due anni dopo, Vincenzo Grimaldi. Trasselli aveva abbandonato Palermo perché comprendeva che l'aria per lui era brutta e si era trasferito a Genova ma, ogni tanto, specialmente d'estate, tornava per qualche giorno. Stava attraversando una via del centro in carrozza quando un omone salì in corsa sulla vettura, lo afferrò per il bavero con una mano e con l'altra lo sgozzò. L'assassino si lasciò arrestare e apparve calmo. Come se non fosse successo nulla. Come se avesse eseguito un ordine d'onore.

Nel 1866 il tempo della sopportazione era scaduto. I "picciotti" tornarono sulle colline intorno a Palermo, accesero i fuochi come al tempo dell'impresa di Garibaldi e vegliarono negli accampamenti in attesa dell'ordine di intervenire. Le tasse che aumentarono di numero e di peso, la leva militare diventata obbligatoria, il nuovo corso forzoso dei biglietti di banca che fece perdere potere d'acquisto al denaro, l'arroganza dei militari che la facevano da padroni, il progetto di esproprio dei beni ecclesiali furono i detonatori che fecero esplodere la rabbia dei siciliani.

La gente non ne poteva più e si ribellò.

Nacque clandestinamente un "comitato rivoluzionario segreto" composto da una ventina di persone. A presiederlo non fu possibile nominare Beppe Badìa, anima e ispiratore di quel movimento, perché lo avevano sbattuto in carcere con l'accusa di essere un cospiratore. Al suo posto venne indicato un uomo "suo" (e di Corrao, quand'era in vita), Lorenzo Minneci, repubblicano, destinato a diventare socialista. Il segretario fu l'ingegner Francesco Bonafede che di professione era un topografo agricolo e che, per ideologia, si richiamava ai principi di solidarietà della sinistra repubblicana, pure lui futuro socialista. Salvatore Nobile, anch'egli legato al giro di Badìa e Corrao, si preoccupò dell'organizzazione militare, utilizzando le squadre che avevano già partecipato alla cacciata dei Borboni. Ritornarono perciò Turi Miceli, Michele Olivieri, Francesco Buscemi, Mariano Gianì con le loro famiglie "di rispetto". C'erano anche due preti (padre Placido Spadaro e don Salvatore Palazzolo), un monsignore (Gaetano Bellavia) e il capo del movimento borbonico di Palermo (Giuseppe Carnemolla). Fu una rivolta di popolo. Ognuno dette il proprio contributo partecipando personalmente ai tumulti, aiutando i rivoltosi e, comunque, simpatizzando con loro. Dall'altra parte rimasero i piemontesi e gli uomini dell'aristocrazia legati alla mafia più alta, che finsero di stare con la rivoluzione ma senza aiutarla troppo, in modo da tenere il piede in due scarpe e vantare meriti comunque fosse finita. Per la verità, dall'alleanza con il potere di governo ritenevano di poter trarre maggiori vantaggi.

Il tempo dell'insurrezione venne dato da un volantino: «Destatevi». Il popolo, che aveva fatto le barricate nel 1860, doveva tornare in piazza per opporsi anche ai nuovi tiranni. «Non potete, in eterno, tracannare il calice colmo del disonore e della vergogna d'Italia».

Il 16 settembre 1866, ai primi bagliori dell'alba, cominciarono a crescere le barricate che tagliavano a mezzo le strade più importanti. Ne vennero costruite 270. Alle 6 il teatro dello scontro era pronto e i "picciotti", tutti armati al meglio, poterono fare irruzione in città. Occuparono un gran numero di punti strategici, rifornendosi di armi, vestiti, munizioni e polvere da sparo. I piemontesi furono colti di sorpresa ma riuscirono ad asserragliarsi a Palazzo Reale, in Municipio, nell'Arcivescovado e in un paio di caserme che avevano potuto difendere.

I rivoltosi non riuscirono a sfondare le difese del carcere dell'Ucciardone dove 2.000 detenuti attendevano di essere liberati per unirsi alla rivolta. A guidare l'assalto alla fortezza c'era Turi Miceli, il mafioso che spianò la strada a Garibaldi, preso poi di mira dai magistrati che lo volevano punire con il confino. Fino a dieci giorni prima, il 3 settembre, era rinchiuso in una di quelle celle e aveva promesso ai compagni che sarebbe ritornato in fretta per abbattere le porte e sradicare le inferriate. Non fu possibile.

Il direttore Carlo Venturi riuscì a prevenire l'attacco difendendo il portone principale e due torrioni che potevano essere scavalcati dagli insorti. Il giorno dopo, poi, attraccò in porto la pirofregata *Tancredi* che, dal mare, sparò cannonate contro gli assedianti. Morirono Turi Miceli dilaniato da una bomba e il suo vice "don" Mariano Gianì. Le squadre, senza comando, si ritirarono. I combattimenti, in città, furono violenti.

Per tre giorni i "picciotti" tennero il campo con autorità respingendo i tentativi dei piemontesi di rompere l'assedio. Costrinsero alla fuga un drappello comandato dal marchese Antonio di Rudinì, il sovrintendente diventato nel frattempo sindaco filosabaudo di Palermo, che tentò una sortita, fasciato da una sciarpa tricolore, con cameriere in livrea al seguito che, cerimoniosamente, gli porgeva un cesto con le pallottole. Nobiltà in prima linea.

Gli insorti decimarono un drappello di bersaglieri comandato dal capitano Giuseppe Cavigliotti; inseguirono una colonna di 300 soldati agli ordini del maggiore Giulio Fiastri infliggendo loro perdite rilevanti. Lo stesso Fiastri, ferito a una gamba, riuscì a organizzare la ritirata, ma morì dopo alcuni giorni, ucciso dalla cancrena insorta a causa delle ferite non curate a dovere. Una compagnia di granatieri che stava tornando da Partinico fu circondata e massacrata. Caddero in combattimento il capitano Ottavio Oldani e il suo vice, il sottotenente Francisci. E un altro battaglione di bersaglieri, arrivato in tutta fretta da Messina per dare man forte, fu accolto da una grandinata di schioppetate e dovette rimanere rintanato fra due palazzi che assicuravano un riparo naturale di fortuna.

Gli uomini dell'insurrezione tentarono di concretizzare i risultati con la costituzione di un "comitato provvisorio di governo". Chiamarono alcuni esponenti dell'aristocrazia dell'isola, nell'illusione che, coinvolti in prima persona, avrebbero dato un contributo positivo. Furono prescelti il principe Placido Bonanno di Linguaglossa e il principe di San Vincenzo, il marchese di Torrearsa e quello di San Giacinto, il barone Riso e quello di Sutera. Il proclama che venne firmato e diffuso sembrò un esercizio di retorica ipocrita. «Concittadini, in questi momenti è mestiere che il paese pensi alla sua tutela. Restate compatti ai vostri quartieri. Il paese è salvo». In realtà la rivolta era agli sgoccioli.

Mercoledì 19 settembre 1866 attraccarono in porto sei fregate e due navi da guerra che scaricarono soldati sulla banchina: 6.000 uomini, al comando dell'ammiraglio Ribotty e del capitano Acton. Per qualche ora non riuscirono a muoversi, inchiodati dal fuoco incrociato dei siciliani, poi, dietro una batteria di cannoni scaricati dalle navi, si aprirono un varco per entrare in città unendo le loro forze con quelle degli altri soldati assediati. I piemontesi si riorganizzarono e gli scontri presero subito un'altra piega. La controffensiva venne affidata al generale Angeletti che, con metodo, preparò la riscossa. Gli insorti ottennero ancora qualche successo annientando il battaglione del capitano Brunetta ma, ormai, la partita era perduta: meglio tentare di evitare danni peggiori. I "picciotti" furono invitati a riprendere «quatti-quatti» la strada di casa e a «nascondere le armi per la prossima volta». I rivoltosi degli altri paesi dovevano ritornare alle loro case. Soltanto i più compromessi che non potevano minimizzare la loro partecipazione e che sarebbero stati affidati al boia scelsero la latitanza, infilandosi nelle gole delle montagne dove l'esercito dei Savoia non era in grado di raggiungerli.

Sabato 22 settembre, un quarto d'ora dopo mezzogiorno, venne fatta a pezzi l'ultima barricata rimasta in corso Pisani.

Il generale Cadorna si insediò a Palazzo Reale con i poteri straordinari del «Regio Commissario». I primi atti formali furono la sostituzione di tutte le autorità governative in carica durante la rivolta, colpevoli, secondo lui, di non aver compreso per tempo il pericolo che incombeva sulla città. Poi proclamò lo stato d'assedio. La polizia aveva mano libera di fucilare tutti coloro che venissero sorpresi armati. Era incoraggiata la delazione con il riconoscimento di 2.000 lire per ogni capobanda e 100 lire per ciascun brigante «assicurato alla giustizia». Un piccolo tesoro: se 100 lire di allora equivalgono a 2-3 milioni di lire attuali e, dunque, 2.000 lire, di milioni ne varrebbero fra i 40 e i 60.

I siciliani individuarono un nuovo commercio per mettere da parte del denaro e, contemporaneamente, regolare questioni antiche di antipatia e di interessi rimasti in sospeso.

Il deputato Giuseppe Ricciardi si sentì obbligato a mettere in guardia i colleghi del parlamento. «I comitati di vigilanza – avvertì – sono composti da delatori che mirano a soddisfare le private vendette. Uno che non può pagare la pigione denunzia il suo proprietario e un drudo il marito incomodo».

Insieme ai patrioti delusi dalla piega che aveva preso quell'Italia, si trovarono in prigione creditori poco accorti, colpevoli di non aver scelto con attenzione i clienti, e mariti cornuti responsabili di aver sposato mogli troppo corteggiate.

Militari e magistrati, almeno all'inizio, poco si curarono di verificare le accuse, convinti che un po' di giustizia sommaria avrebbe riparato alcuni torti commessi dagli insorti e levato a quelle teste calde la voglia di riprovarci. Le retate della polizia portavano a pochi arresti perché la maggior parte dei fermati veniva ammazzata sul posto; di botte o con un rivoltellata in fronte. Le fucilazioni di massa furono numerose. Gli storici locali ricordarono quella del 23 settembre nella caserma San Giacomo che significò 300 morti in una sola volta. Poi quelle nei cimiteri di Sant'Orsola, dei Rotoli e dei Cappuccini.

Il professor Tommaso Crudeli, dell'ala moderata e futuro deputato in parlamento, sollecitò: «L'esecuzione in massa degli arrestati per sbarazzare la società da individui infami». Qualcuno lo prese in parola.

Una lettera del capitano dei granatieri Antonio Cattaneo rivela quanto quella rappresaglia venisse tollerata e, forse, incoraggiata. «Posso assicurarvi che qualche vendetta la facemmo anche noi, fucilando quanti ci capitavano a tiro. Anzi, il giorno 23, condotti fuori porta 80 arrestati colle armi alla mano giorni prima, si posero in un fosso e ci si fece tanto fuoco addosso finché bastò per ucciderli tutti. In una chiesa, entrato un ufficiale, visti due frati che suonavano a stormo, li fucilò con le corde in pugno. Davanti alla Vicarìa uno speziale rifiutò di fare qualche cosa a un ferito e fu fucilato sulla stessa porta. Lo stesso giorno, essendo stato fatto prigioniero un mascalzone che per cinque giorni mi aveva tenuto sveglio urlando "attenta sentinella", tradotto alle carceri, io volevo fucilarlo. Ma poiché era in mano al potere giudiziario, mi accontentai di strappare una carabina a un guardiano e messo l'assassino tra me e il capo guardiano, ci demmo tante calciate di fucile nei fianchi, tanti pugni e tanti schiaffi che fu forza portarlo a braccia in prigione».

Per i processi il procuratore del re, Interdonato, raramente accettò degli avvocati difensori indicati dagli imputati perché preferiva fidarsi di quelli che sceglieva lui. Però ammetteva una sorta di interprete in modo che le dichiarazioni dei siciliani potessero essere comprese dal collegio giudicante che, altrimenti, non avrebbe potuto capire una parola.

Venne dato lo sfratto a 200 enti ecclesiastici per poterne vendere i beni a privati con vantaggio per il fisco. Furono sciolte 1.027 corporazioni religiose; 47 frati di Palermo furono costretti al domicilio coatto mentre un centinaio d'altri religiosi furono inviati al soggiorno obbligato al Nord. E siccome lo slogan della rivolta era «Repubblica e santa Rosalia», d'autorità venne sospesa la processione e la liturgia che riguardava la patrona della città.

Quante le vittime? Decine di migliaia. Tuttavia non è possibile un censimento meno approssimativo perché il numero dei morti ammazzati finì nell'elenco dei morti di colera. Sulle navi che giunsero a Palermo da Napoli per portare soccorsi militari c'erano due marinai già malati, ma la fretta di intervenire per soffocare la rivolta fece trascurare le normali regole di prudenza. In pochi giorni l'infezione si propagò per la Sicilia e per le poche possibilità che esistevano di curarla efficacemente, provocò un'altra strage. Vennero contagiate 55.000 persone.

Quanto la repressione fosse stata dura lo dimostra l'intervento che il procuratore del re, Giuseppe Borsani, in carica dal 26 ottobre 1866, pronunciò il 2 gennaio dell'anno successivo, in occasione dell'inaugurazione dell'anno giudiziario. Era stato nominato da pochi giorni in sostituzione di Interdonato, morto improvvisamente, e lamentò atteggiamenti troppo disinvolti proprio da parte di chi avrebbe dovuto comportarsi in modo più rigoroso. «La principale molestia – sostenne con calma –, quello che non è tollerato, è la giurisdizione militare, una giustizia anche giusta ma senza forme né guarentigie». Invece di punire senza ritegno i rivoltosi – è il senso del discorso di Borsani – non era meglio comprendere quali ingiustizie li avevano esasperati? «In Sicilia – rilevò – le rivoluzioni hanno sempre avuto una motivazione e un carattere di chiara protesta sociale». E concluse affermando che non gli pareva giusto che, a Palermo, venissero arrestate migliaia di persone «senza che, né prima né dopo, vi fosse la possibilità di condurre una serena attività istruttoria».

Fra le vittime non vi fu nessuno del "comitato provvisorio di governo", nobili blasonati, emergenti e ricchi, a dimostrazione che quel mondo contiguo alla mafia altolocata stava dalla parte dei padroni. Principi e marchesi vennero accompagnati nella caserma Tre Re e rilasciati in poche ore, con la sola incombenza di firmare una dichiarazione con la quale confessavano di aver accettato l'incarico «costretti dalla forza della plebaglia».

Lo stato d'assedio continuò formalmente fino al 27 novembre anche se, in pratica, durò fino al 31 gennaio 1867 quando fu promulgata l'amnistia. Solo quattro cittadini siciliani chiesero e ottennero di essere perdonati. Gli altri o erano già stati ammazzati o non volevano aver niente a che fare con lo stato del Nord.

La rivolta di Palermo passò alla storia come quella del «sette e mezzo» perché tanti erano stati i giorni sulle barricate. Gli europei furono informati con relativa tempestività dai giornali spagnoli, inglesi e francesi. «Le Moniteur» sostenne che si era trattato di una rivolta repubblicana che aveva utilizzato alcune bande di fuorilegge. «The Times» aveva confermato che era scoppiata una protesta con chiare radici sociali, alimentata dall'indifferenza del potere per i bisogni della gente. E «Le journal des débats» si spingeva a ragionare anche sul "dopo" evidenziando che quello sarebbe stato il vero banco di prova per il governo: solo curando le piaghe e assicurando la tranquillità sarebbero stati scongiurati altri atti di ribellione.

Gli italiani, invece, seppero qualche cosa per sentito dire. I giornali nascosero l'argomento in poche righe a fondo pagina. La tesi più diffusa fu quella di un moto anarchico, sostenuto, con diversa intensità e impegno, dai banditi, dagli agenti borbonici e dalla Chiesa.

La prima notizia venne pubblicata la mattina del 18 settembre da «La Gazzetta del Popolo» di Torino che assicurava una linea editoriale filogaribaldina, quindi discosta dagli interessi del governo. «La necessità di sguarnire le truppe di Sicilia per i servigi di guerra fece salire la burbanza dei malfattori che infestano la provincia di Palermo. Ingrossati da quasi 2.000 renitenti alla leva vennero in collisione con le forze armate».

Non ci fu né la percezione della gravità della rivolta né lo sforzo per comprenderne il significato. «Non si dubita che verrà presto ristabilito l'ordine». Una conclusione tranquillizzante. Il quotidiano, in quei giorni, si stava occupando della necessità di tagliare i fondi destinati agli orfanotrofi. Ad Ancona stava per iniziare il processo contro l'ammiraglio Persano considerato il responsabile del disastro della Marina a Lissa (la battaglia combattuta il 20 luglio 1866 tra la flotta italiana dell'Adriatico e quella austriaca). E poi c'erano le tasse della Finanziaria che, già allora, raschiava il barile. «La Gazzetta del Popolo» tornò a occuparsi di Palermo due giorni dopo, il 20 settembre. Questa volta l'articolo ebbe l'evidenza della prima pagina e il titolo principale. I giornalisti si resero conto della gravità della situazione e ne diedero conto con una prosa venata di inquietudine. Ma rivolsero la loro attenzione più all'inefficienza delle autorità, alla loro disorganizzazione e alla loro inadeguatezza. «Arrivano notizie dalla flotta inglese che deve essere più informata del governo di Firenze. Noi non abbiamo saputo prevedere 80.000 austriaci a Custoza e ci facciamo invadere da malandrini una città di 200.000 abitanti. Oh, siamo davvero edificanti!». Commenti acidi. «Le notizie sono scarse: è perciò vasto il campo dell'immaginazione». Si riferì con un prudente "si dice" che 1.400 uomini filogovernativi erano asserragliati a Palazzo Reale e che Palermo era stata abbandonata ai furfanti. Ancora: «La cifra di 30.000 uomini che il governo manda in Sicilia indica la gravità del problema». La rivolta venne presentata come l'assalto «di quattro o cinque congreghe di ladroni», ispirate dal desiderio di saccheggiare i ricchi «ma del tutto estranee a ideologie politiche». Esagerarono raccontando episodi di cannibalismo mai avvenuti. Il giorno dopo un passaggio più riflessivo. «Alcuni racconti di patrioti da laggiù assicurano che parte dei fatti si può spiegare con la reazione borbonica e il malandrinaggio, ma è anche vero che il concetto direttivo sembra essere quello dell'autonomia. La carcerazione e i processi consentirono di dominare col terrore ma non tolsero la cagione del male. Occorrerà provvedere a soddisfare i bisogni di quel paese togliendo le ragioni del disgusto. La reazione, la fame, il mal governo sono motivi di disordine». Nello stesso giornale, la rapina al banco del lotto; la protesta del signor S.T. che si lamentava dei ritardi della posta.

Palermo era lontana. «La Gazzetta del Popolo» accettò di lasciarsi trascinare in sciocche polemiche fra chi accusava di inettitudine gli ufficiali di stanza a Palermo e chi li difendeva vantando la loro perspicacia. I giornalisti scagionarono il prefetto Torelli, ex garibaldino che, secondo loro, aveva tante responsabilità ma, comunque, meno di quelle del procuratore del re. Poi si dimenticarono dell'articolo perché, subito dopo, lo sbeffeggiarono come persona del tutto inadeguata al ruolo che aveva ricoperto. Il giornale riprese la sua polemica con il governo. «L'Inghilterra è un paese che tiene in sommo conto la libertà di stampa e autorizza i giornalisti a seguire le truppe fin sul fronte di battaglia. Così i resoconti sono tempestivi e testimoniati. La Francia, questa libertà, non la conosce ma immediatamente manda dispacci particolareggiati in modo da far giungere tempestiva informazione. Da noi tanta sollecitudine è un'incognita». Qualche esempio? «Fummo sconfitti a Sommacampagna nel 1848 e, in quel momento, poco sapevamo delle precedenti vittorie. Il corpo del generale Passalacqua, caduto a Novara nel 1849, era già a Torino da due giorni quando nulla era ancora trapelato. Di Custoza abbiamo saputo dagli austriaci! Quando a noi arrivano dispacci da fonti italiane o sono erronei o sono inesplicabili. Per Palermo le poche bande sono migliaia di cittadini. La cacciata dei ribelli doveva essere una passeggiata e invece comincia a sapersi di battaglie furiose. Non è troppo che si conoscano fatti della lontana Candia e non quelli di Sicilia?». Ma poi il giornale, anticlericale e massone, preferì prendersela con quelle anime nere dei preti, accusandoli di essere gli organizzatori della rivolta. Le notizie dal capoluogo siciliano si ridussero in spazi sempre più piccoli fino a diventare qualche riga di precisazione. Era più importante la cura radicale antivenerea del dottor Tenca che offriva uno sciroppo antisifilide a 5 lire; o l'Acqua Nazionale che tingeva "all'istante" di nero barbe e capelli: 4 lire con tutto l'occorrente.

Palermo era lontana: la città occupata militarmente, schiacciata dal coprifuoco, intimorita dai tribunali speciali e aggredita dal colera era povera, affamata, scontenta e distante 1.500 chilometri. Troppi per preoccuparsene. D'altra parte, il quotidiano di casa «Il Giornale di Sicilia» sostenne le tesi più beceramente filopiemontesi. E, su proposta dell'editore Ardizzone e dell'inglese Whitaker, arrivò a indire una colletta per i soldati morti e le loro famiglie. Raccolsero 10.750 lire.

Ferrovie: un affare milionario

Mentre i militari attuavano l'occupazione dell'Italia meridionale aprendosi un varco a cannonate, i finanzieri d'assalto la depredavano svuotandone le casseforti. Generali e uomini d'arme mantennero l'ordine a modo loro, mentre gli industriali trasferirono le aziende dal Sud al Nord, arricchendosi con il lavoro degli altri e attuando un flusso di capitali che giustificarono come la conseguenza di leggi del mercato. D'altra parte Vittorio Emanuele II, parlando con il plenipotenziario inglese Augustus Paget, non usò mezze misure. «Ci sono due modi per governare gli italiani: con le baionette o con la corruzione». Fece usare le une e l'altra con spregiudicata brutalità.

I più furbi aprirono un conto in banca, depositando le nuove lire del regno e cominciarono a trafficare per incrementare quel patrimonio e moltiplicarne gli utili. La nuova classe dirigente non era stata educata agli scrupoli della coscienza e si affannò a saccheggiare le risorse statali per costruire più speditamente le proprie fortune. Era nata l'Italia: una monarchia, poco democratica, fondata sulla tangente.

Quali le prime grandi truffe? La risposta contiene qualche margine di incertezza poiché la corruzione – allora, come adesso – non veniva certificata con documenti in carta da bollo. Tuttavia, accettando qualche margine di approssimazione, è possibile sostenere che, quasi contemporaneamente, vennero coinvolti Giuseppe Garibaldi, Giuseppe Mazzini e Francesco Crispi. Una mazzetta milionaria per ottenere gli appalti di costruzione delle ferrovie del Sud.

Il nuovo paese, così stiracchiato in uno stivale di 1.500 chilometri, aveva necessità urgentissime di collegamenti agili che, all'epoca, potevano essere assicurati soltanto dal treno. I commentatori storici dedicarono al problema poche riflessioni. E quelle poche furono utilizzate, soprattutto, per sbeffeggiare il governo dei Borboni i quali, certo, nel 1839, avevano inaugurato l'era della locomotiva, ma l'avevano considerata una specie di gioco della famiglia reale per la quale il divertimento più eccitante consisteva nello scorrazzare sulle rotaie fra Napoli e Portici. Cavour, al contrario, lungimirante come sempre, nel decennio di preparazione, aveva investito una percentuale consistente del bilancio statale per dotare il Piemonte di una moderna rete ferroviaria utile, in particolare, per il trasporto delle merci. Da una parte, i fannulloni aristocratici del Sud, attratti dalle novità della tecnologia come lo sarebbero stati dei ragazzini al Luna Park e, dall'altra, gli efficienti industriali del Nord, capaci di intuire le evoluzioni del mercato e di organizzarsi per tempo.

In realtà, i treni del settentrione d'Italia correvano soprattutto per iniziativa dei governi austriaci mentre il Sud aveva da tempo progettato una rete ferroviaria su due direttrici: una dorsale, partendo da Brindisi, sarebbe arrivata a Pescara per spingersi verso Ancona e Bologna; l'altra, dalla Calabria, avrebbe dovuto raggiungere Roma per poi proseguire sulla costa occidentale italiana verso Firenze, Genova, Torino. Alcuni tratti erano già stati realizati e alcune città erano già collegate fra loro: Torre del Greco, Castellammare di Stabia, Capua, Sparanise. Si arrivava a Salerno e a Caserta. Tuttavia, procedendo con quel ritmo, ci sarebbe voluto troppo tempo. Per questo i Borboni lanciarono un bando internazionale per assicurarsi un risultato rapido.

Prima dell'invasione dei garibaldini, gli appalti erano stati assegnati a una famiglia di banchieri francesi, i Talabot, i quali avevano trasmesso i piani definitivi d'intervento e, quindi, avevano comunicato di essere nelle condizioni di avviare i lavori. La guerra impedì che si entrasse nella fase esecutiva e, in un secondo momento, quel giro d'affari gigantesco solleticò gli appetiti dei nuovi padroni.

Pietro Augusto Adami, toscano, banchiere anch'egli, fu lesto a chiedere udienza al generale Garibaldi: vantò i finanziamenti che aveva assicurato all'impresa dei Mille e con quel titolo di credito s'accaparrò l'incarico di costruire le strade ferrate del Meridione. Come negare un favore a quel patriota disinteressato?

Contemporaneamente, Adriano Lemmi coltivava analoghi interessi, ma pensava di raggiungere l'obiettivo desiderato passando attraverso la raccomandazione di Francesco Crispi, egualmente potente ed egualmente amico. Dovette fare la consueta anticamera davanti alla porta del suo ufficio ma, quando riuscì a incontrarlo a quattr'occhi, non ebbe tentennamenti né reticenze. Il nuovo governo provvisorio doveva affidare a lui il piano di sviluppo dei treni nel Sud. Neppure ad Adriano Lemmi mancavano gli argomenti per convincere gli amici. Intanto, qualche anno prima, aveva appoggiato economicamente la sfortunata spedizione di Carlo Pisacane. E poi aveva in tasca una lettera di accredito che, da sola, valeva un tesoro. Giuseppe Mazzini, l'asceta incorruttibile, tutto casa, massoneria e Giovine Italia, gli aveva affidato un messaggio da recapitare a

Francesco Crispi. Poche righe vergate a mano con una calligrafia leggermente spigolosa. Il contenuto, letto con il senno di poi, appare assai compromettente e, tuttavia, a Mazzini va riconosciuto il pregio di non nascondersi dietro gli equivoci. «Fratello – scrisse, infatti, l'apostolo del tricolore –, il portatore della presente, Adriano Lemmi, è nostro buonissimo amico da vent'anni e fece sacrifici considerevoli per la Causa». Causa con la "C" maiuscola come per nobilitare con un fine ideale e di rilievo la volgarità che doveva patrocinare. «Ei viene a trattare cosa importante concernente la concessione fatta di recente all'Adami per le vie ferrate. Uditelo, vi prego: spiegherà, egli, ogni cosa. Io soltanto vi dico che dove altri farebbe suo pro d'ogni frutto d'impresa, egli mira a fondare la Cassa del partito e non la sua». Cassa con la "C" maiuscola per conferire dignità al finanziamento illecito dei movimenti politici che cominciò a essere tollerato da allora. Come ignorare i richiami dell'apostolo del «Pensiero e azione»?

In poche ore Garibaldi e Crispi si incontrarono e decisero con la rapidità di generali in assetto di guerra. Non si conoscono i dettagli della discussione né l'ardore con cui patrocinarono le rispettive clientele. Il risultato, però, fu equo: metà per Adami e metà per Lemmi. D'altra parte i due erano anche cognati e, in passato, non avevano avuto problemi in analoghi accordi societari. La tangente – una parte almeno – fu anticipata e dovette servire per finanziare il giornale di Napoli «Il popolo d'Italia» che si segnalò come un foglio repubblicano ma senza toni esasperati e, qualche volta, addirittura, moderato.

Il progetto per le nuove ferrovie comportava un impegno economico di tutto rispetto. Era necessario tracciare un reticolato di 6.000 chilometri di rotaie; c'erano da sborsare 210.000 lire per l'acquisto dei terreni, la sistemazione della base stradale e gli impianti fissi mentre altre 30.000 lire sarebbero state spese per il materiale mobile, le stazioni e i caselli. In tutto – lira più, lira meno – un miliardo e mezzo, valuta anno 1861. Ma per realizzare l'impresa occorrevano cantieri e strutture industriali che i due banchieri, in società, non possedevano e che non riuscirono a procurarsi. L'accoppiata toscana, alla fine, fu costretta a rinunciare all'incarico. La nuova Italia consumò qualche milione in consulenze e sopralluoghi, anticipi e preventivi, analisi geologiche e rilievi topografici ma non si arricchì nemmeno di un metro di strada ferrata. Che fare? Il governo, utilizzando la diplomazia delle scuse postume e il viatico di mille promesse anche allettanti, tentò di recuperare i banchieri Talabot che però non accettarono di rientrare nel gioco.

La soluzione sembrò a portata di mano quando, nella primavera 1862, i responsabili dei Lavori Pubblici ricevettero un'offerta per le concessioni delle ferrovie del Sud. Quei lavori interessavano a James Rothschild, uno degli uomini più ricchi del mondo, in quanto rampollo di famiglie che, da generazioni, faceva parte dell'alta società al di qua e al di là degli Oceani. La proposta fu accettata. E poi il troppo tempo perso precedentemente impediva di perderne dell'altro. Il 15 giugno, con celerità inconsueta, il Consiglio dei ministri esaminò la proposta e subito dopo, indiscrezioni ufficiose, anche se legittimate dall'autorevolezza delle fonti, assicurarono che la decisione era stata favorevole all'attribuzione dell'incarico. Certo, occorreva l'approvazione del parlamento, ma non c'erano ragioni per ritenere che i deputati avessero opinioni in contrasto con quelle governative. Invece, quell'ipotesi di appalto non solo non fu approvata ma non venne nemmeno presentata per la discussione: accantonata con la stessa rapidità con cui era stata accettata. L'affare lasciava intravvedere possibilità di guadagni eccezionali. Perché accettare che venissero gestiti da un finanziere straniero? Perché non approfittarne?

L'imprenditore Pietro Bastogi, in una manciata di giorni, riuscì a costituire una società che potesse proporsi per realizzare i lavori nel Meridione. Venne depositato un capitale di 100 milioni e a sottoscriverlo furono tutti italiani. Quanto ai progetti, si pensò di procedere con il sistema del subappalto da dividere in tre gruppi: il Credito Mobiliare, i signori Brassey e un manipolo di imprenditori lombardi. Bastogi avrebbe incassato dallo stato le 210.000 lire previste dai capitolati d'appalto ma ne avrebbe pagate soltanto 198 alle imprese impegnate nei lavori. L'utile sarebbe stato diviso in due parti: metà a Bastogi e l'altra metà, divisa in quinti, ai subappaltatori e altre persone che gravitavano attorno a questo intreccio di imprese e di interessi. In fondo un'idea da nulla; ma chi la inventò fu in grado di speculare sui guadagni e, soprattutto, convogliarne una buona fetta nelle casse di quanti svolgevano un'opera del tutto parassitaria di mediazione.

I Bastogi, una famiglia di commercianti di Civitavecchia, trapiantati da tempo a Livorno e iscritti d'ufficio nell'albo d'oro della nobiltà, erano quelli che, senza dover rischiare nulla, avrebbero ottenuto i maggiori vantaggi. D'altra parte, anche in passato proprio l'opportunismo aveva consentito loro di accumulare ricchezze, facendoli traghettare – indenni – fra i ribaltoni della politica. Un esempio soltanto. Al momento della costituzione dello stato italiano, proprio a Pietro Bastogi venne affidato il dicastero delle Finanze. Svolgendo quell'incarico dovette predisporre il Gran Libro del debito pubblico nel quale confluirono tutte le voci in passivo dei bilanci dei vari regni prima dell'unificazione. Nel documento vennero inseriti anche gli obblighi contratti dall'ex granduca di Toscana che si era fatto prestare dei soldi per finanziare la repressione dei moti carbonari del 1849, quattrini che proprio i Bastogi avevano garantito con fidejussioni.

Come non rilevare la spaventosa contraddizione del nuovo stato? L'Italia, frutto di una rivoluzione, accettava di rimborsare una cospicua somma di denaro che era stata utilizzata proprio per contrastare i primi sussulti di quel processo innovatore; e come non sottolineare la disinvoltura dell'"intellighentia" del tempo? Un Bastogi, come uomo di governo, firmava degli atti che gli assicuravano un recupero delle spese sostenute mentre, come privato cittadino, aveva sovvenzionato attività antigovernative.

Due deputati, Francesco Guerrazzi e Nino Bixio, si opposero al riconoscimento di quegli impegni economici, trascinarono nel voto contrario tutti i colleghi della sinistra, ma restarono in minoranza perché gli uomini della destra, largamente più numerosi, si espressero favorevolmente. Bastogi non fece bella figura e quando, dopo la morte di Cavour (1861), si trattò di realizzare un rimpasto nel governo, si trovò senza ministero.

Tutti questi episodi, avvenuti nell'arco di pochi mesi, avrebbero dovuto produrre qualche sospetto sulla trasparenza delle operazioni che portarono alla costituzione della società per i lavori nel Meridione d'Italia. La politica dimentica in fretta.

Il parlamento, senza troppo cavillarci sopra e, anzi, con valutazioni di entusiasmo genuino, approvò la proposta del banchiere di Livorno. Non si preoccuparono nemmeno di salvare le apparenze. Nessuno volle notare che, nell'elenco dei soci sottoscrittori, c'erano ripetizioni e una quantità di imprecisioni tali da meritare almeno qualche riflessione sulla precipitazione con cui era stata concepita l'impresa. Non vennero fatte obiezioni tecniche né si pretese correttezza nelle procedure. Non si accorsero o, più probabilmente, non si ritenne necessario eccepire che il domicilio provvisorio della neonata Società italiana per le strade ferrate meridionali era indicato presso l'abitazione torinese di un deputato: Bartolomeo Beltrami.

Il presidente della commissione per i Lavori Pubblici, onorevole Ambrogio Terzi, presentò una relazione così smaccatamente positiva da rasentare l'apologia. E per la verità, il presidente della Camera, Urbano Rattazzi, in un singulto di obiettività, si sentì in dovere di interromperlo: «Ma lei parla come rappresentante del popolo che l'ha eletto o come relatore del signor Bastogi?».

Qualche settimana più tardi venne eletto il consiglio di amministrazione della società nel quale, su 22 membri, si trovarono 14 deputati della destra scelti in modo che fossero rappresentati gruppi, famiglie e potentati economici trasversali al potere politico.

Pietro Bastogi figurava come presidente e, in parlamento, rappresentava la circoscrizione di Vicopisano di Pisa. I suoi "vice" erano due: Bettino Ricasoli e Giovanni Baracco, l'uno eletto a Firenze e l'altro a Crotone (Catanzaro). L'ufficio di segretario venne affidato a Guido Susani, onorevole di Sondrio. Poi Ambrogio Trezzi di Milano; Antonio Allievi di Desio (Milano); Rodolfo Audinot di Vergato (Bologna); Bartolomeo Beltrami di Torino; Bartolomeo Cini di Pistoia; Tommaso Corsi di San Casciano di Val Pesa (Firenze); Felice Genero; Giacomo Filippo (Torino) e Cesare Valerio di Camerino (Macerata). C'era ancora un posto appetibile, quello di direttore tecnico dei lavori, e venne scelto l'onorevole Severino Grattoni, eletto a Ceva (Cuneo).

Difficile convincersi che un conflitto d'interessi così sfacciatamente vistoso non abbia provocato qualche perplessità morale e qualche dubbio di legittimità. Certo, in un'epoca in cui non si erano ancora individuati i pericoli dei monopoli non si pensava neanche a una legislazione anti-trust. Ma non doveva bastare un minimo di senso dello stato per convenire che le stesse persone non potevano farsi le leggi, deliberarle, stanziare i soldi, ritirarli, spenderli, presentare il lavoro compiuto e collaudarlo? Per rendere ancora più appetibile il progetto, Bastogi si impegnò nella realizzazione di uno stabilimento a Napoli per la produzione delle locomotive e del materiale rotabile necessario: il prototipo delle imprese impiantate al Sud con l'intento dichiarato di creare posti di lavoro ma con il concreto risultato di mungere denaro pubblico.

Un paio d'anni più tardi, a proposito di questo affare delle ferrovie, emersero alcune circostanze che fecero pensare a una corruzione non marginale. L'appalto di Bastogi e compagnia diventò uno scandalo.

Il diario dell'avvocato di Torino Domenico Giuriati è, a questo proposito, un documento di eccezionale interesse storico e, contemporaneamente, una pagina ironica sul malcostume politico ai tempi di casa Savoia. Giuriati riferì di una conversazione avvenuta fra lui e due deputati toscani. Uno, Eugenio Pelosi, che ai tempi dell'Università aveva coltivato simpatie mazziniane ma il cui seggio in parlamento gliel'avevano offerto gli uomini della destra e per questo rinunciò alla velleità delle sue antiche idee rivoluzionarie per convertirsi in fretta alle dottrine più moderate. L'altro, Paolo Sinibaldi, di Borgo a Mozzano, era nobile, commendatore, ingegnere e professore al Politecnico. L'incontro avvenne in un alloggio, appena dignitoso, a dimostrazione che l'inquilino non era ghiotto di sfarzo, in via Bogino, dove Sinibaldi viveva quando si fermava a Torino per i suoi impegni alla Camera. Sinibaldi era a letto, malato di paura per le possibili conseguenze politiche che avrebbero potuto derivargli dal ritrovamento di alcune lettere scritte da un prelato del Vaticano dove il suo nome compariva nell'ambito di una vicenda di violazione di segreti di stato. L'onorevole era preoccupato perché aveva avuto notizia dell'attività di alcuni colleghi che stavano preparando un'interrogazione parlamentare contro di lui. Al punto che un paio di amici gli avevano consigliato di dimettersi per sottrarsi all'obbligo di rispondere in aula, in modo da evitare lo scandalo.

Domenico Giuriati era stato invitato in quell'appartamento e informato della vicenda perché, come uomo di legge, avrebbe dovuto consigliare sulle eventuali e possibili conseguenze penali. L'avvocato, nelle pagine del suo diario, non prestò troppa attenzione all'episodio delle lettere per cui non siamo in grado di sapere se fossero state scritte da Sinibaldi o se Sinibaldi fosse soltanto l'argomento delle missive. Non precisò i contorni della vicenda e non ne diede alcuna valutazione.

Quello che conta è lo scambio di battute che seguì e che Giuriati riportò fedelmente.

«Bada peraltro – interloquì Pelosi rivolto al collega –, bada che le maggiori scioccheze non si commettono per le proprie convinzioni ma per interesse».

La risposta fu risentita e, volendo portare maggiori contributi alla difesa, finì per diventare auto-accusatoria. «Interesse io? – Sinibaldi si appoggiò con i gomiti sul materasso per tenere la schiena più dritta –. Interesse io che ho sempre vissuto come un povero cane, contento di tutto, senza bisogni e senza desideri! Io che non sono mai stato così ricco come ora che sono insegnante all'Università! Io che, grazie a Dio, ho sempre avuto una reputazione di probità e disinteresse da non temere confronti!». E, quasi per rafforzare con una prova verificabile l'elogio di se stesso, aggiunse: «Se non fossi stato tale, credete che mi sarebbe stato affidato l'incarico di distribuire ai deputati le partecipazioni per le ferrovie meridionali?!».

Pelosi, alla toscana, non si trattenne dal sollecitare un chiarimento ulteriore: «Che? Che?».

«Certo, le ho distribuite io!». La conferma venne in modo definitivo e senza margini di ambiguità. «È possibile – aggiunse –, se avessi avuto sete di ricchezza, maneggiando un bel tre milioni e trattando con più di trenta deputati, che non mi sarebbe stato facile approfittarne, se voleva lucrare?».

L'avvocato intervenne: «Ma si rende conto di quello che dice?». Le lettere vaticane non potevano che essere un'inezia rispetto alle complicità illecite evocate da quelle dichiarazioni. «Sta parlando di cose vere?».

Sinibaldi non volle essere contraddetto. «La prego di non dubitare». Alzò un poco la voce forzando sulla sua malattia come per sottolineare che non c'era più da discutere sull'argomento.

«E ha le prove di quello che afferma?».

«Sicuramente! Ho le cifre, ho i nomi, ho le date: tutto».

«Tutto meno le ricevute in atti notarili». Dovette pronunciare l'ultima frase con accenti involontariamente beffardi. La ricevuta della tangente non l'ha mai firmata nessuno. Giuriati terminò il racconto sbrigandosela con un «la conversazione si prolungò per altre due ore». L'argomento era di importanza decisiva e troppi erano i dettagli che dovevano essere verificati.

Uscito dall'alloggio di via Bogino, Domenico Giuriati non rincasò direttamente ma si presentò al procuratore del re, Onorato Vigliani, che conosceva da tempo e al quale raccontò la conversazione alla quale aveva assistito. Era un uomo di legge, aveva conosciuto episodi che configuravano reati di qualche spessore e non se la sentiva di coprirli con il silenzio. Giuriati fece un esposto-denuncia in piena regola ma restò nei cassetti dei magistrati e venne insabbiato.

Tuttavia, gli sforzi per nascondere la controversia non impedirono la circolazione delle chiacchiere da un salotto all'altro e non poterono evitare che qualche cauta allusione venisse ripresa dai giornali più esplicitamente antigovernativi. Fu un deputato toscano a parlarne per la prima volta in parlamento: l'onorevole Antonio Mordini di Montecatini invocò una commissione d'inchiesta che facesse luce sulla vicenda degli appalti delle ferrovie perché le maldicenze che si ascoltavano in proposito danneggiavano l'immagine stessa delle istituzioni. Un intervento, il suo, molto equilibrato. «Questa smania di pubbliche costruzioni – osservò –, questa necessità di gigantesche imprese ha suscitato una febbre di guadagni smodati e fortificato il culto della speculazione. L'Italia, come altri paesi, è stata invasa da questa peste». Il Meridione, tramite Mordini, prendeva la parola per accusare i ladri del Nord e lo faceva con pacatezza e moderazione, quasi un richiamo, come avrebbe potuto fare un fratello maggiore assennato rispetto a dei parenti più avvezzi alle marachelle. Una mozione quasi affettuosa, fra i banchi della Camera dei deputati, fra la solennità degli stucchi e la porpora dei velluti.

«Urge provvedere – scandì le parole senza badare ad attenuare la sua cadenza toscana –; se non giungiamo a compiere (e presto) l'arginatura, avremo lo straripamento della corruzione. I nomi più illibati sono fatti segno al sospetto e non resta reputazione intatta. È notorio come, riguardo le ferrovie meridionali, da qualche tempo, voci sinistre, insistenti e ripetute si siano divulgate per la stampa. È cosa di cui dobbiamo occuparci».

Una buona fetta di parlamento, i ministri (quasi senza eccezione) e quel galantuomo di re ne avrebbero fatto volentieri a meno ma, di fronte a una richiesta pubblica, ufficiale e perentoria, era difficile rispondere negativamente. La commissione d'inchiesta venne perciò nominata, ma furono scelte con cura le persone che dovevano farne parte in modo da assicurarsi il risultato finale ancor prima che potessero iniziare i lavori. Nel collegio d'indagine vennero indicati i parlamentari che avevano più interesse a insabbiare la pratica e l'unico rappresentante dell'opposizione, Benedetto Musolino, non venne messo nella condizione di esercitare i suoi diritti.

Tre settimane per approfondire la vicenda e una dozzina di pagine per darne conto. In questo modo, il 15 luglio 1864, Giovanni Lanza, scelto come presidente della commissione, fu in grado di rassicurare la Camera sulla correttezza dei deputati. Tutto a posto, tranne, forse, una piccola irregolarità da attribuirsi all'onorevole di Sondrio Guido Susani. Tale deputato – secondo quanto poterono stabilire i commissari d'inchiesta – si era adoperato come banchiere di Bastogi e per queste sue "prestazioni" aveva ricevuto 675.000 lire riscosse presso la banca Weiss-Norsa. Questo comportamento del tutto improprio venne liquidato sotto la voce «cattiva condotta morale personale». Come se fosse stato sorpreso a rivolgere il saluto a una donna poco per bene.

La commissione non sentì la necessità di verificare i motivi di un passaggio di denaro così consistente e di accertare se ci fossero altre complicità. Non mancavano gli elementi per essere messi sulla buona strada.

E la denuncia di Giuriati? Venne naturalmente accertato che era stata presentata alla procura di Torino ma che non aveva avuto seguito. Non ritennero di contestare al magistrato alcuna accusa come, per esempio, l'omissione d'atti d'ufficio, ma non credettero che fosse nemmeno utile chiedergli come mai avesse deciso che quelle notizie fossero buone solo per il cestino.

Giuriati si presentò alla commissione e, nei dettagli, riferì la conversazione avvenuta nella casa dell'onorevole Sinibaldi, ma i suoi ricordi, pur così lucidi e circostanziati, non vennero ritenuti sufficienti per aprire un caso. Era la testimonianza di Sinibaldi a essere fondamentale per comprendere la dinamica degli avvenimenti, ma il deputato toscano era malato, costretto a letto – probabilmente – da quella famosa sera. Aveva soltanto cambiato materasso: non più quello frugale della mansarda di Torino ma quelli nobili della casa natale di Borgo a Mozzano e non poteva presenziare alle sedute della commissione.

Giovanni Lanza e la "compagnia dei grandi inquisitori" si risparmiarono i disagi di un viaggio massacrante attraverso mezza Italia da Torino a Firenze in treno e poi chissà come per raggiungere Borgo a Mozzano. Decisero di affidarsi alla via burocratica più tradizionale: presero carta e penna e scrissero una lettera con tutte le contestazioni del caso, ma anche con il doppio garbo dovuto a un onorevole e a una persona che, finché non condannata, è innocente. Spedirono e attesero la risposta. Con la celerità della posta regia arrivò il plico a Sinibaldi grondante ampollosità e retorica e poiché il deputato mise per iscritto «sul suo onore» di essere completamente estraneo a quella faccenda, non trovarono motivo per non credergli. Dopo la lettura di un altro passo della sua deposizione secondo la quale «essere "onninamente" falso che io abbia dichiarato», presente l'avvocato Giuriati, di aver avuto a che fare con tangenti e tangentisti, non ebbero esitazione a decidere per l'archiviazione.

La commissione si ritrovò in parlamento con un nulla di fatto. Lanza, litigando con la grammatica e forzando la *consecutio temporum*, dovette faticare a tenere a bada i deputati della sinistra che insorsero per gridare allo scandalo nello scandalo. La battaglia divenne politica e compattò le fila degli onorevoli della maggioranza che si ritrovarono a votare per accogliere le conclusioni dell'inchiesta. In fondo: perché compromettere gli amici e il governo? Gli altri fecero il contrario per i motivi opposti: con il proposito dichiarato di screditare gli avversari politici, quali che fossero, e per mettere in difficoltà il presidente del Consiglio.

La verità non interessava a nessuno. Perciò non ci furono nemmeno vistose conseguenze politiche. Bastogi presentò le dimissioni, ma il re galantuomo lo ripagò con il titolo di conte. Comunque, un uomo come lui era troppo prezioso per il parlamento. Qualche anno dopo, nel 1868, si presentò alle elezioni nel collegio di Campobasso e vinse. In quello stesso periodo scomparvero i fascicoli dell'inchiesta. Chi poteva avere interesse al silenzio? Una nuova ondata di polemiche consigliò Bastogi a rinunciare al seggio ma, nel 1893, Crispi lo nominò senatore.

Gli altri protagonisti della vicenda rimasero circondati da interrogativi maliziosi a cui nessuno seppe o volle rispondere. Per esempio: quanto era implicato nell'affare l'integerrimo Bettino Ricasoli che si era assai impegnato per collocare le azioni della società meridionale delle ferrovie e che aveva accettato la carica di vice presidente? E com'era stato possibile che Gustavo Cavour, fratello del "tessitore", intervenuto a favore di Bastogi, speculasse sui titoli dell'impresa? E quale fu il ruolo del commendator Peruzzi che intervenne in parlamento a favore di un'iniziativa "tutta italiana", chiese 10.000 azioni e poi corse a venderle alla borsa di Parigi?

Susani, scomparso dalla vita politica al punto che si parlò di suicidio, traslocò in Francia dove il mondo degli affari gli aprì le braccia e le porte degli uffici.

Nel 1906 le ferrovie vennero nazionalizzate e la società Bastogi, proprietaria, incassò una piccola fortuna che impiegò (in parte) nella produzione dell'elettricità. Nel 1963, come se venisse riproposto il copione di un film già visto, furono le aziende elettriche a subire il processo di nazionalizzazione e il solito Bastogi – espropriato – dovette incassare un'altra quantità spaventosa di denaro liquido capace di farlo entrare nell'élite dei finanzieri. Ogni volta che i giornali parlavano di lui non omettevano di precisare che era suo il salotto buono della borghesia italiana. Fra quelle poltrone si giocarono le più spericolate acrobazie di Michele Sindona e Roberto Calvi.

Regie Tabaccherie in fumo

Lo scandalo della vendita dei monopoli di tabacco si realizzò nel 1868 quando il presidente del Consiglio era Luigi Federico Menabrea mentre il dicastero delle Finanze era affidato al marchese Luigi Guglielmo Cambrai-Digny. I conti di bilancio della neonata Italia segnavano rosso fisso: il prezzo dell'Unità – certo – con le devastanti campagne militari lanciate contro l'Austria, e l'avvenuto trasferimento della capitale da Torino a Firenze. Ma giocò anche il risultato di un'improvvida gestione del denaro pubblico che non fruttava il dovuto perché disperso in mille rivoli di compiacenze per gli amici affaristi. Un debito così vistoso mise a rischio la sopravvivenza dell'Italia. Le banche non erano in grado di impegnarsi in prestiti allo stato perché il rischio di perdere il capitale investito era considerato assai rilevante. Dunque, il governo ipotizzò di vendere i diritti di monopolio sui tabacchi privatizzando un ente di per sé ricco e redditizio, per recuperare un minimo di autonomia finanziaria e procurarsi qualche milione di liquidità.

L'operazione si trasformò in un imbroglio. In primo luogo un numero consistente di parlamentari si dichiarò contrario a cedere l'azienda: doverosa e, in qualche modo scontata, l'avversione degli uomini dell'opposizione; più prudente, ma non per questo meno energica quella dei deputati della maggioranza.

Le fabbriche di stato dei tabacchi presentavano dei conti largamente positivi nonostante fossero incrostate da sacche di parassitismo e appesantite da una quantità di sprechi facilmente immaginabili. Il ministro Cambrai-Digny si presentò alla Camera per sostenere la necessità di razionalizzare i processi di produzione dell'impresa in modo da renderli più funzionali ed efficienti. Parlò con sussiego al parlamento, citò una quantità di esempi di cattiva gestione e, alla fine, fu risoluto nell'indicare un'unica soluzione percorribile: affidare le Regie Tabaccherie a un'associazione di capitalisti. Essi, «svincolati dai molti legami e tradizioni degli uffici governativi», avrebbero potuto intervenire rapidamente «per sradicare gli abusi e procedere a decisive riforme». Potevano intervenire i privati, solo loro, perché «avendo il proprio interesse a sprone» erano nelle condizioni di introdurre «quelle norme e quei sistemi più semplici capaci di cavarne un prodotto migliore». Nella solennità della seduta parlamentare, il ministro si espresse proprio con queste valutazioni: le tabaccherie nazionali avevano necessità di ristrutturazioni di poco conto, semplici. Passi, se gli interventi fossero stati giudicati complicati e avessero rischiesto chissà quali competenze specifiche. Il responsabile delle Finanze evidenziò che gli strumenti da applicare venivano da intuizioni elementari: facili, se non proprio banali. Come non coltivare il sospetto che, dietro, operassero gli affaristi di professione?

Il banchiere Domenico Balduino fu il più intraprendente e approfittò dell'occasione. Mise insieme una cordata di imprenditori interessati a quel genere di investimento economico e dovette essere così convincente nel descrivere i vantaggi dell'iniziativa che, in poche settimane, fu in grado di candidarsi per la gara d'acquisto presentando un'offerta sufficientemente credibile.

La convenzione fu firmata con la rapidità dovuta, il 23 giugno 1868. Sulla base di quell'intesa, a partire dal gennaio dell'anno successivo, una società anonima privata avrebbe gestito il monopolio dei tabacchi. Lo avrebbe fatto per vent'anni al prezzo di un canone concordato. Lo stato avrebbe incassato subito un anticipo sulle quote per un valore prossimo ai 180 milioni.

Ma l'indebitamento pubblico era ben più grave. Il gruppo del banchiere Balduino si impegnò ad acquistare anche le giacenze di magazzino – tabacchi grezzi e lavorati – per un valore commerciale di 50 milioni.

Come sempre, perché la convenzione diventasse operativa, occorreva l'approvazione della Camera. Il governo convocò i deputati alla vigilia delle ferie, il 4 agosto, confidando forse, che il mare e la montagna sarebbero stati richiami più allettanti. Invece, nonostante l'incombenza delle vacanze, risposero quasi tutti all'appello e parteciparono con impegno alla discussione al punto che il dibattito andò avanti per quattro giorni e fu caldo almeno quanto la temperatura afosa che si respirava in città. Un esempio per tutti. Il presidente della Camera, Giovanni Lanza, abbandonò il suo seggio *super partes* per poter parlare «come semplice deputato» e contestare le decisioni governative. L'insabbiatore dell'indagine sulle ferrovie si ritrovò moraleggiante a proposito dell'impresa dei tabacchi. Forse per questo, pur senza lesinare critiche, non si lasciò trascinare dalla foga oratoria e tenne sotto controllo il tono della voce. Concluse con un'indicazione di politica economica generale: «I monopoli, o bisogna sopprimerli tutti o se li deve tenere il governo». Gli applausi – anche dalle tribune – dettero la misura di quanto impopolare fosse l'azione del governo e quanto a essa fosse ostile l'opinione pubblica.

Mentre la maggior parte dei deputati prendeva la parola per sviluppare ragionamenti il più delle volte polemici e, talora, addirittura, indignati, nella "bouvette" e nei salottini di Montecitorio si svolgevano colloqui meno ufficiali.

Il ministro Cambrai-Digny – su esplicito suggerimento del banchiere Balduino – si preoccupò di assicurarsi il favore di alcuni colleghi i quali, davvero indecisi su come valutare oggettivamente la questione della privatizzazione dei tabacchi, erano certissimi di una sola cosa: di avere fra le mani un voto milionario. Che perciò vendettero a prezzo di mercato. In cambio di un assegno al portatore, garantirono il loro appoggio alla proposta ministeriale. Tuttavia, forse, nemmeno quella corruzione così capillare sarebbe bastata per assicurarsi la maggioranza.

L'elemento involontariamente decisivo fu l'intervento di Urbano Rattazzi, deputato piemontese della sinistra che, però, aveva avuto una quantità di incarichi governativi, chiacchierato per la sua condotta morale tutt'altro che esemplare e irriso per le avventure che la giovane moglie accettava alle sue spalle. Contestò frontalmente la politica del governo, accusò il presidente del Consiglio, fece a pezzi la proposta del ministro delle Finanze. Parole ampiamente efficaci, le sue, ma che, purtroppo, prefigurano uno scenario infausto. Quando terminò di parlare apparve chiaro che la bocciatura del provvedimento avrebbe significato una crisi di governo. I deputati si trovarono a dover considerare il significato di un voto che avrebbe avuto una conseguenza immediata e una serie di ricadute in tempi brevi. Via i ministri corrotti, va bene, ma chi al loro posto? Urbano Rattazzi, proprio perché aveva vibrato la mazzata decisiva, si imponeva come il candidato naturale per la successione. A quel punto, anche alcuni fra i più riottosi ad accettare la privatizzazione delle tabaccherie, finirono con il preferire i ladri del momento, collaudati e in carica, piuttosto di recuperare vecchi arnesi che, oltre al portamento delle corna, avevano imparato poco e non potevano insegnare nulla. Sembrava meglio affidarsi ai "ronzini" disonesti piuttosto che ai "cervi" incattiviti dall'età. La decisione governativa fu accettata con solo 19 voti di margine ma con questo non terminarono le discussioni sulla privatizzazione dell'azienda del tabacco. I dubbi sull'efficacia del provvedimento e sulla sua utilità rimasero come un motivo ricorrente nei dibattiti parlamentari.

Il «Gazzettino rosa», un foglio milanese d'orientamento radicale, sparò una serie di articoli contro il governo per lo scandalo delle tabaccherie. Nelle critiche venne coinvolto dapprima l'onorevole di Pistoia Giuseppe Civinini che, all'esordio in politica, si era schierato con la sinistra per poi allontanarsene in seguito a divergenze vistose con il capogruppo Francesco Crispi, di cui era diventato amico prima di abbandonare quella parte politica. Poi furono risucchiati nella polemica Raimondo Brenna, deputato e direttore del quotidiano di Firenze «La Nazione», e suo cognato Paolo Fambri. Sospetti velenosi e dubbi infamanti.

Civinini e Brenna querelarono i giornalisti lombardi, li trascinarono in tribunale e ottennero dai magistrati una condanna per diffamazione a mezzo stampa. Però la vittoria giudiziaria fu peggiore di una sconfitta perché, nel corso del dibattimento, troppe circostanze rafforzarono la convinzione che quei due si fossero fatti corrompere.

L'elemento che fu oggetto di particolare attenzione fu l'amicizia fra Civinini e un certo Salvatore Tringali, il quale aveva ottenuto una partecipazione azionaria nell'affare della privatizzazione delle tabaccherie per un milione. Poiché Tringali era un "signor nessuno", come non domandarsi dove aveva preso i soldi? Come non supporre che fosse il prestanome di qualcun altro? E come non essere indotti a pensare all'amico onorevole?

Crispi, testimoniando al processo che riguardava Civinini diventato avversario, mise in mostra un campionario di ipocrisia e di falsità, degni di una vendetta lungamente attesa. Ammiccò, talora fu argutamente reticente, disse e non disse ma sempre lasciando supporre e, alla fine, come in preda a una ribellione della propria coscienza, volle informare i magistrati di una sua convinzione, cioè che Civinini aveva approfittato di quell'iniziativa del governo per guadagnarci. Volle apparire corretto e tenne a sottolineare che – per carità – quella era una sua personalissima deduzione, a sostegno della quale non poteva esibire né indizi né prove. E non poteva nemmeno essere più preciso perché alcuni elementi su cui si basava il suo ragionamento li aveva appresi nel corso di una consulenza legale che lo obbligava al rispetto del segreto professionale. Poco per un'aula giudiziaria; più che sufficiente per la Camera.

Il 2 giugno 1869 un deputato dell'estrema sinistra, Giuseppe Ferrari, presentò la richiesta di una commissione d'indagine parlamentare in modo che si chiarisse il confine fra gli equivoci e le colpe. Troppi personaggi ambigui – secondo la sua valutazione – troppi dubbi, a cominciare dal fatto che le azioni dell'azienda tabacchi, valutate 152 lire al momento della privatizzazione, erano balzate a 650 con un incremento così vistoso da legittimare il sospetto dell'imbroglio.

Il dibattito continuò per giorni nell'imbarazzo e nell'indignazione. Difficile prevederne l'esito.

Il 5 giugno 1869 ci fu un colpo di scena. Dai banchi della sinistra si alzò per parlare il deputato Cristiano Lobbia, un omone alto quasi due metri, grosso come un armadio e con due mani abituate ai lavori pesanti. Era stato ufficiale con Garibaldi, in Sicilia, e si era battuto da leone. Della sua onestà nessuno ebbe mai a dubitare; eppure la bizzarria della storia ha consentito che il suo nome fosse ricordato soltanto per la forma del cappello che portava in testa: una lobbia, per l'appunto, con le tese inamidate, larghe un palmo, lasciate distese all'infuori. (Nel suo paese, Asiago, c'è una piazza intitolata al suo nome ma nessuno sa perché). «Annunzio solennemente» – esordì richiamando l'attenzione del parlamento – «che posseggo dichiarazioni di testimoni superiori a qualsiasi eccezione che si riferiscono a lucri percepiti nella contrattazione sui tabacchi. Le dichiarazioni, legalizzate da pubblico notaio, sono chiuse in questi due pieghi che tengo in mano». Senza teatralità, ma con sussiego, si voltò verso sinistra con la mano alzata per mostrare le buste di carta giallognola. Con il dito dell'altra mano indicò le chiusure in ceralacca. «Quando nominerete la commissione d'inchiesta – promise – mi farò dovere di presentarglieli e mi presenterò io stesso con i testimoni per essere esaminato».

I bisbigli divennero un brontolio e si trasformarono, da un lato, in urla scomposte, dall'altro, in applausi ritmati come dovrebbe avvenire allo stadio.

La maggioranza vide profilarsi lo spettro di una poderosa sconfitta. L'opposizione si sentì ringalluzzita. Il presidente del Consiglio Menabrea intervenne per dichiararsi contrario a prendere in considerazione l'intervento di Lobbia, il che la dice lunga sul livello di inquietudine della compagine ministeriale che, avendo accettato di favorire maneggi di ogni genere, non sapeva come evitare i guai se non al prezzo di negare l'evidenza. Ruggero Borghi tentò di accelerare il tempo della crisi chiedendo che venissero fatti subito i nomi delle persone coinvolte o che, almeno, quei documenti venissero messi subito a disposizione del parlamento. Lobbia non ebbe bisogno di riflettere per rispondere. «Altri importantissimi plichi sono scomparsi dagli archivi della Camera. Questi, intendo conservarli». I deputati non ebbero alternativa: all'unanimità votarono per l'inchiesta. Vennero indicati nove membri e, fra questi, Giuseppe Zanardelli, futuro presidente del Consiglio. L'iter parlamentare iniziò i suoi tortuosi percorsi, rallentato da una burocrazia sovente inutile, ostacolato da una quantità di impedimenti spesso solo formali.

Lobbia, invece, cominciò a pagare per il coraggio delle sue denunce. Due giorni dopo, in una notte senza luna, fradicia d'afa, il deputato che, a piedi, stava percorrendo il tratto di strada fra la Camera e la casa di un amico giornalista, fu aggredito da un sicario che tentò di pugnalarlo. L'onorevole, da via Sant'Antonino, aveva svoltato in via dell'Amorino. Uno sconosciuto lo stava aspettando, accovacciato in un cono d'ombra ancora più scuro del resto della strada. L'uomo fu rapido e preciso e non spezzò il cuore di Cristiano Lobbia soltanto perché il destino si mise di mezzo. La lama del coltello incontrò il portafoglio di cuoio della vittima, gonfio di carte, documenti personali, qualche biglietto di banca e quattro fotografie dei genitori. Il colpo fu deviato ma il sicario non mollò la presa e tentò di infilzarlo di nuovo. L'altro reagì, gli afferrò le braccia, cadde a terra trascinando con sé l'aggressore. Una lotta forsennata. Un secondo fendente del bandito gli aprì uno squarcio sul fianco e una terza pugnalata lo ferì abbastanza gravemente al capo. Il deputato, però, riuscì a impugnare una rivoltella che teneva in tasca e a premere il grilletto. Il rumore della detonazione richiamò gente e l'aggressore scappò precipitosamente.

Il ferito, medicato, ricevette chili di lettere di solidarietà. In piazza si riunirono schiere di manifestanti che scandivano il suo nome. Garibaldi vergò di suo pugno un biglietto con queste parole: «Caro Lobbia! Rispettato dal fuoco nemico sui campi di battaglia, voi, quasi, cadeste sotto il pugnale dell'assassino perché sdegnoso delle vergogne italiane, delle immoralità e delle turpezze di chi dovrebbe moralizzare il popolo». I resoconti giornalistici verificarono che «a Firenze, gli spiriti bollivano». Come non mettere in relazione la denuncia del parlamentare con l'aggressore che aveva tentato di toglierlo di mezzo? «Di crocchio in crocchio – precisò il cronista dell'epoca – si diffondeva, giganteggiando, il sospetto che gente prezzolata e infame fosse pronta a uccidere per pecunia coloro che osavano far guerra ai potenti banchieri».

Il ministro degli Interni Ferraris fu costretto a rispondere in parlamento a una quantità di interpellanze. Riferì l'episodio nei dettagli, deplorò con toni veementi il crimine, ma smentì la voce che potessero essere poliziotti infedeli.

L'aggressione provocò un'accelerazione dei lavori della commissione che, il 16 giugno, tenne la sua prima seduta. Lobbia, all'ospedale, non poté presenziare. Si presentò, invece, Crispi che accusò Civinini, Brenna e Fambri, gli stessi tirati in ballo dal «Gazzettino rosa». Ma questa volta esibì un messaggio scritto da Raimondo Brenna al cognato Paolo Fambri. «Mandami, dunque, questa lettera e vediamo di guadagnare quattrini. Ho stabilito comunicazioni dirette e quasi giornaliere tra me e Balduino. Saluta la Rosina. Scrivi. Ciao». Crispi l'aveva preso dagli incartamenti di Lobbia approfittando del fatto che il deputato era malato. Così, quando Lobbia si presentò ai commissari, era senza il suo pezzo forte d'accusa e gli altri documenti disegnavano un quadro di bassa moralità e di millanterie, ma potevano apparire insufficienti a giustificare un intervento risoluto come il suo in parlamento.

Lobbia aveva spaventato i corrotti e i corruttori lasciando intendere di possedere molto di più e quelli erano corsi ai ripari per tentare di farlo tacere per sempre. Ma dopo aver verificato le carte che stavano nel suo mazzo cambiarono tattica e misero in atto una serie di operazioni per screditare quel galantuomo e farlo passare per un poveraccio, fantasioso, sprovveduto e poco serio. L'opera del ministro della Giustizia Michele Pironti si rivelò, al proposito, decisiva. Premendo sui titolari delle procure e brigando con i magistrati di mezza Italia, mescolando sapientemente minacce e blandizie, riuscì a trasformare una vittima in imputato.

Il pubblico ministero Marabotti del tribunale correzionale di Firenze era il titolare dell'inchiesta sull'agguato di via dell'Amorino. Di quella vicenda, due erano i testimoni più significativi: un impiegato del dazio, Angelo Fabbrucci, che aveva casa nei pressi del luogo dell'aggressione, e un giovane di Cremona, dipendente delle ferrovie Alta Italia, Mario Scotti, che abitava dal Fabbrucci dal quale aveva ottenuto una stanza in subaffitto.

L'uno, Fabbrucci, richiamato dalle urla e dall'eco dello sparo, si era affacciato alla finestra e aveva scorto un uomo che fuggiva: «statura media, barba nera, corporatura tarchiata». Quell'altro, Scotti, dovette vedere molto di più e il fatto di aver visto (e di sapere) lo spaventò al punto che si ammalò a morte. Per qualche giorno continuò a presentarsi al lavoro ma si voltava per ogni minimo rumore, camminava rasente ai muri come per nascondersi ed evitava anche soltanto di rispondere al saluto dei colleghi. Poi fu colpito da un febbrone che lo costrinse a letto dove, nel delirio, fu sentito ripetere: «non dirò nulla». Lo curò la moglie di Fabbrucci che gli somministrò delle pillole "miracolose" di sua conoscenza. Scotti non guarì e nemmeno migliorò. In due giorni era pronto per il funerale. Avvelenato? Fu ovvio pensarlo e dovette avere qualche dubbio anche il magistrato perché ordinò un'autopsia sul cadavere per tentare di capire che cos'era successo.

L'esame necroscopico, però, non venne eseguito. I superiori di Marabotti sostennero che non si potevano rimandare le esequie e con un contrordine perentorio revocarono la decisione. Anzi, proprio perché quel giovane togato dimostrava di impicciarsi in questioni irrilevanti, mostrandosi certo inadeguato alla bisogna, lo privarono del tutto dell'inchiesta. Al suo posto, da Bologna e appositamente, arrivò il conte Adolfo De Foresta che conosceva le cose del mondo e della vita e dette una svolta all'indagine. I fatti – secondo le conclusioni del nuovo magistrato – erano andati diversamente: si trattava di una messinscena ben congegnata, con un finto sicario, testimoni compiacenti, circostanze inventate di sana pianta. Un colpo di teatro.

Ebbe la spudoratezza, questo pubblico ministero, di sostenere in tribunale l'accusa di simulazione.

I giudici accolsero questa tesi e condannarono Lobbia a un anno di carcere lasciandolo a piede libero. L'amico giornalista e le persone che per prime accorsero per proteggere il ferito se la cavarono con pene minori perché ritenuti parte di una sceneggiata per turlupinare l'opinione pubblica. A sentenza pronunciata vennero regolati i conti con i magistrati che si erano occupati della vicenda: arrivarono promozioni, avanzamenti di carriera, gratifiche, note di merito eccellenti e l'ingresso nei salotti buoni della politica.

Contemporaneamente, a Milano, venne allontanato il giudice che aveva assolto 22 cittadini per aver partecipato a una manifestazione pubblica in favore del deputato veneto, denunciati per «turbativa dell'ordine pubblico». Immediatamente la decisione assolutoria venne impugnata e riformata in appello con condanna esemplare: in modo da scoraggiare l'uso della piazza. La campagna denigratoria di quel generoso disinteressato di Lobbia conobbe un altro episodio disgustoso.

La sera del 28 agosto 1869 entrò in scena frate Giuseppe. L'onorevole, con il giornalista Antonio Martinati, l'ultimo amico che gli era rimasto, stava passeggiando per Firenze e si accorse di essere seguito da una persona che non conosceva e che lo guardava insistentemente. Pensò che qualcuno lo stesse pedinando: maldestramente finché si vuole, ma con le ferite dell'aggressione non ancora rimarginate, non ebbe la prontezza di valutare l'eventuale professionalità del supposto spione. Lobbia, incrociando due carabinieri, si qualificò, denunciò i suoi sospetti e assistette al fermo di quello scocciatore che venne portato via. Due giorni dopo, processo per direttissima, con le transenne gremite e i giornalisti opportunamente avvertiti con taccuini alla mano. L'uomo, Giuseppe Lai, era un religioso domenicano espulso dall'ordine e dal convento perché omosessuale. I verbali, tecnicamente, precisarono «dedito alla sodomia». Aveva seguito quei due uomini – dichiarò – perché nel più giovane, l'amico dell'onorevole, gli parve di riconoscere uno con i suoi stessi gusti sessuali e credeva di proporgli un incontro "affettuoso".

Va da sé che la vicenda era stata costruita ad arte. Se davvero il frate fosse stato un innocuo seduttore avrebbe chiarito subito le sue intenzioni con l'ufficiale dei carabinieri e avrebbe risolto senza chiasso la questione. Invece, Giuseppe Lai, le sue rivelazioni, aspettò a farle in pubblico, in modo da provocare il maggior chiasso possibile, mettendo in piazza circostanze personalmente imbarazzanti che l'avrebbero esposto al ridicolo. Ma che cosa doveva difendere uno spretato, conosciuto e schedato dalla forza pubblica del regno? La trappola consisteva nel coinvolgere Cristiano Lobbia in una storia dai contorni ambigui. Un sospetto sulla virilità, allora, valeva una condanna senza appello. La regia del ministro guardasigilli Pironti funzionava.

Il secondo episodio avrebbe dovuto completare il linciaggio morale di quel poveretto.

Lo accusarono di aver rubato la lettera scritta da Brenna a Fambri e gli intentarono un processo per furto. Ai governanti delle trame nascoste questo passaggio fallì perché, anche allora, qualcuno era in grado di tenere la testa alta e la schiena dritta. Il procuratore del re Borgnini riconobbe l'assurdità di un'inchiesta sulla base di presupposti così sfacciatamente persecutori e firmò l'atto di proscioglimento dall'accusa per Lobbia. Una scelta, la sua, niente affatto scontata. Il suo diretto superiore, Avet, gli aveva fatto intendere che la sentenza avrebbe dovuto essere di diverso segno e che una sua – per così dire – compiacenza gli sarebbe stata utile per la carriera. Il giovane magistrato disubbedì e immediatamente il capo dell'ufficio, dietro imposizione del ministro, lo invitò a chiedere due mesi di congedo. Giusto il tempo per trovare una soluzione e recuperare il processo. Borgnini, che non era per nulla affine alla sinistra e che, quindi, non si muoveva per diverse finalità politiche, rispose con una lettera di dimissioni al ministro. Appesa la toga al chiodo, sbatté la porta e cambiò mestiere.

A poco servirono le riabilitazioni postume di Cristiano Lobbia pronunciate da un collegio di giudici a Lucca. Quando i tribunali riconobbero false le accuse contro di lui e vere le sue accuse contro la cupola degli affaristi che avevano "affittato" il parlamento, era troppo tardi. L'onorevole era già morto di rabbia e di crepacuore.

Nel frattempo lo scandalo del fumo era già stato dimenticato. Dei 180 milioni pagati dai banchieri, almeno 50 si erano persi per altre strade non facilmente controllabili. Brenna e Fambri, che probabilmente riuscirono a rosicchiare l'osso, non dimostrarono di avere una dentatura robusta capace di addentare la polpa. Giuseppe Civinini che morì dopo poco e in miseria, dimenticato da tutti e snobbato dagli amici, pagò per colpe che probabilmente non aveva commesso. Quindi l'affare vero lo fecero gli uomini di governo. E uno zuccherino toccò probabilmente anche al re Vittorio Emanuele II che, poco prima, si era appropriato di 20 milioni di "residuo" di bilancio. Lui e il governo pensavano che nessuno si sarebbe accorto dell'ammanco. Invece il deputato Cancellieri chiese ragione dei conti che non tornavano. In un primo tempo i responsabili sostennero che quella cifra non era mai esistita ma, incalzati dalle contestazioni del parlamentare, dovettero ammettere che aveva ragione. Il re fu costretto a far rientrare quei soldi e lo fece partecipando all'enorme truffa pubblica che fu la privatizzazione dei monopoli di tabacco.

Il crack della Banca Romana

La disinvoltura della classe politica dell'Unità d'Italia si distingue nei fatti che fecero esplodere uno scandalo fragoroso attorno all'istituto della Banca Romana. La spregiudicatezza dei portaborse, gli sperperi dei *grands commis* dello stato, la compiacenza della Casa Reale e, intorno, un disegno sistematico e organizzato per depredare le risorse statali e convogliare i profitti pubblici verso interessi privati.

La chiave di lettura che consente di comprendere l'atteggiamento di quella generazione di affaristi sta in un incontro organizzato a Roma, nel settembre 1870. A Palazzo Sciarra, proprio nei giorni immediatamente successivi alla breccia di Porta Pia, con l'Italia in festa, venne organizzata una riunione ignorata dalle rievocazioni storiche agiografiche e caposaldo, invece, per una rilettura più imparziale di quegli stessi avvenimenti. All'incontro parteciparono i prìncipi dell'aristocrazia romana, compresi alcuni cardinali, e i maggiori finanzieri fra i quali – potevano mancare? – Pietro Bastogi (quello delle ferrovie) e Domenico Balduino (quello dei tabacchi). Con loro i banchieri del Nord: Pietro Brambilla, Giovanni Bombrini, Antonio Allevi, Giacinto Balbis. Secondo la ricostruzione che il ricercatore storico Filippo Mazzonis fornì dell'episodio, i partecipanti si organizzarono in modo da operare secondo un impegno comune e coordinato. E, in questo contesto, concepirono un progetto in base al quale Roma, appena conquistata, non sarebbe stata una città industriale. Per un verso questa "intellighentia" del capitalismo non voleva masse operaie raggruppate nelle fabbriche che potevano accendersi per qualche ragione sindacale. Ma, soprattutto, non interessava loro una prospettiva economica che comportava un impegno produttivo a tempi medi e un rischio d'investimento proporzionale. L'obiettivo di questi affaristi era soltanto quello di diventare più ricchi e in fretta. Decisero di puntare su speculazioni sicure in modo che i quattrini impiegati rientrassero rapidamente nelle loro casse con gli interessi. In questa logica apparve più conveniente puntare sull'edilizia. Lì c'era guadagno per tutti. Il proprietario terriero avrebbe cominciato con il vendere a caro prezzo lo spazio sui cui posare i mattoni. I palazzi, appena costruiti, sarebbero stati immediatamente disponibili per il mercato con vantaggi esponenziali per le imprese. Ancora meglio se il capitale d'avvio non usciva dai loro forzieri, ma veniva dal prestito di qualcun altro.

Così si spiega il crack della Banca Romana.

Allora erano sei gli istituti di emissione autorizzati a battere moneta. Si trattava di un'anomalia ereditata dai tempi preunitari quando ogni regno disponeva di autonomi uffici di cambio. Sarebbe stato opportuno un intervento tempestivo del governo per unificarli, ma la decisione venne continuamente rinviata. E, per la verità, non si riuscì nemmeno a controllarne gli interventi, con il risultato che il disordine bancario di quegli anni assomigliava troppo spesso alla confusione.

Nel numero del giugno 1884 del periodico «Forche Caudine» apparve un commento acido: «La nostra costituzione bancaria è ancora feudale. Il solo istituto in grado di esercitare qualche influenza è la Banca Romana ma è rappresentata da un'oligarchia, una classe speciale, quella dei mercanti. Non sono industriali, non sono commercianti. Sono speculatori che fanno loro vittima la persona cui prestano a frutti esorbitanti, ma da cui affittano a condizioni estremamente favorevoli». Affermazioni coraggiose. La diagnosi uscì dalla penna di Pietro Sbarbaro, un giornalista con solide conoscenze economiche, capace di coniugare una rara competenza scientifica con doti morali che gli impedivano di accettare le porcherie più vistose. Per questo non fu mai avvicinato per incarichi di prestigio e non ebbe accesso nei salotti della gente per bene.

«A quest'oligarchia – aggiunse – la Banca Romana, presieduta da Tanlongo, concede i suoi favori. Favori anche alle famiglie dei politicanti i quali trovano sempre il modo di collocare una cambiale senza scadenza reale che, dunque, rimane chiusa nel portafoglio interno, passando da rinnovazione in rinnovazione, finché un giorno, per un piacere ottenuto, anche quel pezzo di carta si elide». Incisivo nella prosa e impietoso nei contenuti.

Il Tanlongo dell'articolo era Bernardo, un intrigante scarpe grosse e cervello fino, che sapeva a mala pena leggere e scrivere ma che appariva versatile con le operazioni dell'aritmetica. Se poi i numeri indicavano soldi diventava insuperabile. In più, aveva una capacità naturale nell'avvicinare i potenti e nel mantenerseli amici.

Ai tempi della Repubblica Romana di Mazzini, Armellini e Saffi fece la spia per conto dei francesi. E Cavour, tempo dopo, lo incaricò di offrire somme consistenti ad alcuni cardinali che avrebbero dovuto ammordibire il Vaticano sulla questione dell'Unità d'Italia. Era l'uomo di fiducia dei gesuiti e della Propaganda

Fide, ma questo non gli impediva di assecondare il gran maestro della massoneria con tutti i "fratelli" che gli venivano di volta in volta presentati.

Va da sé che era il benvenuto a corte.

Il re galantuomo, con una quantità di debiti in reclamo, considerava benedizioni del Signore le persone che potevano prestargli qualcosa. Invece a Umberto che gli succedette al trono piaceva poco, ma a Tanlongo Casa Reale non fu preclusa perché era nelle grazie della moglie del re e in quelle delle due amanti: la contessa di Santafiora e la duchessa Litta.

Si conserva una lettera della regina Margherita la quale, in un messaggio datato 7 dicembre 1887, gli rimproverò con civettuola soavità di farsi vedere troppo raramente. «Ha forse il broncio? – domandava dal trono –. Quasi Ella mi costringe a dire di eclissarsi apposta. Ella non pensa, carissimo signor Tanlongo, quanto abbia potuto su di me il fascino dell'arguto motteggiatore che tanto la distingue sopra i più spiritosi parlatori della mia Corte!». Un invito a cena e, a solleticare i desideri del palato, una descrizione del menù. «Ai pasticcini del dessert – concluse –, Ella potrà aggiungere il più dolce se, facendo in tempo per le otto, vorrà pranzare in compagnia con me».

I primi sintomi dello scandalo si avvertirono nel 1889. Finché il mercato fu in espansione, fece da correttivo a se stesso, ma quando cominciò a rallentare, il credito – gonfiato come un pallone – dimostrò la propria fragilità.

Gli istituti di credito avevano aumentato a sproposito la circolazione di moneta cartacea senza la necessaria copertura in oro e si trovarono esposti con i loro clienti. I risparmiatori si allarmarono.

Il colpo peggiore fu accusato dalla Banca Romana perché era quella che, nella generale irresponsabilità, aveva molto esagerato. Con la più impudente disinvoltura, consentì la stampa di milioni di banconote, senza badare ai princìpi dell'econonia e ignorando, per sovrappeso, logica e buonsenso.

Bernardo Tanlongo, fino a quel momento, per amicizia e con puntuali elargizioni, era riuscito a mettere la sordina alle chiacchiere e a scongiurare lo scandalo. Ma venne il momento in cui non gli fu più possibile rimediare. Il governo dovette nominare una commissione d'inchiesta perché controllasse conti e bilanci e incaricò il senatore Giacomo Alvisi di coordinare i lavori. Subito si scoprì un ammanco di 9 milioni che, per l'epoca, era cifra consistente. Nulla, tuttavia, rispetto alle vere proporzioni del debito.

Il 30 giugno 1891 il parlamento si occupò dell'argomento per la prima volta. Capo del governo, Antonio Starabba di Rudinì; ministro delle Finanze, Luigi Luzzati; presidente dell'assemblea, Domenico Farini. In seduta plenaria si seppe che l'emissione di denaro della banca aveva raggiunto i 128 milioni di lire, ma che la corretta copertura finanziaria era assicurata soltanto per 58.

Le prime comunicazioni inquietarono i deputati che, spaventati per l'immaginabile contraccolpo sui mercati, chiesero di non sapere e di essere lasciati all'oscuro. Con una giustificazione ipocrita: «Un'inchiesta del genere è utile al governo ma non è utile metterla in pubblico».

Il senatore Alvisi che aveva preparato una relazione dettagliata, non capì ma si adeguò e venne trovato morto prima che il governo ritenesse conveniente domandargli informazioni più dettagliate. Quell'uomo deve essere stato uno dei pochi che abbia preso sul serio il compito di inquirente affidatogli dal parlamento e, a differenza di troppi colleghi, non si preoccupò di insabbiare i documenti, modificare le dichiarazioni, mascherare l'evidente, truccare le carte. Forse per evitare che il risultato della sua indagine andasse perduto, consegnò una copia del suo lavoro all'economista Leone Wollemborg che la mostrò a un altro economista di grande prestigio, Maffeo Pantaleoni, il quale, a sua volta, constatato che il tacere sarebbe stato un'infamia, contattò due parlamentari di opposti schieramenti: il repubblicano di estrema sinistra Napoleone Colajanni e il clericale moralista di estrema destra Lodovico Gavazzi. L'argomento tornò di prepotenza all'attenzione dei politici.

Nel frattempo il governo era finito a Giovanni Giolitti che credette di sbarazzarsi del problema utilizzando la tecnica del predicare bene per razzolare male. In aula le sue dichiarazioni furono dettate dalla severità più risoluta. «Se ci sono corrotti e corruttori la mano della giustizia li colpirà». Non solo: «Il governo è fermamente deciso ad andare fino in fondo». Ma poi lui stesso si preoccupò di nascondere sei plichi di documenti.

Chissà perché? Giolitti era implicato in modo del tutto marginale. Personalmente gli addebitavano la colpa di aver approfittato della banca facendosi prestare 60.000 lire che il funzionario dell'istituto, commendator Cantoni, aveva consegnato al suo segretario. Ma il deputato liberale aveva potuto giustificarsi senza eccessivi affanni. Quella somma, aveva spiegato, era stata chiesta e utilizzata ufficialmente dal governo. In otto pagine puntigliose di verbale riferì che gli straordinari impegni sostenuti dal ministero degli Interni nella lotta contro i Fasci siciliani avevano prosciugato i fondi in dotazione. Contemporaneamente, a Genova, avrebbero dovuto svolgersi le manifestazioni in onore di Colombo, ma si correva il rischio di non poterle finanziare. Per questo chiese di «procurare una anticipazione che sarebbe stata rimborsata con gli interessi». Gli fu possibile esibire i documenti per dimostrare che, qualche giorno prima della scadenza fissata, erano state restituite 61.500 lire. Tentarono di coinvolgerlo in una seconda operazione "sporca" accusandolo di aver avuto altre 40 (o 50) mila lire. A recapitargliele sarebbe stato Pietro, il figlio maggiore di Tanlongo. Giolitti negò tutto, pezze giustificative non ce n'erano e gli interessati, a cominciare dal "postino" che gli avrebbe consegnato il denaro, non confermarono nessuna circostanza.

Erano molto più nei guai i suoi avversari politici, i cui discorsi grondavano moralismo, avversari sempre attenti a non perdere alcuna occasione per approfittarne. Gli eroi dei Risorgimento non si sottrassero a sferrare l'ultimo assalto al denaro pubblico. Le prime 69.000 lire furono date al deputato Francesco Pais Serra, nobile sardo con trascorsi e simpatie garibaldine. Poi altre 60.000 al ministro dell'Istruzione Ferdinando Martini. Non aveva onorato la cambiale neanche Federico Colajanni, deputato di L'Aquila, amico di Depretis, restava in debito l'avvocato siracusano Emilio Bufardieci, amico di Crispi, e non pagava nemmeno l'onorevole Alessandro Narducci che era amico di tutti e due.

Miti nella polvere. Avevano preso soldi Edoardo Arbib e Raffaele Giovagnoli, due dei Mille.

Risultavano nell'elenco dei clienti morosi il barone Gennaro di San Donato Sambiase Sanseverino che, non si sa con quanta solerzia, presiedeva la commissione parlamentare incaricata di riformare le banche, e il segretario della stessa commissione, Ranieri Simonelli, pisano, ex segretario generale del ministero dell'Agricoltura.

Soldi anche per il giornalista Carlo Pancrazi, per il direttore del «Tempo» di Venezia, Roberto Galli, per

Giovanni Nicotera che aveva bisogno di 15.000 lire mensili per la sua «Tribuna».

Il direttore della «Gazzetta Piemontese» di Torino, Luigi Roux, volle invece guadagnare in modo più appropriato: avendo un giornale a disposizione ed essendo stato eletto deputato, si fece conferire l'incarico di addetto stampa del ministero degli Interni. Obiezioni?

Sembrava un parlamento di squattrinati che dovevano indebitarsi per tirare avanti. Gli elenchi cominciavano con Baldassarre Avanzini e arrivavano fino a Sebastiano Tecchio, passando per Ulisse Papa e il battagliero Capo Marziale. Morì fra le tratte inevase Benedetto Cairoli, ex presidente del Consiglio. La moglie riconobbe il debito e, per onorarlo, mise in vendita la villa di Belgirate. Dissero che i prestiti erano stati contratti per pagare le cure mediche dell'eroe ammalato e dissero che il re in persona si era offerto di intervenire ma non è difficile immaginare che si tratti di giustificazioni costruite e bella apposta per appannare di nobiltà il bilancio di famiglia in deficit.

Non per interesse privato, dunque, Giolitti tentò di nascondere i contorni dello scandalo. Probabilmente ritenne che scoperchiare i motivi del crack – proprio tutti – avrebbe provocato un contraccolpo negativo per le giovanissime istituzioni nazionali. E dovette considerare che era meglio graziare qualche canaglia piuttosto che rischiare la disistima dell'opinione pubblica.

Fece male i suoi calcoli.

Il banchiere Tanlongo con un altro finanziere – Cesare Lazzaroni – venne arrestato il 18 gennaio 1893. La settimana successiva, il 23 gennaio, il presidente del Consiglio, dovendo rispondere a una serie di interpellanze, fu obbligato a rivelare che la circolazione clandestina ammontava a 63.784.792 lire. Il sistema del credito stava per esplodere.

Fra i parlamentari vennero nominati sette "saggi" i quali, dopo otto mesi di ricerche, presentarono il risultato del loro lavoro in un faldone di 200 pagine. Il giudizio dei tecnici che, anche in seguito, lo esaminarono, fu eccellente. Il testo fu particolareggiato nella descrizione dei meccanismi che avevano portato agli ammanchi. Preziosi anche i consigli per i banchieri i quali, in futuro, avrebbero dovuto attenersi a regole scrupolose e inderogabili. Ma nella piccola commissione furono reticenti quando si trattò di affrontare il nodo delle responsabilità. Alla questione di chi fosse la colpa risposero con eleganti contorsioni verbali e quindi, sostanzialmente, non risposero. L'unica critica – energica e senza attenuanti – fu riservata proprio a Giolitti: rivelarono che aveva intralciato le indagini facendo in modo che andassero perduti alcuni documenti giudicati preziosi.

Per qualche indiscrezione sui politici corrotti si dovette aspettare il processo al banchiere Tanlongo, portato alla sbarra nella primavera del 1894. Anche se l'imputato – prima concessione della magistratura – non fu accusato di bancarotta fraudolenta, come sarebbe stato doveroso, ma si trovò a rispondere di alcuni reati francamente secondari: aver consentito prestiti personali e aver ecceduto nell'emissione di biglietti di banca. La difesa reagì sostenendo che quelle irregolarità erano state sollecitate dallo stesso governo, il quale aveva svolto opera di intercessione per prestiti ad alcuni politici e per finanziamenti a giornali di area governativa. Quali uomini e quali giornali? Nomi, cognomi e circostanze stavano in quei fogli che erano stati rubati.

Perciò il processo – seconda concessione della magistratura – finì con l'assoluzione del banchiere ma portò vistosi strascichi in parlamento che colpirono soprattutto Giolitti, considerato, a torto, un faccendiere, un maneggione e un intrallazzatore senza scrupoli. La battaglia parlamentare la condussero gli amici di Crispi. Alla fine il suo gabinetto dovette presentarsi dimissionario e venne sostituito con un altro presieduto proprio da Crispi.

A quel punto Giolitti passò al contrattacco il 7 dicembre 1894.

Attraversò l'emiciclo a passi lenti, con l'aria di chi si sta liberando da un peso per caricarlo sulla schiena di qualcun altro. Consegnò le sei buste "scomparse" che contenevano vari incartamenti divisi secondo argomento. La più voluminosa conteneva 102 lettere che riguardavano Francesco Crispi e che lo facevano apparire per quello che era: un avido, ambizioso, con due o tre famiglie, l'amante e le corna della moglie che gli preferiva il maggiordomo Achille. Giolitti si consentì la cavalleresca civetteria di invitare i colleghi a fare in modo che non venissero pubblicate. Almeno quelle firmate da donna Lina Crispi, indirizzate al domestico tuttofare e piene di apprezzamenti per la sua virile generosità.

Per Crispi, presidente del Consiglio di fresca nomina, fu una mazzata. Non solo e non tanto per le prevedibili chiacchiere, le garbate ironie e i pettegolezzi sulle storie sentimentali di famiglia; ma piuttosto perché apparve evidente che la disinvoltura degli affari della Banca Romana erano il risultato delle sue pressanti raccomandazioni. Si rese conto che il rischio di essere travolto dallo scandalo era talmente alto da avvicinarsi alla certezza. Ritenne di non aver altra via d'uscita che instaurare una mini-dittatura. Perciò, d'accordo con il re, ottenne un decreto che «prorogava» la sessione parlamentare, atto previsto nella costituzione per le emergenze assolute e che praticamente blindava la Camera e le discussioni che potevano avervi luogo.

La reazione dei deputati benpensanti fu energica ma inutile. Antonio Labriola sentenziò che «Crispi era fuggito di fronte al Parlamento nel momento in cui questo, per salvare il proprio onore, doveva smascherare il disonore di Crispi». E un commento: «Il re ha coperto la ritirata con la sua irresponsabilità e il re pagherà perché la borghesia italiana diventa repubblicana. Lo scandalo bancario è il cancro della monarchia».

Qualche giorno dopo il giornale satirico «L'asino» pubblicò una parodia della filastrocca di Giuseppe Giusti: «Al Re travicello / piovuto ai ranocchi / leviamo il cappello / e diamo i baiocchi. / Lo predico anch'io / che costa un fottìo / ma è comodo e bello / un Re travicello.

Ei bada a mangiare / e lascia rubare. / È un Re travicello / che calza a pennello. / Da tutto il pantano / si sente gridare / evviva il Sovrano / che lascia rubare».

Alcuni sostengono che Crispi voleva utilizzare il tempo della "proroga" per fare arrestare Giolitti, trascinarlo in tribunale e – sfruttando le sue amicizie in magistratura – ottenere una sentenza a lui favorevole. Dovette pensarlo anche Giolitti perché, appena seppe della sospensione delle sedute in parlamento, salì sul primo treno diretto a Berlino e restò in Germania fin quando il clima politico tornò a rasserenarsi.

Crispi, per un anno, fu in grado di governare tenendo aperta la Camera soltanto undici giorni. E, complice il re, poté prendere decisioni anche importanti senza nemmeno consultare il Consiglio dei ministri. L'eroe garibaldino, tutto fede e ideale, si trovò a rinnegare i principi della gioventù per anticipare gli atteggiamenti del ventennio prossimo.

Tuttavia non si poteva andare troppo avanti con quel fantoccio di democrazia. Furono indette nuove elezioni e la campagna elettorale della primavera 1895 fu verbalmente violenta sulla questione morale.

Felice Cavallotti, che si sentiva tradito da Crispi proprio perché in passato aveva condiviso i suoi stessi valori, fu il più aggressivo nel rinfacciargli comportamenti abietti. Scrisse "lettere aperte" agli elettori, firmò articoli sui giornali più diffusi, si sgolò nelle piazze, mise insieme prove raccapriccianti che avrebbero stroncato qualunque carriera politica.

In primo luogo l'accusò di essere bigamo e per di più irriconoscente. Dopo aver sposato Rosalie Montmasson a Malta e aver vissuto con lei 25 anni, Crispi decise che quella donna, l'unica donna fra le mille camicie rosse di Garibaldi, era più adatta agli assalti all'arma bianca che alle tiepide conversazioni dei salotti d'alta classe. Non gli serviva più e la allontanò con una rudezza inusuale anche con le cameriere. Per aristocratici intrattenimenti sembrava più avvezza Lina Barbagallo ma, all'altare, non potendo produrre un documento che lo dichiarava celibe, dovette ricorrere alla testimonianza giurata di cinque signori compiacenti che non se la sentirono di negare un favore di così poco conto a un rampante della politica destinato a emergere rapidamente. A Rosalie Montmasson cercarono di togliere anche l'aria per vivere. Felice Cavallotti rese nota una supplica firmata qualche tempo prima da questa poveretta al presidente del Consiglio. «L'uomo cui ho dedicato tutta me stessa in tutte le vicende della vita, oltre la mortale offesa che non starò qui a ricordare, m'impone di non firmare più col nome a cui è legato un sacramento e un lungo passato e di obbligarmi a partire da Roma e non domiciliarmi mai dovunque egli sarà domiciliato». Era ridotta alla miseria e chiedeva di ottenere la gestione di un botteghino del lotto. Il capo del governo di allora, Benedetto Cairoli, poteva decidere senza consigliarsi prima con Crispi? Non venne data nessuna risposta. Silenzio: dissenso. Il botteghino del lotto non le venne assegnato.

Venne trovata la traccia di un altro scandalo che portava a Parigi e aveva le caratteristiche di un intrigo internazionale. In Francia, un potente gruppo economico, la Società del Canale di Panama, si era ingraziato il favore di alcuni deputati dell'Assemblea per assicurarsene gli appoggi e ottenere l'approvazione delle decisioni che gli interessavano. In quel mercato dove anche gli scrupoli avevano un prezzo, il ruolo principale era stato ricoperto da Cornelius Herz, un affarista intraprendente, in confidenza con tutti i poco di buono di potere o di denaro. Quando venne indicato come un pericoloso corruttore, corse il rischio di essere travolto dal discredito e, per salvarsi, ritenne che gli fosse utile un'onorificienza internazionale. Perciò sollecitò l'amico Crispi in modo che lo aiutasse a ottenere il Cordone di San Maurizio. Detto fatto. Lui ottenne le insegne che gli servirono da scudo in alcuni ambienti francesi e l'altro venne ricompensato con 50.000 lire. Un'ulteriore picconata all'immagine del politico tutto d'un pezzo.

L'ultima polemica giornalistica venne sparata proprio alla vigilia del voto. Felice Cavallotti utilizzò una pagina del «Don Chisciotte» per ricostruire alcuni passaggi del crack della Banca Romana e riportò una dichiarazione di Tanlongo: «L'onorevole Crispi mi raccomandò più volte l'onorevole Chiara e altri per sussidi e cambiali». Accusa pesante, tanto che Crispi ritenne di smentire: «Tanlongo s'inganna, non avendo io mai raccomandato alcuno per isconto di cambiali alla sua banca». La smentita della smentita fu roboante e definitiva. Venne trovato un biglietto naturalmente firmato da Crispi: «Il commendatore Tanlongo riceverà l'onorevole Pietro Chiara e vorrà essergli gentile come altra volta. Saluti». Un ordine più che una raccomandazione.

Eppure Crispi stravinse le elezioni dimostrando, nei fatti, che la trasparenza nell'amministrazione della cosa pubblica era un fattore ininfluente sulla popolarità di un leader politico.

Le analisi economiche dimostrarono che la Banca Romana aveva consegnato illegalmente a Crispi 718.000 lire dell'epoca, pari a 336 mensilità del suo stipendio di ministro, vicine a 13 miliardi di oggi. Altrettanto venne speso dall'istituto di credito per l'"entourage" di Crispi.

Nessuno osò intralciare la strada di questo statista che governò con poteri sempre più ampi e credito sempre maggiore. Gli amici coccolati con prebende di ogni tipo, gli avversari lasciati a protestare in un angolo. La fine politica di Crispi fu segnata dalla cattiva avventura coloniale in Africa. La sconfitta di Adua mortificò il nazionalismo italiano e gli elettori la fecero pagare a chi guidava il governo.

I conti non tornano

Il Piemonte – con la sua rete di funzionari, portaborse e burocrati onnivori – lasciò il Meridione conquistato, avvilito, depresso e spogliato di ogni avere. Con la scusa dell'Unità d'Italia rubarono tutto. E dove non riuscirono a battere moneta secondo i loro desideri, per insipienza e imbecillità distrussero le attività economiche che, nonostante tutto, funzionavano.

Pochi mesi prima dell'impresa dei Mille, i contabili del regno delle due Sicilie avevano verificato che gli scambi commerciali con l'esterno avevano dato risultati confortanti. I bilanci dell'import-export si erano chiusi con un attivo di 35 milioni di ducati. I titoli borbonici erano quotati alla borsa di Parigi, cercati e cambiati in tutta Europa. E, nel 1859, al Banco di Sicilia dovettero chiamare gli operai per rinforzare il pavimento che, nonostante la blindatura, non bastava per sostenere il tesoro conservato in cassaforte. Lingotti d'oro a tonnellate.

Il peso di tutta quella ricchezza era un problema serio. Il più serio. I nuovi governanti lo risolsero in un amen. Giuseppe Garibaldi, appena entrato nella Palermo che aveva occupato, si fece consegnare dal Banco di Sicilia 2.178.818 dei 5 milioni di ducati che erano custoditi. Lasciò un pezzo di carta con scritto: «per ricevuta di spese di guerra» e la promessa che il nuovo stato avrebbe restituito tutto e rimesso i conti in ordine. Quel foglietto restò negli archivi dell'istituto: prima in quello contabile e poi in quello storico. La promessa si perse fra le migliaia di assicurazioni di quel tempo. Ma i muratori non ebbero più necessità di intervenire sugli impianti edili indeboliti dal peso dei soldi.

In quel decennio 1860-1870 tutto quello che non funzionava era borbonico. Borbonici il parassitismo, la pigrizia, l'arretratezza, l'inefficienza. In realtà un giudizio così sbrigativo è frutto di improvvisazione.

Il regno delle due Sicilie era una società economica in via di rapida evoluzione positiva. De Brosses, nel 1736, scrisse con convinzione che «Napoli era la sola città italiana che sente realmente di essere capitale. Il movimento, l'affluenza del popolo, il gran numero e il fracasso degli equipaggi, una corte manierata e assai splendida, il portamento e l'aspetto magnifico dei gran signori: tutto contribuisce a conferirle quell'aspetto vivo e animato che hanno le grandi città d'Europa e che non si trova affatto a Roma». Nell'Ottocento non perse queste caratteristiche.

Il Meridione riceveva gli ospiti in saloni arricchiti da arazzi, serviva vini pregiati in cristallerie delicate, proponeva tavole imbandite con pizzi e vasellame di Capodimonte. A Torino usavano ancora i piatti di legno. Il Sud conservava la raffinatezza culturale greca e araba e l'Università di filosofia – fra docenti e studenti – poteva annoverare il meglio dell'"intellighentia" del tempo. Al Nord parlavano un dialetto venuto dai barbari d'oltralpe. Nelle province napoletane si lavorava il ferro, la ceramica, i filati. Le fabbriche di Pietrarsa e l'Opificio Reale rappresentavano il maggior complesso siderurgico dell'Europa del Sud, in grado di reggere la concorrenza con Austria e Prussia. Erano dotati di un motore a vapore capace di sprigionare energia per 160 cavalli. Ci lavoravano 1.000 operai e altri 7.000 vivevano dei manufatti dell'indotto. La fonderia Orotea di Palermo, di proprietà della famiglia Florio, era conosciuta nel mondo per i prodotti di precisione e impegnava 600 operai. Venne poi smantellata per lasciare spazio all'Ansaldo di Genova. Il mercato tessile era saldamente in mano al Meridione. Lo stabilimento di Piedimonte d'Alife dello svizzero Egg contava 1.300 operai, 36 filatoi e 500 telai. La maggiore filanda del Nord, la Conti di Milano, impiegava 415 operai.

Il Sud aveva costruito le industrie di Scafati di Mayer e Zollinger, quella di Pallenzano e quella di Salerno. A San Leucio, su 80 ettari di terreno, sorse la più imponente seteria di quei tempi. Il gruppo industriale Guppy, con il socio d'affari Pattison, avviò un'azienda a Napoli per la costruzione di macchine agricole e locomotive a vapore: trovarono posto 1.200 dipendenti. Cinquecento metalmeccanici operavano nella Real Fonderia di Castelnuovo, altrettanti nella Reale Manifattura di armi a Torre Annunziata.

Il cantiere navale di Castellammare era una piccola città di 2.000 impiegati. D'altra parte la flotta del regno delle due Sicilie contava 40.000 uomini d'equipaggio. Le aziende calabresi, a Mongiana, a Cardinale, a Monteleone e a Catanzaro, quelle di Matera, Palermo e Catania esportavano in Brasile e negli Stati Uniti.

Il Napoletano era di gran lunga la regione italiana più industrializzata. Il censimento, promosso in occasione dell'Unità d'Italia, le accreditò un milione e 189.000 operai pari al 37 per cento degli attivi, contro i 345.000 del Piemonte che rappresentavano il 17 per cento.

Al momento dell'Unità d'Italia, dunque, il regno delle due Sicilie rappresentava un gettito economico di 443,2 milioni mentre il regno di Sardegna ne poteva contare solo 27. Milano contribuiva con 8,1, la Toscana con 8,5, Parma e Piacenza con 1,2. Alla fine della terza guerra d'indipendenza (26 luglio 1866) Venezia portò 12,7 milioni e, in seguito, Roma 35,3. Il Meridione, da solo, batteva il doppio delle monete di tutti gli altri. E questo patrimonio venne tutto sperperato.

Il 20 novembre 1863, l'onorevole giornalista Brofferio, in Parlamento, chiese conto della «politica della miseria» che si stava realizzando. «Sento che l'erario di Napoli versa in penuria tanto da doversi provvedere mandando da Torino 4 milioni di lire per i bisogni immediati. Come mai? Le finanze erano floride e la rendita pubblica a 118. Che cos'è successo per ritrovarla così derelitta?».

Le tasse continuarono a crescere di numero e di peso fiscale. I giornali del 1866 rilevarono che 22 milioni di italiani avevano pagato il doppio delle tasse rispetto a 19 milioni di prussiani. Confronto obbligato. La Prussia, alleata nella terza guerra d'indipendenza, sbaragliò gli avversari, mentre il tricolore rimediò figuracce campali per terra e per mare. Quelli combattevano, mentre gli italiani erano troppo impegnati a rubare.

Il corrispondente militare di «The Times» che, da Pola, aveva seguito lo scontro fra la Marina austriaca e quella italiana, riferì di «un gran mistero» che riguardava «il cattivo tiro degli italiani: secondo moltissimi testimoni i cannoni furono sparati a polvere senza palla». I francesi de «La Presse» seppero qualche cosa in più. «Pare che stia per aprirsi un baratro di miserie: furti sui contratti e sulle transazioni coi costruttori, bronzo dei cannoni di cattiva qualità, polvere avariata, blindaggi troppo sottili. Se si vorranno fare delle inchieste serie, si scoprirà ben altro». Le polemiche si alzarono di tono ma, alla fine, le chiacchiere ebbero il sopravvento. Lo storico prussiano Guglielmo Rustow trovò una spiegazione probabilmente molto vicina al vero. «Questo deriva dal nefasto sistema di nepotismo in tutta la pubblica amministrazione che colloca dozzine di inetti in un ufficio dove occorrerebbe un uomo abile». E ancora: «Il sistema governativo italiano non è inteso ad avere impiegati onde accontentare il popolo e i suoi bisogni ma a creare impieghi onde favorire gli amici. In questo modo di denaro non ce ne sarà mai a sufficienza». Le tasse, davvero spropositate, non valevano per tutti allo stesso modo.

Poiché la legge consentiva di lasciare in sospeso i pagamenti delle persone ritenute irreperibili, «furono irreperibili dapprima gli stessi precettori di imposte», che rinunciarono volentieri all'obbligo di "trovarsi". Irreperibili anche alcuni grandi funzionari amici e gli amici degli amici e irreperibile persino il municipio di Catania. Chi pagava, lo faceva anche per chi evadeva. A cominciare dai preti. Una legge – Crispi il primo firmatario – li considerò poco affidabili per il loro scarso afflato patriottico e, contro di loro, si adottò la misura di «confinarli» in qualche sperduto paesino.

Un'altra legge – patrocinata dal deputato Jacopo Comin – si preoccupò piuttosto dell'«asse ecclesiastico», cioè dei patrimoni della Chiesa, da confiscare e vendere al migliore offerente. Un pezzo d'Italia fu messa all'incanto. Fu una caccia al saio. Nei caffè si compilavano le liste dei preti «malpensanti».

«Il pungolo» di Milano, anticlericale, si dichiarò soddisfatto delle misure repressive e informò con precisione su alcuni sacerdoti costretti a cambiare mestiere. A Genova, al contrario, «Lo stendardo cattolico» si commosse «per il doloroso spettacolo di decine di preti che passavano fra insulti vilissimi per essere imbarcati per la Sardegna». I piccoli centri fra le montagne di

Cuneo venivano considerati posti sicuri per tenere sotto controllo i religiosi «negatori dell'Unità d'Italia». Ci mandarono anche il vescovo di Bertinoro, Pietro Buffetti, considerato «ostile al Governo». Nel 1867 vennero alienati circa 7.000 lotti appartenenti a congregazioni religiose per un ricavo di 57 milioni. L'anno successivo i lotti furono 26.000 e l'incasso 162 milioni.

Per lo stato i risultati economici furono modesti ma grandi vantaggi vennero assicurati a pochi latifondisti, specialmente nel Sud, che riuscirono ad accaparrarsi terreni pregiati con pochi soldi.

Quanto alle vendite demaniali, se si confrontano i calcoli effettuati a posteriori, non è possibile sovrapporre e far combaciare due cifre – non si pretende uguali – ma almeno simili. Quintino Sella, in parlamento, parlando ai deputati nel dicembre 1870, provò a sostenere che quasi 100.000 nuovi proprietari avevano beneficiato delle vendite dei beni ecclesiastici e demaniali, ma gli storici insistono a deplorare l'occasione perduta di creare una vasta categoria di piccoli proprietari.

Alle corte la vendita fruttò una somma assai inferiore al valore dei beni. In ogni città si videro commercianti e professionisti avvantaggiarsi dei prezzi delle pubbliche vendite. E poiché sembrava sacrilego impadronirsi in quel modo delle proprietà della Chiesa, le mogli raddoppiarono preghiere per ottenere indulgenze.

Nel Mezzogiorno la svendita di palazzi, terreni e patrimoni appartenuti a religiosi si trasformò in un gradito premio.

D'altra parte, perché mai rischiare dei capitali per impiantare un setificio o una fonderia mentre era comodo campare bene investendo nelle proprietà alienate ai frati. Qualcuno trovò conveniente accendere dei mutui presso le banche che, pure, chiedevano interessi consistenti per impegnare il prestito nell'acquisto di beni all'incanto. Il ricavato, in tempi rapidi, compensava l'investimento e ci si poteva guadagnare sopra.

La storia della spoliazione della Chiesa occupò tutto l'Ottocento. Massimo d'Azeglio, argutamente, rilevò: «Basta dar addosso ai preti e ti fanno cavaliere».

Al governo, il denaro non bastava mai.

La Sicilia, per fare un esempio, pagò 32 milioni di imposte nell'ultimo anno di regno borbonico. Nel 1861, con i Savoia, le tasse si alzarono del 56 per cento e raggiunsero i 50 milioni. Poi 70 milioni nel 1866 e 200 milioni nel 1890. La gente doveva pagare per ogni bestia da tiro che possedeva, per il materiale di edilizia che comprava e per la farina che faceva macinare nei mulini. In compenso mentre venivano finanziate opere pubbliche al Nord, al Sud restavano inezie: 150.000 lire per il Piemonte fra il 1889-98 e 10.000 per la Sicilia. Lo stato spendeva mediamente 50 lire per ogni cittadino del Nord e 15 lire per quello del Sud. Nel 1862 furono deliberate opere pubbliche nella provincia di Palermo per 42 milioni ma nella seduta del 14 giugno 1866, quattro anni dopo, l'onorevole Filippo Cordova fu costretto a denunciare che, alla scadenza del finanziamento, erano stati spesi solo 3 milioni.

Furono investiti per la bonifica idraulica 267 milioni nel triangolo Torino-Verona-Grosseto e 3 milioni in tutto il regno delle due Sicilie. E per la scuola vennero consumate 2,32 lire per abitante di Piemonte e Lombardia e 1,25 lire per i cittadini di Napoli e Palermo.

Il re continuava a giocare con quell'Italia che si era ritrovato fra le mani. Non si sa con quali soldi tentò di convincere gli austriaci a vendergli Venezia ed è certo che destinò una quantità di denaro per corrompere alcuni influenti circoli clericali di Roma in modo da favorire una sommossa nella capitale a suo vantaggio. La prima iniziativa fece il giro d'Europa come la storiella più divertente dell'anno, l'altra si risolse in una quantità imprecisata di risorse pubbliche gettate al vento per foraggiare speculatori senza patria. Vittorio Emanuele II chiese agli imperatori d'Austria e di Germania «mano libera» per risolvere la questione d'Oriente. Secondo lui, quel groviglio politico che aveva fatto dannare il mondo per cinquecento anni era, in realtà, di soluzione elementare. Bastava «cacciare il sultano della Turchia e sistemarlo in qualche regione dell'Asia», dopo di che lui, Vittorio Emanuele, avrebbe consentito alle potenze di «papparsi tutto quello che volevano» tenendo per sé qualche cosettina. Disse proprio, in francese, "quelques petites choses", come quando, già sazi, si cerca un non-so-che per digestivo. Non a caso, in quel momento, la considerazione del governo italiano nel mondo aveva toccato il minimo storico di credibilità.

Lord Clarendon considerò che la corona d'Italia era a rischio con quel re «ignorante, bugiardo, intrigante che nessuno può servire senza danno per la propria reputazione».

Tutti pensavano che il paese fosse nelle mani di una banda di imbroglioni incompetenti.

«A giudizio di noi ambasciatori – è una nota diplomatica destinata a Londra – è un governo di nullità. Il più debole di tutti è il ministro degli Esteri conte Campello. La sua intelligenza è così limitata e appare così totalmente ignaro dei problemi del suo dicastero che tentare di avere una conversazione con lui equivale a perdere del tempo».

La nazione che non c'è

Dov'è l'Italia? In Alto Adige pretenderebbero di essere austriaci: parlano il tedesco delle montagne tirolesi, festeggiano le loro ricorrenze facendo sfilare per le piazze gli Schützen armati che sparano a salve e per decenni hanno marcato il distacco da Roma facendo brillare la dinamite sotto i pali della luce. La gente vota Südtiroler Volkspartei, il partito popolare del Sudtirolo.

Dall'altra parte, in Val d'Aosta, senza terrorismo, con pochi strepiti ma rigorosamente, esibiscono il francese come una carta d'identità. I cartelli stradali sono un po' più grandi del normale perché le indicazioni devono essere espresse in due lingue. Qualche volta, dovendo tradurre via Gioberti con rue Gioberti, potrebbe sembrare una posa. Eppure, fino alla fine degli anni Cinquanta, hanno coltivato l'ambizione di diventare una provincia parigina e solo da quando De Gaulle ha rinunciato a rivendicazioni territoriali, i valdostani si considerano una "petite Patrie", un po' tradita e un po' delusa, con il cuore al di là delle Alpi ma con il portafoglio al di qua, in modo da trarre vantaggio da qualche agevolazione fiscale concessa loro. Alle elezioni vince l'Union Valdôtaine.

In compenso, nascosti fra Slovenia e Croazia, o sparsi nel mondo, vivono migliaia di istriani e dalmati che si sentono italiani ma che non sono riconosciuti. Nella migliore delle ipotesi possono definirsi "esuli".

La città di Caporetto, un simbolo di sofferenza per il tricolore e, contemporaneamente, l'occasione del riscatto nazionale, si trova all'estero, oltre il confine con la ex Jugoslavia, dove ha perduto il suo nome e viene indicata come Kobarid.

I siciliani chiamano l'Italia «il continente», espressione che sottolinea un distacco più profondo e più esteso del mare.

I sardi preferiscono parlare di «penisola» e dal 1997, dovendo individuare una data per celebrare la festa regionale, hanno deciso per il 28 aprile perché, in quello stesso giorno del 1794, i cagliaritani erano riusciti a cacciare in malomodo i piemontesi. Abitualmente la gente dell'isola, quando era esasperata da padroni più autoritari che autorevoli, li legava sulla groppa di un asino che, andandosene al trotto, portava via anche qualche saccente importuno. Poiché gli animali non erano in grado di attraversare il mare, nel 1794 sono state utilizzate un paio di navi. Al momento di levare le ancore, un tripudio sulle banchine del porto: la Sardegna era libera. Certo, la scelta di ricordarsi proprio di quell'episodio non è stata apprezzata da tutti perché appariva inutilmente polemica, ma la ricorrenza da allora non è stata più cancellata.

E, allora, dov'è l'Italia?

Il plenipotenziario austriaco Metternich, con arroganza, aveva sostenuto che era soltanto un'appendice geografica e quella sua infelice battuta gli ha portato male (abbandonò la politica nel 1848, politicamente sconfitto). E, ancora, l'Italia dov'è?

A Trieste, da tempo, fra le aiuole del parco Miramare, hanno trovato un piedistallo di marmo con la figura di Massimiliano, che era un liberale ma anche, pur sempre, il governatore delle regioni del Lombardo-Veneto soggette all'impero austro-ungarico. Più di recente, l'amministrazione comunale ha autorizzato che la statua di Sissi, moglie dell'imperatore d'Austria Francesco Giuseppe, fosse ricollocata dov'era nell'Ottocento, nella piazza davanti alla stazione. Per la verità, non proprio nello stesso punto perché lì, nel frattempo, era cresciuto un palazzo, ma appena discosta di qualche decina di metri. Non è rimpianto – assicurano – ma, certo, come non rilevare che un tempo Trieste era la porta d'Europa e adesso ne è la saracinesca? A Napoli, dovendo restaurare il teatro San Carlo, hanno staccato dal soffitto lo stemma in gesso dei Savoia e scoperto i gigli del Borbone. Un intervento di rispetto storico – pretendono di sottolineare – scevro da nostalgie e da rimpianti e, tuttavia, il confronto fra le due dinastie non può che evidenziare l'eccellenza dell'una e la modestia dell'altra.

Ogni regione coltiva un orgoglio di campanile che le consente di distinguere anche all'interno di se stessa.

Esiste un Piemonte al di qua e uno al di là del Tanaro, che non hanno nulla da spartire. E c'è un'Emilia al di qua del Rubicone e una Romagna al di là, che si contestano furiosamente.

La Liguria del Levante è una zona che quella di Ponente non considera nemmeno parte della famiglia. Gli umbri del Nord, nella zona di Gubbio, si considerano marchigiani e parlano con accento che assomiglia più a quello di Ancona che a quello di Perugia.

In Veneto, la gente di Venezia e di Padova si gratifica con il titolo di "gran signori" e "gran dottori" e considera parenti poveri i vicentini e i veronesi, "mangia gatti" e "tutti matti".

E non sono, forse, i toscani a preferire "un morto in casa piuttosto che un pisano all'uscio"?

Dov'è, dunque, l'Italia? Fino a qualche anno fa "la festa tricolore" era la manifestazione del Movimento Sociale Italiano, il partito della destra, che ha una fiamma verde-bianco-rossa nel suo simbolo e che i più pretendevano di escludere dall'arco costituzionale. Una festa da impedire o, almeno, da disprezzare.

Nemmeno la bandiera godeva di buona fama ed era considerata piuttosto fascista. La sinistra, per decenni, ha predicato che il nazionalismo era un concetto reazionario che andava boicottato a favore dell'internazionalismo proletario la cui guida era affidata soprattutto all'Unione Sovietica.

C'è voluta la nazionale di calcio di Bearzot, Zoff e Tardelli che, conquistando i campionati mondiali nel 1982, ha mandato per strada milioni di persone a festeggiare la vittoria, sbandierando il tricolore senza rischiare ammaccature ideologiche.

E da quando Bossi ha cominciato a parlare di Padania, anche se questa ipotetica entità si colloca ancora entro confini geografici incerti oltre che elastici, la difesa dell'Italia è diventata un esercizio di retorica un po' bolsa, una sorta di indignazione ufficiale senza passione, un amor di patria con poco sentimento.

Non c'è nemmeno l'italiano. Ricordando il maestro Alberto Manzi, conduttore della trasmissione televisiva *Non è mai troppo tardi*, è stato sottolineato come il suo lavoro abbia consentito a decine di migliaia di analfabeti di acquisire un barlume di pratica di scrittura e di lettura.

Questo, al tempo del "boom" economico degli anni 1960. Chissà cento anni prima, nel 1860, quale unità di linguaggio poteva esistere.

Chi cerca l'Italia non la trova, forse perché non esiste. È un agglomerato di comunità orgogliose della propria radice, attente a non disperdere le tradizioni del paese, con dialetti qualche volta incomprensibili a pochi chilometri di distanza, spesso in polemica con i vicini destinati a diventare protagonisti di barzellette perfidamente irriguardose.

Nessuno si è ancora preoccupato di sviluppare una cultura che consideri le differenze come una ricchezza e non come un fastidio. Tante regioni si sono trovate insieme abbastanza per caso, senza comprenderne i motivi e senza condividerne i vantaggi. Sembrerebbero tacitamente rassegnate a una pacifica convivenza soltanto perché il dividersi sarebbe – contemporaneamente – faticoso e inutile. Un matrimonio senza amore che resta in piedi, trascinandosi fra stanchezza e incomprensioni, poiché l'eventuale divorzio non lascia immaginare un miglioramento, nemmeno piccolo.

Alla domanda sull'orgoglio di essere italiani il 40 per cento degli intervistati risponde positivamente, con una percentuale leggermente superiore alla media europea, ferma al 37. Tuttavia, a scavare, si scopre che soltanto il 25 per cento rischierebbe qualcosa per la patria, mentre di morirci non ci pensa proprio nessuno, a differenza di belgi, spagnoli, tedeschi che accettano sacrifici anche importanti. Cinquantaquattro irlandesi su 100 sono disposti a dare il sangue alla bandiera. Ancor più gli irlandesi del Nord (55), gli olandesi (60) e gli inglesi (68).

Gli italiani sottovalutano gli italiani (gli altri) accusandoli di doppiezza, scarso senso critico, mancanza di moralità, cinismo. Parlare male di governo e governanti è normale e sembra che diffidare delle istituzioni sia una specie di legittima difesa. La distanza fra il cittadino e la nazione sembra abissale e incolmabile. La storia non è senza colpe.

L'Unità d'Italia è stato uno slogan con cui la mitologia del Risorgimento ha giustificato un capitolo di storia del tricolore.

In quegli anni, a metà dell'Ottocento, pochi hanno creduto veramente alla possibilità di costruire una nazione dalle Alpi a Pantelleria e i più onesti di loro hanno dovuto ricredersi, quando se ne sono accorti, che le ambizioni e le speranze erano state tradite. I più non capivano che cosa fosse questo Risorgimento.

In Sicilia i patrioti – si fa per dire – che avevano accettato di unirsi a Garibaldi inneggiavano: «Viva la Taglia!».

A Napoli – gli dà credito uno storico come Mack Smith – urlavano correttamente, «Viva l'Italia!», ma credendo che fosse la moglie del nuovo re.

Il Nord-Est, che adesso sembrerebbe violentemente polemico contro il potere di Roma, ha avuto modo di contestare anche quello di Torino e di Firenze della neonata unità: «Sotto i Taliani el governo no comanda più gnente. Comanda i signori». I cosiddetti padri della patria non si sono preoccupati di favorire un processo di integrazione.

Per la verità, forse a eccezione di Camillo Benso di Cavour, non ci hanno nemmeno pensato.

Gli uomini di casa Savoia, il re in prima fila, hanno coltivato il proposito di ingrandire i loro territori per ragioni di prestigio personale. Per loro era cosa da poco governare un regno che comprendeva un paio di regioni accoccolate attorno al Piemonte e si sono ingegnati per allargarne i confini. Sgomitando, intrallazzando, arruffianandosi, mentendo e millantando.

Pretesti e furberie, d'altra parte, erano state le armi diplomatiche che, da generazioni, le teste coronate di Torino attuavano sfacciatamente. Alessandro Manzoni, la fedeltà del quale all'Unità d'Italia è fuori discussione, se ne è ricordato quando ha scritto *I Promessi Sposi*.

I Savoia avevano bisogno di terre buone, campi aperti e risorse economiche.

Una minoranza di classe media, al Nord, in particolare gli industriali tessili, si rendeva conto che il progresso commerciale non poteva prescindere da un più vasto mercato interno. Essi avevano capito immediatamente i vantaggi di un unico governo centrale capace di difendere i loro interessi. E Cavour pensava già alle conseguenze dell'apertura del canale di Suez e calcolava che il Meridione d'Italia sarebbe stato uno snodo di passaggio di capitali di grande rilevanza. Servivano l'Est dell'Italia, governato splendidamente dagli austriaci, con invidiabile efficienza, e il Sud che, a dispetto dei luoghi comuni, vantava ricchezze solidissime. I Savoia hanno occupato l'uno e l'altro con la determinazione degli invasori e con la protervia di una nazione coloniale.

Per decenni, a cominciare dal 1860, in parlamento, nei municipi, ai posti di responsabilità sono stati scelti gli amici e gli amici degli amici, gente nata magari al Sud ma che il Sud aveva abbandonato presto per vivere a Torino e Milano. Erano più nordisti della gente del Nord, disprezzavano i loro connazionali ed erano i più risoluti nel chiedere interventi sbrigativi per rompere la schiena a quegli "imbecilli" che non capivano il piacere che si stava facendo loro. Se siciliani e napoletani erano tanto "zucconi" da sottovalutare quei valori di libertà portati dai Savoia e non si affrettavano a genuflettersi, significava che erano così incivili da meritare ogni forma di punizione. Per il loro bene, naturalmente, come il padre che schiaffeggia il figlio per farlo crescere onesto. Con un atteggiamento becero che Vittorio Alfieri, altro campione di nazionalismo, non si nascose: «La nobiltà piemontese più che tirannica è fastidiosa. C'è un "io sono io e tu sei tu e tu non conti nulla" che non dà motivo né di adirarsi né di tollerarlo».

L'Italia, che non era Piemonte, non è stata liberata ma conquistata. Lì sarebbe cominciato lo sfruttamento sistematico del Meridione dal quale sono state partorite strutture come la Cassa del Mezzogiorno, che ha fatto comodo ad altri tipi di casse. Le regioni meridionali non sono state unite alla madrepatria ma annesse.

Quando si comincerà ad ammettere di aver maltrattato il Sud e la sua gente? Con la volgarità prima di tutto.

Francesco II, il re Borbone delle due Sicilie, era un giovanotto anemico al quale importava poco di tutto e che dimostrava scarsissimo interesse per ogni pietanza. A eccezione delle lasagne che, presentate al dente, lo incoraggiavano a inforcarne qualche boccone. Con l'ironia dei meridionali, il padre Ferdinando lo ribattezzò «lasa» e quel nomignolo così sbrigativamente gastronomico divenne per i rigidi sabaudi una patente di imbecillità. Vittorio Emanuele II, a tavola, preferiva i ben più proletari fagioli, ma non lo chiamarono «fagio». Preferirono per lui «re galantuomo». Per infangare l'immagine di quel ragazzino di re, cacciato a forza dalla sua terra, hanno fatto circolare una serie di foto della moglie, Maria Sofia, in atteggiamenti pornografici. Il lavoro era stato ordinato dai servizi segreti piemontesi. In compenso Vittorio Emanuele, in una cassapanca, fra vecchi fucili, bandiere storiche, un ritratto di Nino Bixio, teneva un'immagine stampata a grandezza naturale della contessa di Castiglione che, in passato, aveva frequentato il suo letto, quello di Cavour e una dozzina d'altri in case diverse. Foto autenticamente vera. L'hanno bruciata i familiari rimettendo a posto lo studio del re.

Durante le prime manifestazioni insurrezionali del 1848, la sollevazione di alcuni gruppi nelle città meridionali fu duramente soffocata. Come ovunque. Il Borbone, responsabile di aver ordinato un'azione poliziesca di repressione feroce, meritò di essere indicato come «il bomba» o – a voler essere ancor più spregiativi – «il bombetta». Il Savoia, fondatore della patria, ordinò che i cannoni sparassero su Genova (dopo la sconfitta di Novara del 1849) e su Palermo (nel 1866), ma per l'agiografia risorgimentale restò «galantuomo» a dispetto dei morti, dei processi sommari, delle persecuzioni e dei massacri.

La cattiva prova dell'esercito del regno delle due Sicilie opposto ai garibaldini ha indotto i grandi strateghi a sbeffeggiare i soldati di «Franceschiello» che apparivano, insieme, impreparati e "cacasotto". Anche se, per vincere, hanno dovuto allearsi i piemontesi e i Mille, i volontari polacchi e quelli ungheresi, i militari inglesi e i massoni di Edimburgo, lo Stato Maggiore nemico convinto a passare dall'altra parte e i mafiosi di La Masa e Corrao. In ogni caso, le armate del Piemonte, quando si è trattato di fare sul serio, hanno collezionato soltanto sconfitte e brutte figure. Non sono riuscite a vincere mai né sotto la prima monarchia né sotto la seconda. Lo Stato Maggiore abbondava solo in chiacchiere, inefficienza e giustificazioni scaricabarile del senno di poi. Il conte Bersezio, detto il Bersè, non ha perso l'occasione per qualche facile ironia nei confronti degli ufficiali gallonati: «È cosa rimarchevole vedere i generali più ignoranti fare grandi sforzi per condurre armate numerose a farsi battere da pochi soldati ben comandati».

Come mai nessuno si ricorda di evidenziare il peso avuto da "Vittoriello"? O del "Savoiardo", un biscotto di pasta frolla che si intinge nel latte senza sbriciolarsi esageratamente?

I meridionali sono stati considerati fin dall'inizio miserabili e la dedizione alla loro bandiera è stata punita come atto oltraggioso di banditismo.

Per la gente del Nord: riconoscimenti, medaglie e collari per premiare i più idioti segni di fedeltà. A costo, addirittura, di inventarsi gli eroi da additare a esempio.

Forse è il tempo di rileggere la storia con più attenzione e con uno sguardo più critico. Alcuni studiosi, per la verità, stanno già cimentandosi nella difficile impresa di riportare un equilibrio di valutazioni negli episodi del Risorgimento. Il proposito è quello di servirsi del metodo che De Felice ha utilizzato per il fascismo, cioè impiegare «con dovizia» la letteratura dell'epoca, «troppo precipitosamente messa da parte». E poi guardare sotto l'illuminazione di «una luce più laica» e «meno teologicamente orientata».

Angelantonio Spagnoletti ha proposto una rivisitazione dello stato del regno delle due Sicilie prima del 1860 per concludere che le descrizioni a tinte fosche costruite dagli esuli meridionali erano in gran parte false o esagerate. Napoli custodiva una civiltà invidiabile, da esibire al mondo, soprattutto in campo giudiziario dove le garanzie per gli imputati erano conquiste assolutamente d'avanguardia. La sua Corte era la più splendida d'Italia. E le strade – altro che mulattiere! – hanno consentito di realizzare un cordone sanitario per contenere l'epidemia di colera del 1836-37. Senza nascondere gli errori e le meschinità dei vari Ferdinando e Francesco, ma senza lasciarsi trascinare dal sentito dire, ascrivendo ai demeriti anche quello che di positivo avevano prodotto. Senza che questo atteggiamento significhi, necessariamente, opporsi ai Savoia o al loro rientro in Italia, eventualità che non appartiene alla storia ma alla politica. E, meno ancora, senza per questo prendere posizione sulla necessità che l'Italia, riunita a forza, debba, oggi, dividersi con un movimento di secessione.

Insomma, fra le righe di una storia ufficiale ne esiste

un'altra, controcorrente, che casa Savoia prima e il fascismo poi, per motivi diversi ma alla fine convergenti, hanno concorso in modo determinante a soffocare. «Mai parlare male di Garibaldi» ha significato mettere la mordacchia alla libertà di indagine e a nascondere la verità. Presentarono il Risorgimento come un tripudio di fanfare, bandiere, fiori lanciati dai balconi, entusiasmi di piazza. Quei vent'anni abbondanti che portarono all'Unità diventarono acriticamente un'epopea e Rosario Romeo fu mal sopportato quando cominciò a sostenere che, per l'Italia, furono assai più determinanti le beghe internazionali fra Inghilterra e Francia.

Misero in moto la fabbrica degli eroi riservando per ciascuno titoli di merito e attribuendo loro interessi nobili, quando – in realtà – si trattava soltanto di figure ambigue, sempre con un piede nell'idealità ma con l'altro nell'imbroglio. Morale e potere non resistono troppo tempo insieme. L'altra storia è certo meno nobile perché nasconde truffe, imbrogli, bugie, mistificazioni. Tutto con la scusa dell'Unità d'Italia. L'atto di fondazione dello stato ha finito per pregiudicare anche quelli successivi. E, infatti, da allora poco è cambiato, e pochissimo nella sostanza. Legittimo o bastardo che sia, il paese di oggi è figlio di quello di ieri.

I personaggi dell'Ottocento, politici corrotti, ufficiali mestatori, traffichini di regime, fascisti "ante litteram", burocrati inefficienti ricchi della sola prosopopea, magistrati dimentichi della giustizia, assomigliano troppo a quelli che compaiono quotidianamente nelle cronache della vigilia dell'anno 2000. Come se, in filigrana, gli uni fossero speculari agli altri.

C'è poco da scoprire. C'è tutto già scritto nei libri. Il più delle volte, non ci sono censure straordinariamente gravi. Piuttosto, i particolari più scomodi non sono evidenziati e, quasi, nascosti in un mare di elogi. Perfino le bugie – tante – non sarebbero difficili da smascherare anche se, un po' per pigrizia e un po' per abitudine, ci si è adattati a tenere per buone le leggende al posto dei fatti.

Un esempio per tutti: l'incontro di Teano è falso. L'episodio che compare sulle copertine di tutti i manuali del Risorgimento che si studiano a scuola, il simbolo stesso dell'Unità d'Italia, non avvenne come ci hanno raccontato da sempre.

Note al testo

Un falso storico: l'incontro di Teano

5 **barba e baffi di Vittorio Emanuele:** PINTO P., *Vittorio Emanuele II – Il re avventuriero,* Milano 1995.

6 **una specie di papalina di lana:** ABBA G.C., *Da Quarto al Volturno, noterelle di uno dei Mille,* Bologna 1891.

8 **E com'è questo Sud?:** PALLAVICINO G., *Memorie,* vol. III, Torino 1895.

9 **Insieme si diressero «verso Sud»:** PASINETTI T., *Intervista a Ana Maria de Jesus Garibaldi,* in «Il Giornale», 26 novembre 1996.
uno striminzito «Grazie»: MONTANELLI I., *Storia d'Italia – L'Italia del Risorgimento,* Milano 1972.
fosse anche il meglio vestito: GASPERETTO P.F., *Vittorio Emanuele II,* Milano 1984.

10 **«Ci hanno messo alla coda»:** WHITE MARIO J., *Garibaldi e il suo tempo,* Milano 1882.
senza i loro uomini: DELLA ROCCA E., *Autobiografia di un veterano – Ricordi storici e aneddotici,* vol. I, Bologna 1897.
che cosa gli fanno fare: BRACALINI R., *Non rivedrò più Calatafimi – I garibaldini: uomini, sogni, avventure, battaglie,* Milano, 1989.

11 **automi alla maniera loro:** RICASOLI B., (a cura di M. Tabarrini e A. Gotti), *Lettere e documenti,* Firenze 1887.
aveva conquistato e lasciato: MACK SMITH, *Garibaldi,* Bari 1970.

Vittorio Emanuele II «re galantuomo»?

13 **un bulletto di provincia:** PETACCO A., *Regina,* Milano 1997.
fu abbondante e gustosa»: DELLA ROCCA E., *Autobiografia di un veterano – Ricordi storici e aneddotici,* vol. II, Bologna 1898.

il colletto della camicia: JAEGER P.G., *Francesco II di Borbone – L'ultimo re di Napoli,* Milano 1982.

14 **stavano andando a fuoco:** COWLEY H., (27 novembre 1855), FO 519/217.

il decorso della digestione: GASPARETTO P.F., *Vittorio Emanuele II,* Milano 1984.

ingigantire le minime virtù: MACK SMITH D., *Vittorio Emanuele II,* Bari 1994.

Dalla prefazione: «Lo stesso Vittorio Emanuele II si cautelò assicurandosi che le sue lettere più compromettenti venissero bruciate o distrutte. [...] Due volte ho cercato di ottenere il permesso di consultare gli archivi reali ma senza successo. Questo insuccesso è parzialmente compensato dal fatto che le copie di 500 lettere sono state concesse dall'ex re Umberto al prof. Cognasso e pubblicate nel 1963, ma la raccolta presenta molte ed evidenti lacune. [...] Gli otto volumi di Nicomede Bianchi restano un'opera insostituibile. Bianchi era uno dei pochissimi storici ai quali fosse concesso di sapere qualcosa degli archivi segreti, ma non fece mai parola del loro contenuto. I documenti da lui pubblicati sono pieni di equivoci, di omissioni, di alterazioni e persino interpolazioni di materiale falso e mutamenti di date allo scopo di servire la causa del Piemonte e della monarchia».

15 **coppette del gelato:** MACK SMITH D., *Vittorio Emanuele II,* Bari 1994.

Dalla Prefazione: «La chiave per spiegare un certo numero di problemi tutt'ora irrisolti giace nascosta in Portogallo, a Cascais, dove gli archivi regali vennero portati in circostanze alquanto misteriose».

16 **a cominciare dalle guerre moderne:** MONTANELLI I., *La stanza di Montanelli,* in «Corriere della Sera», 4 novembre 1997.

un certo Tanaca: BARBERA G., *Memorie di un editore 1818-1880,* Firenze 1930.

«Il suo vero padre – disse D'Azeglio – era un macellaio di Porta Romana, a Firenze, e aggiungeva che dal re Vittorio stava ben volentieri lontano quanto poteva».

17 **prosa scritta e parlata:** OXILIA G.U., *I figli di Carlo Alberto allo studio,* in «Nuova Antologia», agosto 1907.

«È sempre addormentato, lavora poco o nulla. [...] Lavora con noia e indolenza. [...] Un'ora di lezione per lui non basta neanche per spiegargli la più semplice proposizione».

18 **«per farci disperare tutti quanti»:** BEAUREGARD C., *Prologue d'un règne: la jeunesse du roi Charles-Albert,* Parigi 1889.

commercio di cavalli: MARCOTTI G., *La madre del re galantuomo,* Firenze 1897.

padrone degli avvenimenti: CARLO A., *Recueils de pensées – Reflexions Historiques.* L'unica copia di questo manoscritto è conservata nella Biblioteca del Risorgimento di Roma ed è dedicata «Au père Grassi».

19 **piemontese andava benissimo:** GERBORE P., *Dame e cavalieri del re,* Milano 1952.

20 **Urbano Rattazzi a sposarsela:** *ibid.*

21 **con l'ordine di perseguitarla:** PICCINI G., *Memorie di una prima attrice – Laura Bon,* Firenze 1909.

ma non andò oltre: FRIEDJUNG H., *Benedeks Nachgelassene papiere,* Dresda 1904.

con i figli morganatici: GERVASO R., *La bella Rosina – Amore e ragion di Stato in Casa Savoia,* Milano 1991.

22 **accadevano degli inconvenienti:** PETACCO A., *Regina,* Milano 1997.

qualunque amante geloso: PINTO P., *Vittorio Emanuele II – Il re avventuriero,* Milano 1995.

per quanto scrisse di Rosina: GIGLIOZZI G., *Le regine d'Italia,* Roma 1997.

23 **«Lui! tale e quale, lui!»:** PINTO P., *Vittorio Emanuele II –Il re avventuriero,* Milano 1995.

qualunque cornuto offeso: GERBORE P., *Dame e cavalieri del re,* Milano 1952.

24 **Anche allora:** SCIALOJA A., *Bilanci del regno di Napoli e degli stati sardi,* Torino 1857.

e i loro parenti: DAWERPE A., *Verso l'Italia industriale,* in *Storia dell'economia italiana,* vol. III, Torino 1991.

dei ministri competenti: *Ibid.*

25 **ricca di imbrogli:** ROMEO R., *Risorgimento e capitalismo,* Bari 1959. –, *Dal Piemonte sabaudo all'Italia liberale,* Torino 1963.

caporale Mirafiori Guerrieri: figlio naturale di Vittorio Emanuele II e di Laura Bon, nacque ai primi di ottobre del 1851 da genitori "incogniti" poiché il monarca sabaudo non poteva riconoscerlo e fu registrato come Emanuele, Alberto, Francesco, Ferdinando.

la corruzione imperava: RATTAZZI M. de S., *Rattazzi et son temps – Documents inédits (correspondance, souvenir intime),* 2 voll., Parigi 1881.

26 **il pensiero è limpido:** PETRUCCELLI DELLA GATTINA F., *Demolizioni, rabbie, disinganni,* Napoli 1882.

segni di disordine morale: ANELLI L., *I sedici anni del governo dei moderati (1860-1876),* Roma 1929.

27 **giardino di una villetta:** PETACCO A., *La principessa del nord – La misteriosa vita di Cristina di Belgioioso,* Milano 1993.

29 **Una batosta e l'armistizio:** SPELLANZON C., *Considerazioni di Carlo Cattaneo sulle cose d'Italia nel 1848,* Torino 1942.
Pesante sconfitta in casa: ROCCA G., *Avanti Savoia! – Le disfatte che fecero l'Italia,* Milano 1993.
piccola corona nel mezzo: MARCOTTI G., *La madre del re galantuomo,* Firenze 1897.
collaborare con gli oppressori: DURANDO C. (a cura di), *Episodi diplomatici del Risorgimento italiano dal 1856 al 1863 estratti dalle carte del generale Giacomo Durando,* Torino 1901.
il controllo della città: FACCI F., *Radetzki a Milano*, Milano 1997.
dai mali dell'anarchia: IACINI S., *Un conversatore rurale della nuova Italia,* 2 voll., Bari 1926.

30 **o è posto in ombra:** *ibid.*
un salario molto più alto: in «The Times», 5 luglio 1859 e in FINALI G. (a cura di G. MAIOLI), *Memorie*, Firenze 1955.
Il capitolo dedicato ai commenti di Cavour inizia così: «Io m'aspettava ben più, non è così che ci si prepara a una guerra nazionale».
dimostrò coraggio: in «Il Diritto», 17 marzo 1849 e in WOINOVICH, *Alcuni fatti del Risorgimento*, Roma 1911.
«non fare il gradasso»: GASPARETTO P.F., *Vittorio Emanuele II,* Milano 1984.
«l'ombra del Trocadero»: CARDUCCI G., *Piemonte* (lirica).

31 **«mai quella del disonore»:** CANTÙ C., *Della indipendenza italiana, Cronistoria,* vol. III, Torino 1877.
intorno a quell'episodio: SMITH MCGAW H., *The armistice of Novara – A legend of a liberal king,* in «Jurnal of Modern History», Chicago 1935.

32 **per sé e per il trono:** lettera del 26 marzo 1849 in FACCI F., *Radetzki a Milano,* Milano 1997.
guerra a oltranza: BOIS L., *Relazione del 14 aprile 1849,* Parigi 1849.
in piazza Corvetto: da un volantino distribuito in città che è argomento dell'articolo *Togliete quel re da piazza Corvetto*, in «Il lavoro», 15 dicembre 1997.

34 **veneziani e cinque lombardi:** NISCO N., *La guerra del 1859 – Narrazione,* in *Storia civile del regno d'Italia,* vol. I, Napoli 1883.

35 **nemmeno un ferito:** MACK SMITH D., *Vittorio Emanuele II,* Bari 1994.
prendere qualunque decisione: SOLAROLI DI BRIONA P., *Diario,* in Chiala L. (a cura di), *Ricordi di Michelangelo Castelli,* Torino 1888.
di più che un fanfarone: D'IDEVILLE H., *Victor Manuel – Sa vie et sa mort. Souvenirs personnels,* Parigi 1878.

36 **abbiano poi fatto i lingotti:** J.A., *Révélations,* Parigi 1862, tradotto in italiano con autore sconosciuto (identificato come Antonio

Curletti), *Le rivelazioni di J.A. già agente segreto di Cavour,* Bologna 1862.
alla zona di Trieste: MASSARI G. (a cura di E. Morelli), *Diario delle cento voci (1858-1860),* Bologna 1859.

37 **«su una questione nazionale»:** 26 gennaio 1862, Public Record Office 30:22:69, Archivio storico dello stato, Londra.
al posto di normalissimi banditi: PUCCIONI M. (a cura di), *Cinquantasette lettere di Massimo D'Azeglio - dal carteggio di Giorgini,* Firenze 1953 e TOMMASEO N., *Cronichetta del 1865-66,* Firenze 1940.

38 **di vista della storia:** J.A., *Révélations,* Parigi 1862, tradotto in italiano con autore sconosciuto (identificato come Antonio Curletti), *Le rivelazioni di J.A. già agente segreto di Cavour,* Bologna 1862.
sua vocazione di rivoluzionario: DURANDO C. (a cura di), *Episodi diplomatici del Risorgimento italiano dal 1856 al 1863 estratti dalle carte del generale Giacomo Durando,* Torino 1901.
definitivamente a tavola: COMANDINI A., *L'Italia nei cento anni del secolo XIX,* vol. IV, Torino 1900.

Un «onesto babbeo» al comando dei Mille

41 **«come un cinghiale arrabbiato»:** DU CAMP M., *Expédition des deux Sicilies,* Paris 1881.
una vera canna al vento: in MAZZINI G., *Lettera del 4 maggio 1860 a Giacomo Daniele.* A riguardo Francesco Grisi (in *Mazzini,* Milano 1995) riferisce altri giudizi critici e cita la lettera di Mazzini alla madre del 2 luglio 1848: «Quanto a Garibaldi, mi duole che si lasci convincere di venire in campo come colonnello e anche generale dell'esercito regolare. Non sarà più il Garibaldi che l'Italia ammirava e amava». Ancora l'8 luglio: «Garibaldi è un'altra delusione ma ci sono avvezzo». Mazzini scrisse a Giuseppe Lamberti il 3 luglio 1848: «Sto per avere un'altra delusione da Garibaldi». E il 17 luglio, a Goffredo Mameli: «Garibaldi confessa di essere sempre lo stesso né io leggo nella coscienza. Il fatto però è che egli ha rinunziato alla via che si era prescelta in accordo con me per prendere la solita. Gli frutterà inganni atroci».
«rozzo e incolto»: MACK SMITH D., *Modern Italy - A political history,* Londra 1997 tradotto in italiano *Storia d'Italia dal 1861 al 1997,* Bari 1997.
«un onesto pasticcione»: MONTANELLI I., *La stanza di Montanelli,* in «Corriere della Sera», 4 novembre 1997.

43 **trasse qualche insegnamento:** MACK SMITH D., *Garibaldi,* Bari 1970.

44 **raggirato e derubato:** RIDLEY J., *Garibaldi,* Milano 1975.

45 **approssimative e ideali contorti:** LAMI L., *Garibaldi e Anita corsari,* Milano 1991.

47 **balzare in piedi:** GUERZONI G., *Garibaldi (1807-1882),* 2 voll., Firenze 1882.

che non falliscono: CURATOLO G.E., *Garibaldi e le donne,* Roma 1913.

perdere la moglie: GARIBALDI G., *Edizione nazionale degli scritti di Garibaldi,* Bologna 1937.

le carte del destino: MACK SMITH D., *Modern Italy – A political history,* Londra 1997, tradotto in italiano *Storia d'Italia dal 1861 al 1997,* Bari 1997.

48 **«quella di un innocente»:** GUERZONI G., *Garibaldi (1807-1882),* 2 voll., Firenze 1882.

50 **avessero campo libero:** MACK SMITH D., *Modern Italy – A political history,* Londra 1997 tradotto in italiano *Storia d'Italia dal 1861 al 1997,* Bari 1997.

54 **ne aveva 69:** GIGLIOZZI G., *Anita – Una grande storia d'amore,* Roma 1986.

56 **una tolleranza di 180 giorni:** gli uomini di Garibaldi furono fotografati, uno a uno, al momento di partire, da Alessandro Pavia di Genova che pubblicò le loro immagini in: *Album dei Mille sbarcati a Marsala condotti dal prode generale Giuseppe Garibaldi.* Gli originali sono conservati presso le Raccolte storiche del comune di Milano. Sono state presentate numerose riproduzioni, come, per esempio: BRIGNOLI M., *I Mille di Garibaldi, volti di protagonisti e comparse,* Milano 1981.

57 **un vaglia di 100 lire:** J.A., *Révélations,* Parigi 1862, tradotto in italiano con autore sconosciuto (identificato come Antonio Curletti), *Le rivelazioni di J.A. già agente segreto di Cavour,* Bologna 1862.

le canzoni del folklore: in «La Gazzetta del Popolo», 6 giugno 1860.

58 **di una bocca di fuoco:** GRANDI F., *Ricordi autobiografici del professor Francesco Grandi, luogotenente dei Mille a Marsala, nato a Tempio Pausania il 4 marzo 1840.* Si tratta del diario che il prof. Grandi (che morì a Roma l'8 giugno 1934) ha scritto e fatto stampare per i familiari in un unico esemplare. L'originale è conservato dal pronipote, il giornalista Marco Sassano.

valere la pena di morire: BANDI G., *I Mille da Genova a Capua,* Milano 1981.

59 **«poteva essere codardi»:** CRISPI F., *Il diario dei Mille,* Milano 1911.

«della canaglia vi dilagna»: in «La Gazzetta del Popolo», 6 giugno 1860.

61 **Giulio Di Vita:** Giulio Di Vita, toscano, ricercatore e docente di Economia politica presso l'università di Edimburgo, lesse al convegno di *Torino* (*La liberazione d'Italia a opera della massoneria,* 24-25 settembre 1988) la relazione: *Finanziamenti della spedizione dei Mille.* Gli atti del convegno sono pubblicati a cura di Alessandro Mola, Foggia 1990.

62 **un contenzioso tutto italiano:** TREVELYAN R., *Principi sotto il vulcano,* Bologna 1911.

63 **una cospicua fortuna:** *ibid.*

65 **Trevelyan, George Macaulay:** TREVELYAN G.M., *Garibaldi e la formazione dell'Italia,* Bologna 1913.
«trionfo della causa italiana»: CAVOUR C.B., conte di, *La liberazione del Mezzogiorno e la formazione del Regno d'Italia: carteggia,* 5 voll., Bologna 1949-54.

66 **«preparare una cospirazione»:** WHITAKER T., *Sicily and England,* Londra 1907.
quasi tutti ubriachi: MEYLAN A., *Souvenirs d'un soldat suisse au service de Naples de 1857 à 1859,* Ginevra 1868.

67 **«e di guida intelligente»:** ACTON H., *Gli ultimi Borboni di Napoli,* Firenze 1962.
spezzato la schiena: *ibid.*

68 **Asile de la Vertu di Montevideo:** MOLA A.A., *Garibaldi vivo – Antologia critica degli scritti con documenti inediti,* Milano 1982.

69 **la spedizione dei Mille:** BRACALINI R., *Non rivedrò più Calatafimi – I garibaldini: uomini, sogni, avventure, battaglie,* Milano 1989.
Gruppo di ricerca storica: il Gruppo di ricerca storica di Catania è diretto dal professor Paolo Stivala.

70 **chiusura delle tipografie:** il giornale «La tragicommedia» uscì a Napoli il 26 giugno 1861 ma, avendo assunto un atteggiamento critico, mandò in edicola solo tre numeri. Una sorta di persecuzione fiscale venne attuata nei confronti de «L'Aurora», «La croce rossa», «L'ape cattolica», «Il Flavio Gioia», «L'equatore» e «L'eco di Napoli». Il 6 marzo 1861, a Torino, la corte d'Assise condannò il gerente della testata «L'Armonia» a due anni di carcere e 3.000 lire di multa, mentre il giornale fu «sospeso» per l'intero periodo della pena. Un articolo di quattro giorni prima, intitolato: *Lettera del marchese La Rochejacquelin al vescovo di Poitiers,* venne considerato ingiurioso nei confronti del re. Il 5 aprile la censura vietò la pubblicazione de «L'Unità italiana» di ispirazione mazziniana e il 25, analogo decreto tolse dalle edicole «L'Indipendente» di Dumas che aveva pubblicato: *O il re Vitto-*

rio con la sua corte o Garibaldi con la sua popolarità. A maggio, il 7, il gerente de «La pietra infernale» di Napoli, Gervasi, venne condannato a tre mesi di carcere e a 400 ducati di multa. Sempre a maggio, il 9, venne condannato il «Campanile» di Torino per un'inchiesta intitolata: *Scandali all'Accademia Militare di Torino.*
«e non poco vergognosi»: JAEGER P.G., *Francesco II di Borbone – L'ultimo re di Napoli,* Milano 1982.

72 **fece inutilmente del chiasso:** WINNINGTON-INGRAM H., *Hearts of Oak,* Londra 1889.

73 **di tornare indietro:** in GRANDI F., *Ricordi autobiografici del professor Francesco Grandi, luogotenente dei Mille a Marsala, nato a Tempio Pausania il 4 marzo 1840.*

74 **«leggermente inferiori»:** BIANCARDI L., *Daghela avanti un passo! Gli errori, gli entusiasmi, le delusioni di oggi e di sempre in una antistoria del Risorgimento,* Milano 1992.

La mafia in campo

75 **la nascita di uno nuovo:** MARTINO C.G., *L'opposizione mafiosa,* Palermo 1996. «Nonostante i silenzi e le ambiguità della documentazione ufficiale, tutta orientata ad accreditare ed esaltare il patriottismo, la mafia contribuì notevolmente ad agevolare e alimentare l'azione garibaldina».
che lavorava per loro: SCARPINO S., *La storia della mafia,* Milano 1994.
«che è un possidente»: ZULLINO P., *Guida ai misteri e piaceri di Palermo,* Milano 1970.

76 **sempre più vasto:** LUPO S., *Storia della mafia,* Palermo 1993.
di spesa governativi: BECCARIA G., *L'eroe dei due mondi promise la rivoluzione e i picciotti si allearono con lui,* intervista a Denis Mack Smith, in «La Stampa», 9 febbraio 1996.
«Per noi storici la mafia non ha lasciato documenti scritti ma è un fatto che Garibaldi scelse, come segretario di Stato Francesco Crispi, che qualche legame con i "picciotti" dell'isola li aveva, e molti gruppi mafiosi contribuirono a diffondere la propaganda garibaldina».
dimostrare il contrario: RAVIDÀ A., *Anche Garibaldi pagò i boss. Il pentito in aula rivela «me lo ha raccontato un vecchio mafioso»,* intervista a Antonino Patti, in «La Stampa», 9 febbraio 1996.
Questo pentito di mafia testimoniando nell'aula del tribunale di Como, l'8 febbraio 1996, sostenne che la mafia esiste dal 1800 e che l'impresa dei Mille si realizzò solo per l'appoggio diretto dei boss siciliani.

77 **«fu un elemento prezioso»:** ABBA C., *Da Quarto al Volturno, noterelle di uno dei Mille,* Bologna 1891.

78 **colonna di garibaldini:** PANTANO E., *Memorie,* Bologna 1933.
diserzione e tradimento: ABBA C., *Da Quarto al Volturno, noterelle di uno dei Mille,* Bologna 1891.

79 **con la mafia organizzata:** ZULLINO P., *Guida ai misteri e piaceri di Palermo,* Milano 1970.
«Corrao, con Pilo, presero contatto con la mafia palermitana dando inizio alla guerriglia».

80 **Sant'Agata di Militello, Cefalù:** COLAJANNI N., *Nel regno della mafia – La Sicilia dai Borboni ai Sabaudi,* Palermo 1971.
«C'era un uomo adorato nelle campagne e nelle città che aveva qualcosa di mafioso ma che era nobile e generoso e si era sempre battuto eroicamente per la libertà, il generale Corrao».

82 **augurarsi rispettive fortune:** ACTON H., *Gli ultimi Borboni di Napoli,* Firenze 1962.
avuto esito positivo: RENDA F., *Storia della Sicilia dal 1860 al 1970,* vol. I, Palermo 1984.
«Vi fu una partecipazione mafiosa alla spedizione garibaldina: [...] Fra i picciotti e i loro capi vi furono individui catalogabili come mafiosi che, di fatto, negli anni seguenti si aggregarono ad associazioni mafiose. I Salvatore Miceli, i Santo Mele, i Giuseppe Coppola furono di tal genere».

83 **il più lontano possibile:** CAVA T., *Difesa Nazionale Napolitana,* Napoli 1863.
Per il tradimento di ciascuno: BUTTÀ G., *Un viaggio da Boccadifalco a Gaeta,* Napoli 1882.

84 **«guarda avanti e cammina»:** *ibid.*

85 **e i no 680:** GANCI M., *Il plebiscito del 21 ottobre 1860,* Archivio storico siciliano, serie III, vol. IX, Palermo.
di quel momento: TOMASI DI LAMPEDUSA G., *Il Gattopardo,* Milano 1956.

Bixio, Zambianchi e Nievo

88 **di giustificazione politica:** PANDOLFO G., *La dittatura dei moderati in Sicilia: da Bronte a Fantina,* Palermo 1990.
non poteva essere rifiutato: VIGO L., *La Sicilia nell'agosto 1860,* Palermo 1860.

89 **la distribuzione del rancio:** BUTTÀ G., *Un viaggio da Boccadifalco a Gaeta,* Napoli 1882 e DE SIVO G., *Storia delle due Sicilie dal 1847 al 1861,* 5 voll., Roma 1863-64, Verona 1866, Pompei-Viterbo 1867.
una suora violentata: GUERZONI G., *La vita di Nino Bixio,* Firenze 1889.

90 **per considerarsi "vinti":** Radice B., *Nino Bixio a Bronte,* Caltanissetta, 1963.
a Talamone, in Toscana: Agrati C., *I Mille nella storia e nella leggenda,* Milano 1993.

91 **una cassa di denaro:** Bandi G., *I Mille da Genova a Capua,* Milano 1981.
più assennati e prudenti: in Archivio storico del Ministero degli Interni, anno 1860, I semestre, Roma.

92 **«lo avessero richiesto»:** *ibid.*
i rivoluzionari sembravano diretti: *ibid.*
arrestò i suoi uomini: *ibid.*

93 **e scappò di corsa:** il generale Pimodan, comandante dei papalini, ebbe la debolezza di volgere quell'insignificante fatto d'armi a suo vantaggio. La propaganda aumentò "i morti garibaldini" da uno a sei "fra cui l'Orsini, fratello dell'assassino dell'imperatore", che in verità non era morto e non era fratello di Felice, l'attentatore alla vita di Napoleone III.
vennero sbattuti in prigione: in Archivio storico del Ministero degli Interni, anno 1860, I semestre, Roma.

94 **«della mia abnegazione!»:** Marchetti L., *Bertani,* Milano 1948.
«alla mia famiglia»: *ibid.*

95 **fosse inventato tutto quanto:** *ibid.*
riservata a uno di loro: Bracalini R., *Non rivedrò più Calatafimi – I garibaldini: uomini, sogni, avventure, battaglie*, Milano 1989.
rivendicare i propri diritti: in Archivio storico del Ministero degli Interni, anno 1860, I semestre, Roma.
tre dorati di lire 40: Marchetti L., *Bertani,* Milano 1948.

96 **centesimi in monete:** Bracalini R., *Non rivedrò più Calatafimi – I garibaldini: uomini, sogni, avventure, battaglie*, Milano 1989.

97 **«e imbroglione è tutt'uno»:** Nievo L. (a cura di Sergio Romagnoli), *Opere,* Milano-Napoli 1952.

98 **le prime contestazioni:** Nievo non tacque il suo dispetto «per una sì bella epopea eroica» che finiva con macchinazioni e aggiunse che avrebbe serbato rancore al conte di Cavour.

99 **avevano conquistato per lui:** Nievo ammise che il «popolaccio» era simpatico. Impazzava allora il carnevale con una confusione indescrivibile «quale non sanno che farla i napoletani».
rotondità del suo addome: Nievo commentò che questi maneggi non facevano che far rimpiangere «l'eresia garibaldina, a onta delle elezioni ortodosse».

100 **Vittima senza resistere:** Nievo aggiunse: «La vita è cosa morta senza libertà. Noi siamo foglie e il vento è vento: lasciamoci muovere a sua posta».

silenzioso e mesto: MANTOVANI D., *Ippolito Nievo – Il poeta soldato,* Milano 1899.

101 **credeva nemmeno lui:** BRACALINI R., *Non rivedrò più Calatafimi – I garibaldini: uomini, sogni, avventure, battaglie,* Milano 1989.
«da un paio di settimane»: MANTOVANI D., *Ippolito Nievo – Il poeta soldato,* Milano 1899.

Francesco II «re lasagna»

103 **tutto sembrava impazzito:** FILANGERI C., *Memorie storiche,* Palermo 1863.
di carne tritata: PETACCO A., *La regina del Sud – Amori e guerre segrete di Maria Sofia di Borbone,* Milano 1992.

104 **impegnative alleanze difensive:** DE CESARE R., *La fine di un regno – Dal 1855 al 6 settembre 1860,* Città di Castello 1895. (L'opera venne pubblicata con lo pseudonimo Memor. De Cesare firmò con il suo nome solo la prefazione. Le successive edizioni apparvero con il titolo: *La fine di un regno (Napoli e Sicilia).* L'edizione consultata per il presente lavoro è del 1969.
quell'evento avrebbe significato: GARNIER C., *L'ultimo re di Napoli,* Napoli 1865.

105 **creava imbarazzanti impedimenti:** MONTANELLI I., *L'Italia del Risorgimento,* Milano 1972.

106 **«contro questo scoglio»:** BOUVIER R. e LAFFARGUE A., *La vie napolitaine au XVIII siècle,* Hachette, Parigi 1956 tradotto in italiano *Vita Napoletana nel XVIII secolo,* Rocca San Casciano 1960.

107 **l'Umbria 11.000 (2,14 per cento):** i dati del censimento del 1861 sono custoditi nell'archivio storico del Ministero dell'Interno, vol. I, fascicolo I.

108 **nomignolo graziosamente ironico:** ACTON H., *Gli ultimi Borboni di Napoli,* Firenze 1962.
segnato dall'immobilismo politico: TOPA M., *Così finirono i Borboni di Napoli,* Milano 1959.
«l'avesse nei piedi»: ACTON H., *Gli ultimi Borboni di Napoli,* Firenze 1962.
il suo "zompo" quotidiano: PETACCO A., *La regina del Sud – Amori e guerre segrete di Maria Sofia di Borbone,* Milano 1992.

109 **«parole: troppo tardi»:** lettera conservata presso l'Istituto di storia del Risorgimento, Torino.
per l'inferno. «Mai!»: FRANCESCO II, *Diario,* Napoli 1894.

110 **proporzionati allo sforzo:** JAEGER P.G., *Francesco II di Borbone – L'ultimo re di Napoli,* Milano 1982.
di rara tempestività: *ibid.*

111 **alla conquista del Sud:** la lettera di Quintino Sella è indirizzata al neo ministro del Tesoro Marco Minghetti: «Caro amico, ecco la situazione finanziaria del ministero delle Finanze del 1862 che perciò fa riferimento all'intero bienno 1860-1861. Per il 1862: disavanzo risultante dell'appendice di bilancio: 350.936.254; minori introiti: 52.355.612; spese spedizione Garibaldi: 7.905.607. Totale: 418.217.706. Per il 1863: disavanzo di bilancio: 320.575.773; minori entrate: 5.196.109; maggiori spese: 27.567.919. Totale: 353.939.759. Disavanzo totale al 1883: 772.157.501. Rispetto allo specchietto di cui sopra c'è un'altra risorsa disponibile ché i buoni del Tesoro. La situazione non è allegra, e per quel che mi riguarda, non ho altra soddisfazione che quella di avertela potuta dare il giorno della Tua entrata al Ministero mentre quando arrivai io, dovetti aspettare due mesi per sapere dove e su cosa avevo messo i piedi. Addio. Il tuo amico, Quintino Sella».

112 **«nell'esercito italiano, naturalmente»:** BIANCARDI L., *Daghela avanti un passo! Gli errori, gli entusiasmi, le delusioni di oggi e di sempre in una antistoria del Risorgimento,* Milano 1992.

113 **e lo fecero a brandelli:** JAEGER P.G., *Francesco II di Borbone – L'ultimo re di Napoli,* Milano 1982.
con minore riottosità: LA MARMORA A. (a cura di A. Colombo, A. Corbelli, E. Passamonti), *Carteggi*, Torino 1928.
era senza testa: in «Charivari» agosto 1860.

114 **contributo alla patria:** JAEGER P.G., *Francesco II di Borbone – L'ultimo re di Napoli,* Milano 1982.

115 **«dei miei maggiori»:** FRANCESCO II, *Diario,* Napoli 1894.
un'accoglienza trionfale: BERTOLETTI C., *Il Risorgimento visto dall'altra sponda,* Napoli 1967.

116 **a sua disposizione:** BRACALINI R., *Non rivedrò più Calatafimi – I garibaldini: uomini, sogni, avventure, battaglie*, Milano 1989.
«calmo e bonario»: il cronista, dopo la descrizione dei personaggi, commentò: «Il gotha della Bella Società Riformata, ex Onorata Società, insomma la Camorra, era rappresentato».

117 **Tutto secondo le regole:** BRACALINI R., *Non rivedrò più Calatafimi – I garibaldini: uomini, sogni, avventure, battaglie*, Milano 1989.

118 **dei suoi possedimenti:** MACK SMITH D., *Garibaldi e Cavour nel 1860,* Torino 1958.

119 **campanile della sua chiesa:** VIGEVANO A., *La campagna delle Marche e dell'Umbria (1860)*, Roma.

120 **su di loro per soccorrerli:** SANDONNINI T., *Memorie di Enrico Cialdini*, Modena 1911.

121 **non fu ritenuta necessaria:** J.A., *Révélations,* Parigi 1862, tradotto in italiano con autore sconosciuto (identificato come Antonio

Curletti), *Le rivelazioni di J.A. già agente segreto di Cavour,* Bologna 1862.

122 **accanto al comandante Ritucci:** DORIA G., FERRABINO F., CORTESE N., FLORA F., *Nel centenario della battaglia del Volturno,* Napoli 1960.
gli rovesciò il calesse: WHITE MARIO J., *Garibaldi e il suo tempo,* Milano 1882.

La farsa del plebiscito: Borboni addio

123 **«sentimenti del paese»:** MUNDY G., *La fine delle due Sicilie e la Marina britannica – Diario dell'ammiraglio inglese a Palermo e a Napoli,* Napoli 1966.
«la corruzione e la violenza»: ELLIOT H., *Some revolutions and other diplomatic experiences,* Londra 1992.

124 **delle bande legittimiste:** JAEGER P.G., *Francesco II di Borbone – L'ultimo re di Napoli,* Milano 1982.

125 **non erano all'altezza:** DI PRAMPERO A., *La brigata Regina da Bologna per Castelfidardo a Gaeta,* Udine 1910.
«condizioni peggiori delle mie»: *Carte di Cialdini,* Archivio storico dello Stato Maggiore, Roma.
delle volte non esplodevano: CARANDINI F., *L'assedio di Gaeta,* Torino 1874.

126 **risultare del tutto inservibile:** LAZZARINI A. in *Cavalli Giovanni,* Enciclopedia Italiana, vol. IX, Milano 1931.
pescare pranzo e cena: in «La Gazzetta di Gaeta» giornale che raccontò i 101 giorni degli assediati. La raccolta è conservata alla biblioteca nazionale di Napoli.

127 **«delle invasioni straniere»:** FRANCESCO II, *Proclama del Re Francesco II di Borbone,* Gaeta, 8 dicembre 1860.

128 **riuscito prima di lui:** GASPARETTO P.F., *Vittorio Emanuele II,* Milano 1983.

129 **aveva dovuto sostenere:** AVETTA M., *A Gaeta assediata,* in *Atti della Reale Accademia delle Scienze di Torino,* vol. LXVI, Torino 1931.
stati più interessanti: *ibid.*

Un parlamento da operetta

134 **«dipende la salute dell'Italia»:** DI DARIO V., *Oh mia Patria! 1861 – Un inviato speciale nel primo anno d'Italia,* Milano 1990.
«forniti di strade»: in «Il popolo d'Italia», 11 gennaio 1861.

135 **«affare esclusivo dei prefetti»:** in «Il popolo d'Italia», 14 gennaio 1861.

numeri e sulle statistiche: IACINI S., *Due anni di politica italiana – Ricordi e impressioni*, Firenze 1868.

137 **sarebbe stato quello borghese:** in «La Gazzetta del Popolo», 28 febbraio, 4 marzo-7 marzo 1861.

conflitto di interesse: in «La Gazzetta del Popolo» sollevò il problema il 5 marzo 1861 e, il giorno successivo, il 6 marzo, il giornale riportò il comunicato di Minghetti.

138 **incetta di farina e di grano:** in DOBROLIJUBOV N., *Conti, preti, briganti,* Milano 1966.

«il maestro Verdi»: PETRUCCELLI DELLA GATTINA F., *I moribondi di Palazzo Carignano,* Milano 1962.

139 **«nel pendio della servitù»:** ARMANI G., *Carlo Cattaneo – Il padre del federalismo italiano*, Milano 1977.

«Neanche un muto!»: PETRUCCELLI DELLA GATTINA F., *I moribondi di Palazzo Carignano,* Milano 1962.

«manca di speranze»: *ibid.*

140 **«uccelli di passaggio»:** *ibid.*

«e ora segga al centro»: *ibid.*

a chiamare «Cenisio»: in «La Gazzetta del Popolo», 10 gennaio 1861.

141 **rovinata le gambe:** in «La Gazzetta del Popolo», 27 gennaio 1861.

e conoscere la grammatica: in «La Gazzetta del Popolo», 11 febbraio 1861.

ai piaceri della tavola: Federico Guglielmo IV di Prussia nacque a Berlino il 5 ottobre 1795 e morì a San-Sousi il 2 gennaio 1861.

era visto con scetticismo: il giornale «L'Opinione» del 15 gennaio 1861 pubblicò una nota: «L'applicazione del telegrafo ha aumentato il pericolo di errori nella stampa. È ormai abitudine, infatti, considerare come inviolabili i responsi che i fili telegrafici recano alle varie agenzie. Nessuno ardisce toccare il linguaggio conciso e sibillino di tali dispacci».

un bue ammaestrato: una pubblicità su «La Gazzetta del Popolo» del 16 gennaio 1861 informò che la recita sarebbe proseguita per tutto il mese di febbraio.

«di derubare due poliziotti»: in «La Gazzetta del Popolo», 2 febbraio 1861.

142 **gli stipendi del mese prima:** in «Il Pungolo» di Milano, 2 febbraio 1861.

143 **«di aggiungere: inconsultamente»:** in «Il Pungolo», 16 febbraio 1861.

alla libertà individuale: BRACALINI R., *Carlo Cattaneo*, Milano 1995.

144 **con accenti scandalizzati:** in «La Civiltà Cattolica», 26 gennaio 1861.

145 **«posto in mezzo a loro»:** CAVOUR C.B. conte di (a cura di L. Chiala), *Lettere edite e inedite*, 7 voll., Torino, 1884-87 e *Nuove lettere inedite,* (a cura di E. Mayor), Torino 1895.

146 **rifugio in Francia e Svizzera:** CALÀ ULLOA P., *Lettres d'un ministre émigré,* Marsiglia 1870.

di alcuni prigionieri: in «Stampa Meridionale», 28 ottobre 1861.

147 **al forte del Carmine:** in «Le Monde», 15 dicembre 1861.

«nelle isole napolitane»: in «La Civiltà Cattolica», 6 giugno 1865.

obbedienza e rispetto?: cantavano: «Sono stato per tanto tempo carcerato/non ho potuto ricevere nemmeno un saluto./Ho mangiato il pane dei delinquenti/e ho bevuto acqua piena di vermi./È come se mi avessero sotterrato vivo/senza bara e senza cassa». In GRECO L., *Piemontisi, briganti e Maccaroni – Il Risorgimento sbagliato,* Napoli 1993.

Briganti e agenti segreti

149 **il tallone dei conquistatori:** FRANCESCO II, *Proclama ai sudditi*, 8 dicembre 1860.

«Che ha dato questa rivoluzione ai miei popoli di Napoli e Sicilia? Vedete lo stato che presenta il paese. Le finanze, un tempo floride, sono completamente rovinate, l'amministrazione è nel caos, la sicurezza individuale non esiste. Le prigioni sono piene di sospetti. Invece di libertà lo stato di assedio regna e un Generale straniero pubblica la legge marziale, [...] l'assassino è ricompensato, [...] l'anarchia è da per tutto».

150 **«creato a loro decoro»:** BIANCO DE JURIOS A., *Il brigantaggio alla frontiera pontificia – 1860-63*, Milano 1864.

ben presto si guadagnarono: MACK SMITH D., *Storia d'Italia dal 1861 al 1997*, Bari 1997.

in netta minoranza: CAVOUR C.B. conte di, *La liberazione del Mezzogiorno e la formazione del Regno d'Italia: carteggi,* vol. III, Bologna 1949.

151 **Pasquale Villari:** VILLARI P., *Mezzogiorno e contadini nell'età moderna*, Bari 1961.

una casa da gioco: DE POLI O., *Voyage au Royaume de Naples en 1862*, Parigi 1864.

in 14 milioni di lire: J.A., *Révélations,* Parigi 1862, tradotto in italiano con autore sconosciuto (identificato come Antonio Curletti), *Le rivelazioni di J.A. già agente segreto di Cavour,* Bologna 1862.

152 **È piuttosto un'invasione!:** PROTO-CARAFA F., *Discorsi parlamentari (19 novembre 1861),* vol. II anno 1861, Archivio storico del Parlamento, Roma.
con riserve economiche: BIANCO DE JURIOZ A., *Il brigantaggio alla frontiera pontificia – 1860-63*, Milano 1864.
«da 20 a 55 grana»: *ibid.*

153 **croce di san Maurizio e Lazzaro:** la madre di Antonio Capello, Rachele Fuggita Trischitta, assistita dall'avvocato Antonio Morvillo, presentò una denuncia alla Procura di Palermo. Il giudice istruttore Magarotti, benché la denuncia fosse stata confermata da una serie di perizie mediche, sentenziò l'archiviazione del procedimento per involontarietà dell'atto «determinato dallo zelo del medico militare impegnato a dissuadere i frequenti casi di reclute che simulavano malanni per sfuggire alla leva». Il fascicolo si conserva presso l'Archivio storico della Procura di Palermo.

154 **Chiavone e Culopizzuto:** CROCCO C., *Come divenni brigante*, Potenza 1964.

155 **contro l'Unità d'Italia:** GELLI I., *Banditi, briganti e brigantesse nell'Ottocento*, Firenze 1931.
«non bastasse, la fisica»: VILLARI P., *Mezzogiorno e contadini nell'età moderna*, Bari 1961.
«l'arte del boia»: DE SIVO G., *Storia delle Due Sicilie dal 1841 al 1862*, Trieste 1868.

156 **degli abusi possibili:** ALIANELLO C., *La conquista del Sud*, Milano 1972.
era festa grande: MAIORINO T., *Storia e leggende di briganti e brigantesse*, Casale Monferrato 1997.
dalla carta geografica: TOPA M., *I briganti di sua maestà*, Napoli 1993.
nella provincia di Benevento: da una comunicazione del ministro degli Interni Bettino Ricasoli (da poco subentrato a Marco Minghetti) datata 15 settembre 1861. La nota menziona «un primo elenco dei paesi distrutti nell'Italia meridionale e peninsulare nel corso delle attività contro il brigantaggio». La comunicazione fu pubblicata da quasi tutti i giornali fra il 16 e il 19 settembre 1861.

157 **«vino, formaggio e pane»:** MARGOLFI C., *Ebbi in sorte il numero 15*, a cura della Proloco e del Comune di Delebio Valtellina 1997.
e gettati in prigione: MAIORINO T., *Storia e leggende di briganti e brigantesse*, Casale Monferrato 1997.

158 **un milione di morti:** CIANO A., *I Savoia e il massacro del sud*, Roma 1996.
trasferita a Firenze: la capitale del Regno d'Italia venne trasferita a Firenze nel giugno 1865. All'annuncio, scoppiarono tumulti in

piazza a Torino e furono violenti. I piemontesi considerarono la decisione un atto che depauperava la loro terra e sacrificava il ruolo del Piemonte. Il parlamento si trasferì comunque in Toscana ma ci rimase solo per cinque anni. Con la conquista di Roma (20 settembre 1870), era stata annessa la città che, naturalmente, era stata da sempre indicata come la capitale d'Italia.

del Risorgimento nazionale: MACK SMITH D., *Storia d'Italia dal 1861 al 1970*, Bari.

io rispondevo: «fucilate!»: DELLA ROCCA E., *Autobiografia di un veterano – Ricordi storici e aneddotici*, 2 voll., Bologna 1897-98.

sotto una spanna di terra: MOLFESE F., *Storia del brigantaggio dopo l'Unità*, Milano 1964.

159 **del ventennio fascista:** DEL BOCA A., *Italiani in Africa Orientale*, Bari 1972.

160 **non ritenne di interferire:** LEZZI R., *O briganti o emigranti: l'Unità costò al Sud dolore, sangue e vite umane*, in «Il Giornale», 1° giugno 1997.

l'Europa potrebbe inorridire: *ibid.*

161 **«con il marchio dei briganti»:** GRAMSCI A., *Il risorgimento italiano*, Roma 1991.

163 **«Un salutare terrore»:** LEZZI R., *O briganti o emigranti: l'Unità costò al Sud dolore, sangue e vite umane*, in «Il Giornale», 1° giugno 1997.

confermare le loro versioni: MOENS W. (a cura di M. Merlini), *Briganti italiani e viaggiatori stranieri*, Milano 1997.

163 **«la figura che fa l'autorità»:** GRECO L., *Piemontisi, briganti e Maccaroni*, Napoli 1993.

morale del nostro paese: MENABREA L., *Lettera a Enrico Della Croce di Loyola* (corrispondenza trovata e divulgata dal prof. Emilio Di Nolfo), in *Documenti Diplomatici*, vol. X serie I, Archivio storico del Ministero degli Esteri, Roma.

Sicilia senza pace

167 **dalla padella nella brace:** GANCI M., *L'Italia antimoderata*, Parma 1968.

168 **«elargizione generosissima»:** FERRARA F., *Lettera a Emanuele Rapisardi*, in GUARDONE F., *Il dominio dei Borboni in Sicilia*, Palermo 1924.

rinchiuse 20.000 persone: ALATRI P., *Lotte politiche in Sicilia sotto il governo della Destra*, Torino 1954.

169 **a tutta prima marginali:** PANTALEONI D., *Rapporto sul Mezzogiorno*, Palermo 1865.

quelli che davano fastidio: CORDERO DI MONTEZEMOLO M., *Lettera-Relazione al Ministro Marco Minghetti (16 dicembre 1860)*, in MAURICI A., *La genesi storica della rivolta del 1866 a Palermo*, Palermo 1916.

171 **occhiuto e più invadente:** il decreto di "Disarmo Generale" venne firmato alle 20,50 del 1° ottobre 1962. Il documento prevedeva anche la chiusura alle ore 19 di alberghi, locande, osterie, chioschi, negozi, bancarelle.

di mandati d'arresto: in «L'Aspromonte», 14 marzo 1863. Si trattava di un giornale di sinistra.

143 **prima di essere catturato:** il 17 aprile 1863 il giornale «Il precursore» pubblicò una lettera di Giovanni Corrao dalla latitanza nella quale egli si lamentava delle ingiuste accuse contro di lui e additava «la famiglia di faccendieri che travaglia da due anni e mezzo la Sicilia che mi ha fatto circondare di spie».

172 **«12 e 13 marzo?»:** «L'arlecchino oppositore» il 21 aprile 1863, in un editoriale polemico fece a pezzi le accuse del pentito Matracia e concluse: «Tutte le vittime di questa insensata e irresponsabile azione che tante sofferenze ha seminato, chi e come li potrà risarcire?».

diretta in America: fra i testimoni vi fu anche un giornalista di «Unità Politica» che ne diede conto sulla testata in edicola il 28 aprile 1863.

173 **«dalle mura di Palermo»:** il documento con la relazione dell'attentato è conservato nell'archivio storico del Ministero dell'Interno al Viminale, Roma.

174 **con un fuoco incrociato:** i giornali pubblicarono la notizia in evidenza. «L'arlecchino oppositore», nel numero del 6 agosto 1863, dedicò all'episodio un'intera pagina, fatto insolito per l'epoca.

«riscuoterci nel seno»: in «Il precursore», 7 agosto 1863.

fedele ai suoi principi: in «Il precursore», 10 agosto 1863.

175 **aveva fatto da palo:** MAGRÌ E., *L'onorevole padrino – Il delitto Notarbartolo – i politici e i mafiosi di cent'anni fa*, Milano 1991.

il fascicolo di un processo?: PANTANO E., *Memorie*, Bologna 1993.

176 **la rabbia dei siciliani:** AA.VV., *La genesi storica della rivolta 1866 in Palermo*, Palermo 1916.

177 **trarre maggiori vantaggi:** RENDA F., *Storia della Sicilia dal 1860 al 1970*, Palermo 1984.

L'autore distingue fra «una mafia popolare e una mafia dirigente; una mafia rivoluzionaria e barricadera e una mafia conservatrice e reazionaria».

178 **strade più importanti:** MERCADANTE T., *I fatti di Palermo nei sette giorni di anarchia desunti da fonti ufficiali*, Palermo 1866.

punire con il confino: RENDA F., *Storia della Sicilia dal 1860 al 1970*, Palermo 1984.

179 **riparo naturale di fortuna:** PAGANO G., *Avvenimenti del 1866 – sette giorni d'insurrezione a Palermo: cause, fatti, rimedi, critica, narrazione,* Palermo 1867.

«Il paese è salvo»: DA PASSANO M., *I moti di Palermo del 1866 – verbali della commissione d'inchiesta*, Roma 1981.

180 **incombeva sulla città:** CADORNA L., *Il generale Raffaele Cadorna nel Risorgimento italiano*, Milano 1926.

181 **«il marito incomodo»:** RICCIARDI G., *Atti parlamentari*, anno 1866, in CANTÙ C., *Il cimitero dell'Ottocento*, Milano 1954.

«da individui infami»: CRUDELI T., in «L'Amico del Popolo», 29 settembre 1866.

Il giornale era stato autorizzato dalla censura piemontese a riprendere le pubblicazioni solo tre giorni prima, il 26 settembre 1866.

182 **«a braccia in prigione»:** ALATRI P., *Lotte politiche in Sicilia sotto il governo della Destra*, Torino 1954.

L'autore cita per intero la lettera del capitano dei granatieri Antonio Cattaneo e le interpretazioni degli storici ufficiali portati a ritenerla una smargiassata, e dimostra che quello scritto è informato di «evidente realismo, pienamente veritiero e privo di esagerazione».

183 **in modo più rigoroso:** BORSANI G., *Inaugurazione dell'anno giudiziario*, in «Il Giornale di Sicilia».

La cronaca dell'inaugurazione dell'anno giudiziario del 1867, con l'intervento del procuratore del re, fu riportata da tutti i giornali.

184 **bande di fuorilegge:** in «Le Moniteur», 22 settembre 1866.

i bisogni della gente: in «The Times», 22 settembre 1866.

atti di ribellione: in «Le journal des débats», 4 ottobre 1866.

186 **la loro perspicacia:** in «La Gazzetta del Popolo», 24 settembre 1866.

Il giornale suggerì di mandare in Sicilia uomini che «alle buone qualità di Torelli aggiungano accorgimento di uomo politico».

che aveva ricoperto: in «La Gazzetta del Popolo», 30 settembre 1866.

La testata verificò che «il generale Camozzi voleva battere il generale ma il prefetto non ritenne opportuno perché le notizie che aveva non erano così allarmanti. [...] Camozzi chiese ancora e il prefetto rifiutò. [...] Il generale senza autorizzazioni non poté muoversi: è inconcepibile la cecità della prefettura».

tempestivi e testimoniati: in «La Gazzetta del Popolo», 25 settembre 1866.

Ferrovie: un affare milionario

192 **«e non la sua»:** Di Dario V., *Oh mia Patria! 1861 – Un inviato speciale nel primo anno d'Italia*, Milano 1990.
qualche volta, addirittura moderato: il 7 maggio 1861 il gestore del giornale «L'Espero» venne condannato a due mesi di carcere e 300 lire di multa «per diffamazione e ingiurie a carico del dottor Agostino Bertani per pretesa cointeressenza di questi quale segretario generale della dittatura, nel far firmare a Garibaldi la concessione delle ferrovie calabro-sicule alla società Adami e Lemmi».

193 **con quelle governative:** Turone F., *Gli scandali dall'Unità d'Italia alla P2*, Bari 1980.

194 **parassitaria di mediazione:** *ibid.*

196 **«del signor Bastogi?»:** in *Verbali delle sedute*, anno 1862, Archivio storico della Camera dei deputati, Roma.

198 **Giuriati riportò fedelmente:** Giuriati notò soltanto «due grandi baffi bianchi che emergevano dalle coperte sotto le quali intravedeva una prominente obesità». In Di Nardo V., *Oh mia Patria! 1861 – Un inviato speciale nel primo anno d'Italia*, Milano 1990.

200 **«da questa peste»:** *ibid.*
«di cui dobbiamo occuparci»: *ibid.*

201 **una donna poco per bene:** *ibid.*

202 **a decidere per l'archiviazione:** *ibid.*

203 **scandalo nello scandalo:** Petruccelli della Gattina disse di Lanza: «La grammatica fu sempre la sua nemica naturale, la sua lingua italiana un'incognita: nelle lande della Crusca vagò come un beduino del Sahara».

Regie Tabaccherie in fumo

205 **qualche milione di liquidità:** Sandri Levi L., *Il giallo della Regia*, Milano 1983. L'autore con questa accuratissima ricerca storica ha ricostruito nel dettaglio le truffe che accompagnarono le decisioni governative.

206 **«a decisive riforme»:** in *Verbali delle sedute*, anno 1868, Archivio storico della Camera dei deputati, Roma.
«un prodotto migliore»: *ibid.*

207 **le decisioni governative:** *ibid.*

208 **alla proposta ministeriale:** Turone F., *Gli scandali dall'Unità d'Italia alla P2*, Bari 1980.
ministro delle Finanze: in *Verbali delle sedute*, anno 1868, Archivio storico della Camera dei deputati, Roma.

209 **scandalo delle tabaccherie:** in «Gazzettino rosa», 8 agosto 1868.
a mezzo stampa: la sentenza fu pronunciata il 30 settembre 1868.

210 **fra gli equivoci e le colpe:** in *Verbali delle sedute*, anno 1869, Archivio storico della Camera dei deputati, Roma.
Interrogato dalla commissione, Civinnini prese la parola per difendersi. Vantò onore e accusò Crispi di aver testimoniato a Milano in modo volutamente perfido per fargli pagare la decisione di avere abbandonato il suo raggruppamento politico. Crispi rispose con un paio di frasette arroganti. A chi poteva interessare il caso di uno sventurato onorevole macinato dagli ingranaggi dei "si dice"? Piuttosto soffiò sul fuoco della polemica parlamentare e si soffermò sulla necessità di capire che cos'era veramente accaduto ai margini della trattativa per la vendita del monopolio del fumo.

211 **ai lavori pesanti:** in *Verbali delle sedute*, anno 1869, Archivio storico della Camera dei deputati, Roma.
«per essere esaminato»: *ibid.*

212 **«Questi, intendo conservarli»:** *ibid.*

213 **l'aggressore scappò precipitosamente:** in «La Nazione», 9 giugno 1969.
«gli spiriti bollivano»: in «La Nazione», 12 giugno 1869.
essere poliziotti infedeli: in *Verbali delle sedute*, anno 1868, Archivio storico della Camera dei deputati, Roma.
il deputato era malato: *ibid.*

214 **una stanza in subaffitto:** in *Aggressione Lobbia – atti dell'inchiesta giudiziaria*, Cancelleria del tribunale, Firenze.

215 **che cos'era successo:** *ibid.*
del tutto dell'inchiesta: *ibid.*
turlupinare l'opinione pubblica: *ibid.*

216 **un incontro "affettuoso":** in «La Nazione», 1° settembre 1869.

217 **e cambiò mestiere:** TURONE F., *Gli scandali dall'Unità d'Italia alla P2*, Bari 1980. L'autore ha ricostruito i passaggi giudiziari in modo scrupoloso e documentato. Nelle dimissioni di Borgnini, Turone documenta che il procuratore definì «indegna» la proposta di congedo temporaneo e rivendicò il privilegio di lasciare al successore «un posto non compromesso da basse adulazioni e da indebite compiacenze».

218 **di "residuo" di bilancio:** MACK SMITH D., *I Savoia re d'Italia – Fatti e misfatti della monarchia dall'unità al referendum per la repubblica*, Milano 1990.
«Una riforma finanziaria sconsiderata fu la cessione del monopolio dei tabacchi a un consorzio privato, provvedimento che arricchì pochi speculatori a danno dell'interesse pubblico. Secondo

voci attendibi, fra coloro che ne trassero benefici finanziari c'era anche il re così come si pensava che avesse tratto vantaggi dalle concessioni ferroviarie e dalla vendita dei beni ecclesiastici confiscati». L'autore, a sostegno della sua tesi, cita anche Ferdinando Petruccelli della Gattina (*Storia d'Italia dal 1866 al 1880*, Napoli 1882) e Vittorio Emanuele II (*Le lettere*, a cura di F. Cognasso, vol. II, Torino 1966).

Il crack della banca romana

220 **impegno comune e coordinato:** MAZZONIS F., in *Convegno di Storia della Chiesa*, VI ed., La Mendola, 31 agosto-5 settembre 1971.

221 **Armellini e Saffi:** TANLOGO P., *Una parte della corrispondenza di Bernardo Tanlogo*, Roma 1893.

223 **«in compagnia con me»:** *ibid.*
di coordinare i lavori: l'inchiesta venne avviata nell'aprile 1889 dal ministro dell'Agricoltura, Industrie e Commercio, Francesco Miceli e, all'inizio era indirizzata a verificare alcune voci che riguardavano il Banco di Napoli. Poi era stata estesa ai cinque istituti di credito maggiori: Banca toscana del credito e Banca Romana.

224 **sei plichi di documenti:** in *Verbali delle sedute*, anno 1891, Archivio storico della Camera dei deputati, Roma.

225 **restituite 61.500 lire:** NATALE G., *Giolitti degli italiani*, Milano 1949.
nessuna circostanza: *ibid.*

226 **per la sua «Tribuna»:** MAGRÌ E., *I ladri di Roma – Scandalo della banca romana: politici, giornalisti, eroi del Risorgimento all'assalto del denaro pubblico*, Milano 1993. L'autore ricostruisce minuziosamente i passaggi di denaro dalle casse dell'istituto di credito individuando chi ne aveva beneficiato e per quanto.
di famiglia in deficit: *ibid.*
stava per esplodere: in *Verbali delle sedute*, anno 1893, Archivio storico della Camera dei deputati, Roma.

229 **un Re travicello:** in «L'asino», 19 dicembre 1894.

230 **qualunque carriera politica:** CAVALLOTTI F., *La questione morale di Francesco Crispi*, Milano 1905.
non le venne assegnato: *ibid.*

231 **tutto d'un pezzo:** *ibid.*
dichiarazione di Tanlogo: in «Don Chisciotte», 20 maggio 1895.

234 **«trova affatto a Roma»:** in AA.VV., *Vita italiana nel Risorgimento 1846-1849*, vol. XXII, Firenze 1900.

235 **dei manufatti dell'indotto:** BOUVIER R. e LAFFARGUE A., *La vie napolitaine au XVIII siècle*, Parigi 1956, tradotto in italiano *Vita napoletana nel XVIII secolo*, Rocca San Casciano 1957.
il 17 per cento: in *Risultati dei censimento 1861,* Archivio storico del Ministero degli Interni, Viminale, Roma.
Roma 35,3: NITTI F.S., *Scienze delle finanze*, Roma 1903.
L'autore aggiunse che il Ducato di Modena aveva portato all'erario 0,4 milioni e 55,3 milioni la Romagna e l'Umbria.

236 **«ritrovarla così derelitta?»:** in *Verbali delle sedute*, anno 1863, Archivio storico della Camera dei deputati, Roma.
«a polvere senza palla»: in «The Times», 4 agosto 1866.
«scoprirà ben altro»: in «La Presse», 9 agosto 1866.

237 **«un uomo abile»:** CARDOL COSTA M., *Ingovernabili da Torino – I tormentati esordi dell'Unità d'Italia*, Milano 1990.
il municipio di Catania: GIOLITTI G., *Memorie della mia vita*, Monza 1945.
L'autore raccontò che «a Messina furono uccisi gli esattori e i comuni che dovevano dare gli appalti, vi si rifiutavano e bisognava fare le aste d'ufficio».
qualche sperduto paesino: la legge Crispi per il confino venne approvata il 17 maggio 1866.
al migliore offerente: la legge Comin fu rubricata il 18 maggio 1866.
a cambiare mestiere: in «Il pungolo», 10 luglio 1866.
«imbarcati per la Sardegna»: in «Lo stendardo cattolico», 19 luglio 1866.

238 **«ostile al Governo»:** in «La sentinella delle Alpi», 25 agosto 1866.
l'incasso 162 milioni: NITTI F.S., *Scienze delle finanze*, Roma 1903.

239 **guadagnare sopra:** CARDOL COSTA M., *Va pensiero... su Roma assopita – Storia italiana 1866-1876*, Milano 1993.
macinare nei mulini: NITTI F.S., *Scienze delle finanze,* Roma 1903.
di Napoli e Palermo: *ibid.*

240 **a suo vantaggio:** GUICCIOLI A., *Diario di un conservatore*, Roma 1973.
la questione d'Oriente: PAGET A., in FO 45/284, Salisbury Papers, Hartfield House, Hertfordshire, 2 gennaio e 8 gennaio 1876 e MARTINI F., *Confessioni e ricordi 1859-1892*, Milano 1829.
un non-so-che per digestivo: MASSARI G., *La vita e il regno di Vittorio Emanuale di Savoia, primo re d'Italia*, vol. II, Milano 1878.

«per la propria reputazione»: in Russel Papers 30/22/16E Public Record Office (1° gennaio 1868), Archivio centrale dello stato, Londra.
a perdere del tempo: ELLIOT H., in FO 45/105 (11 maggio 1867).

L'Italia che non c'è

242 **in malomodo i piemontesi:** la festa regionale dell'autonomia sarda ("Sa die sa Sardigna") è stata istituita nel 1997 su proposta dell'assessorato all'istruzione regionale.
apprezzata da tutti: DE MURTAS A., *Una festa e una data sbagliate*, in «La Nuova Sardegna», 27 aprile 1997.
non è più stata cancellata: in *Sessantamila persone per "Sa die sa Sardigna"*, in «La Nuova Sardegna», 28 aprile 1997.

244 **con poco sentimento:** RUFFOLO G., *Ma a chi interessa l'unità nazionale?*, in «La Repubblica», 23 agosto 1997.
Non c'è nemmeno l'italiano: Enzo B. (in *I come italiani*, Fabbri-Corriere della Sera, Milano 1995), argutamente, ha messo in evidenza che non è una lingua quella che, al nord, chiama una parte anatomica del corpo "uccello" ma che, attraverso l'Appennino, diventa un "pesce". L'autore riferisce questa annotazione attribuendola al deputato del primo parlamento italiano Ferdinando Petruccelli della Gattina.

246 **fosse questo Risorgimento:** LEPRE A., *Italia addio? – Unità e disunità dal 1860 a oggi*, Milano 1994.

246 **la moglie del nuovo re:** MACK SMITH D., *Storia d'Italia dal 1860 al 1997,* Laterza 1997.
«Comanda i signori»: LANARO S., *Il Veneto*, in *Storia d'Italia Einaudi – Le regioni dall'Unità a oggi*, Torino 1984.
ha scritto *I promessi sposi*: MANZONI ALESSANDRO, *I promessi sposi.*
Dal cap. XXVII: «Il duca di Savoia era entrato nel Monferrato [...] dopo aver preso la sua porzione, andava spiluzzicando quella assegnata al Re di Spagna. Don Gonzalo se ne rodeva ma temendo, se appena faceva un po' di rumore, che quel Carlo Emanuele, così attivo in maneggi e mobile ne' trattati, si voltasse dalla Francia, doveva chiudere un occhio, mandare già e stare zitto». Dal cap. XXVIII: «Carlo di Nevers era arrivato al parere di cedere al Savoia (Vittorio Amedeo I) un pezzo del Monferrato, 15 mila scudi. In un trattato segretissimo, a parte, il duca di Savoia cedé Pinerolo alla Francia [...] trattato eseguito qualche tempo dopo sott'altri pretesti e a fine di furberie».

247 **né di tollerarlo:** ALFIERI VITTORIO, *I pedanti*, Milano 1799.

248 **patria ma annesse:** GUERRI G.B., *Antistoria degli italiani – Da Romolo a Giovanni Paolo II*, Milano 1997.

in atteggiamenti pornografici: PETACCO A., *La regina del Sud*, Milano 1992.

lo studio del re: GIGLIOZZI G., *Le regine d'Italia*, Roma 1997.

249 **«soldati ben comandati»:** BOCA G., *Viaggiatore spaesato*, Milano 1996.

250 **sguardo più critico:** MIELI P, *La sinistra riscopre i Borbone*, in «La Stampa», 16 novembre 1997.

L'autore ha rilevato come sia «una schiera» quella degli studiosi che rivalutano la modernità della società meridionale. E conclude: «Abbiamo l'impressione che da una riscrittura, i Borbone abbiano molto e, forse, moltissimo da guadagnare».

false o esagerate: SPAGNOLETTI A., *Storia del Regno delle due Sicilie*, Bologna 1997.

251 **figlio di quello di ieri:** MONTANELLI I., *Storia d'Italia – L'Italia del Risorgimento*, Milano 1972.

Indice dei nomi

Indice generale

Milano - NY 22 Nov 2003

Or.

Commonwealth

Mind / Body

Breaking the Silence

My Grandmother

A. Gramsci

wepiloRocco. com